LES PIONNIERS
DE L'OR VERT

Ils inventent le XXIe siècle

DU MEME AUTEUR

LES POSSÉDÉS DE WALL STREET, Denoël, 1987 ; Folio, 1989.

L'ÉTREINTE DU SAMOURAÏ : LE DÉFI JAPONAIS, Hachette Littératures, 1991 ; Livre de Poche, 1995.

LES CONQUÉRANTS DU CYBERMONDE, Calmann-Lévy, 1995 ; Folio, 1997.

LE HOLD-UP PLANÉTAIRE : LA FACE CACHÉE DE MICROSOFT, *avec Roberto Di Cosmo*, Calmann-Lévy, 1998.

DOMINIQUE NORA

LES PIONNIERS DE L'OR VERT

Ils inventent le XXIe siècle

BERNARD GRASSET
PARIS

ISBN 978-2-246-75091-8

A mes amours :
Guillaume, Lola, Diego, Luca

REMERCIEMENTS

L'écriture de cet ouvrage n'aurait pas été possible sans les encouragements continus de mes amis Chantal, Agnès, Bernard, Jean-Noël, et Pierre, qui m'ont confortée dans mon intérêt croissant pour ce sujet.

Je tiens à remercier les professionnels et experts qui ont eu la gentillesse de m'éviter – j'espère – d'écrire des erreurs sur des sujets parfois techniques, et tout particulièrement Thierry M., Philippe L. et Lionel B.

Je voudrais aussi dire ici ma reconnaissance à tous les interlocuteurs qui m'ont consacré du temps et m'ont guidée dans mon approche, même s'ils ne sont pas nominalement cités dans ce document.

Enfin, un grand merci à ma famille, qui m'a laissé la quiétude et apporté le soutien et l'affection indispensables à ce genre d'exercice. Et, bien sûr, à mon éditeur et frère Olivier, complice habituel de mes projets éditoriaux.

Introduction

La meilleure manière de prédire le futur... est de l'inventer !

C'est une île privée des Caraïbes, un joyau émeraude dans un lagon bleu turquoise. La quintessence du luxe et du farniente, avec quatorze chambres, piscines, jacuzzis, court de tennis et plages de sable blanc... En temps normal, la résidence privée du magnat anglais Richard Branson dans les îles Vierges britanniques est à louer pour 250 000 dollars la semaine. Mais, en ce début d'année 2008, le patron du groupe Virgin y a réuni une liste de *happy few,* pour un petit « sommet de Davos » personnel, raconte le *New York Times.*

Il y a là l'ex-Premier ministre Tony Blair, mais aussi beaucoup d'entrepreneurs américains de l'internet, comme Larry Page, le cofondateur de Google, ou Jimmy Wales, le patron de l'encyclopédie en ligne Wikipedia. Sous la voûte étoilée, Branson demande à ses invités : « Bon, est-ce qu'on croit vraiment que la planète est en feu ? » Pour l'hôte et presque tous les participants, la réponse est : oui. La discussion s'oriente alors sur la meilleure manière de sauver la terre (et, accessoirement, d'en profiter). « Dans les films de James Bond, les méchants fomentent des complots dans des paradis exotiques pour détruire la planète, a ensuite expliqué un participant au quotidien américain. Là, c'était exactement l'inverse ! »

Ces jours-ci, Richard Branson et ses invités de Necker Island sont loin d'être les seules personnalités en vue à se poser ce genre de question. Al Gore et son désormais célèbre film, *Une vérité qui dérange*, avaient ouvert la voie en 2006. Selon Bill Clinton, dont la fondation a lancé la « Clinton Climate Change Initiative », « inverser le changement climatique constitue le défi déterminant du XXIe siècle ». La chanteuse islandaise Björk a écrit « Nattura », une chanson pro-environnement, dont les recettes iront à la cause. Elle a aussi créé, avec une firme de Reykjavik, un fonds doté de 809 000 dollars, destiné à investir dans les PME vertes en Islande. Neil Young, ex-vedette de Woodstock, finance une PME qui électrifie les voitures, notamment les « belles américaines » vintage des années 70. Sir Paul McCartney a récemment lancé la campagne « Lundi sans viande » – *Meat Free Monday* – pour persuader les familles anglaises de perdre leurs habitudes carnivores, au moins une fois par semaine... Car, selon les dernières études, les bêtes à viande seraient responsables de 10 à 15 % des émissions de « gaz à effet de serre », qui causent le réchauffement climatique. Cette initiative est soutenue par une liste croissante de personnalités, dont l'artiste Jeff Koons, l'acteur Alec Baldwin, la chanteuse Sheryl Crow, ou encore le financier David de Rothschild. Yann Arthus Bertrand et Luc Besson ont, eux aussi, récemment tenté de réveiller les instincts écolos du public, en réalisant et en diffusant mondialement le film *Home*. En France, au lendemain d'élections européennes où la liste verte de Daniel Cohn-Bendit a fait presque jeu égal avec celle du PS, Nicolas Sarkozy se fait mousser sur un projet de taxe carbone, et le parti socialiste se « repeint » en vert…

On pourrait allonger cette liste, presque à l'infini. Car depuis trois ans, l'environnement est devenu LA cause à la mode. La cause verte a dépassé, en notoriété, la lutte contre la maladie, la pauvreté ou les génocides. Et tous les « people » et les politiciens de la planète s'affichent pour la défendre… même s'ils en tirent rarement les conséquences sur leur « bilan carbone » personnel ! Il ne s'agit cependant que des signes les plus superficiels d'une prise de conscience mondiale. Nous ne pouvons plus prolonger, sans le remettre en question, un système économique dont la croissance repose sur les énergies fossiles – pétrole, gaz et charbon – au mépris de leurs effets sur l'environnement. Un modèle occidental de « surconsommation » et de gâchis, dont tous les indicateurs démontrent qu'il n'est pas viable à long terme.

Le discours écologique, bien sûr, n'est pas nouveau : l'histoire industrielle mondiale est émaillée de scandales environnementaux parfois meurtriers (Bhopal, Tchernobyl, amiante…). Mais, cette fois, c'est différent. La parole verte jusqu'ici militante et marginale, seulement prêchée par une poignée de barbus gauchisants et de scientifiques isolés, est devenue la position officielle de l'establishment politique, économique et culturel. Un tsunami que l'on peut attribuer à une nouvelle conjonction astrale. Premièrement, il y a bien sûr la raréfaction du pétrole, et son prix croissant. Pas de doute, la notion de *peak oil* n'est maintenant plus contestée : les réserves mondiales d'or noir sont limitées (elles pourraient être à sec dès 2050). Et elles ne pourront satisfaire une demande croissante, dopée par l'envolée des nouveaux pays industrialisés, comme la Chine ou l'Inde. Du coup, le baril de brut devrait d'ici quelques années approcher — et même dépasser — les 200 dollars.

Deuxièmement, les attentats du 11 Septembre, la guerre d'Irak et les coups de menton du président vénézuelien Hugo Chavez sont venus rappeler aux dirigeants américains que les pétrodollars finançaient souvent des causes hostiles, ou des régimes qui ne partagent pas leurs valeurs. D'où la résurrection d'un souci d'indépendance énergétique. Ce sentiment était apparu sous Jimmy Carter, lors du choc pétrolier de 1979… pour s'évanouir aussi vite avec la chute du baril et l'avènement de Ronald Reagan. Cette fois-ci, il pourrait s'installer et s'approfondir. Troisièmement, l'angoisse montante face au réchauffement climatique – en grande partie dû à la combustion des énergies fossiles, dont les conséquences sont décrites dans des termes de plus en plus alarmants par les scientifiques, notamment ceux du Groupe d'experts intergouvernemental sur l'évolution du climat (GIEC). Quel gouvernant pourrait rester indifférent devant le spectre de l'extinction de centaines d'espèces végétales et animales, de l'immersion de vastes territoires habités, de la multiplication des sécheresses, incendies et autres catastrophes naturelles ? Sans même parler de probables « guerres de l'eau », du déplacement de millions de réfugiés climatiques, et de l'apparition de nouvelles pandémies... On l'aura compris : il ne s'agit plus ici d'écologie à proprement parler. Il ne s'agit pas tant de sauver les ours polaires ou les abeilles, que d'éviter des catastrophes humanitaires et économiques majeures et qui, injustice suprême, frapperont plus durement encore les populations du Sud, qui en sont le moins responsables.

Ce livre n'a pas vocation à développer ces scénarios noirs, bien décrits dans des ouvrages comme *C'est Maintenant ! Trois ans pour sauver le monde* de Jean-Marc Jancovici et Alain Grandjean[1], ou *2030, Le krach écologique* de Geneviève Ferone. Il a pour ambition au contraire d'apporter quelques touches d'espoir sur cette préoccupante toile de fond. Car tout le monde

---

1. Les références des ouvrages cités figurent en bibliographie.

sait ce qu'il faut faire. Il n'y aura pas de remède miracle. La solution passe par toute une gamme d'actions et d'initiatives. Il faut d'abord – et de toute urgence – développer les économies d'énergie. C'est-à-dire mettre au régime notre « ration quotidienne de watts », et par conséquent réduire notre « empreinte carbone » individuelle et collective. L'un des pionniers américains des énergies de demain, Amory Lovins, du Rocky Mountain Institute, a inventé le terme imagé de « négawatts », pour décrire cette énergie « générée » par le simple fait de… ne pas en faire usage !

La solution passe, aussi, par la transformation des centrales existantes (à charbon, à gaz ou nucléaires), qui ne disparaîtront évidemment pas du jour au lendemain. Des technologies encore expérimentales et coûteuses – comme la capture et la séquestration de carbone – permettent de les rendre moins nocives. Enfin, et c'est l'objet essentiel de cette enquête, l'avenir passe par un grand coup d'accélérateur sur les énergies renouvelables, c'est-à-dire provenant de sources naturelles : soleil, vent, hydroélectricité, géothermie… Elles ne représentent actuellement que 18 % de la consommation mondiale d'énergie, dont 13 % pour la biomasse (bois), et 3 % pour l'hydroélectricité (barrages). Les progrès technologiques laissent désormais envisager la compétitivité de certaines de ces nouvelles sources d'énergie alternatives et propres. Et la prise de conscience mondiale du phénomène rend envisageables des réglementations qui facilitent leur essor. Il y a donc de quoi être optimiste.

Si on les replace sur ce terrain plus nivelé, les éoliennes ne sont plus des moulins à vent, les fermes solaires des miroirs aux alouettes, et les voitures électriques ou les biocarburants les éternelles arlésiennes du transport automobile. Aujourd'hui déjà, elles existent, elles fonctionnent, et elles améliorent tous les jours leurs performances. Les Américains les désignent par le terme de « technologies propres » (*cleantech*) ou « technologies vertes » (*greentech*). L'éditorialiste et auteur Thomas Friedman, lui, préfère parler des « technologies de l'énergie » (*energytech*), par analogie aux « technologies de l'information », ou *infotech* (semi-conducteurs, informatique, internet, médias et loisirs numériques) dont les Américains sont devenus les leaders mondiaux.

Mais tous ces termes semblent bien réducteurs pour définir ce véritable séisme écolo. Car la révolution des greentech concerne en réalité tous nos gestes quotidiens : la construction de notre appartement ou maison, son éclairage, son chauffage, sa ventilation, sa consommation d'eau. Mais aussi la manière dont chacun de nous s'habille, se brosse les dents, ou utilise les toilettes. Ce que l'on achète à manger, et comment on le cuisine. Et, bien sûr, comment l'on travaille, se déplace et voyage. Cette mutation suppose que l'on généralise la production d'électricité « propre » circulant dans des réseaux intelligents, que l'on rende nos maisons et nos immeubles « passifs », que l'on « décarbonise » nos voitures et nos avions (batteries électriques, gaz naturel, biocarburants), que l'on parvienne à promouvoir des économies d'eau, une chimie verte et une agriculture durable (moins de viande, davantage de fruits et légumes biologiques et de proximité)… Bref, de l'énergie à l'industrie, de l'agriculture aux services, c'est l'ensemble de notre modèle économique et sociétal qui doit être repensé à l'aune des critères du développement durable.

Un rêve ? Peut-être. Mais qui mérite d'être poursuivi avec ténacité. Et le parti pris de cette enquête est justement de suivre ceux qui, aux États-Unis, l'incarnent avec le plus de conviction. Autrement dit, de raconter les balbutiements de cette révolution, à travers le prisme des « entrepreneurs verts » californiens. J'ai choisi le « Golden State », parce que l'Ouest américain est, sur l'environnement, à la pointe des tendances sociétales, des réglementations et des technologies. Mais aussi parce que les « technoptimistes » de la Silicon Valley en ont fait leur « nouvelle nouvelle frontière » avec une naïveté souvent rafraîchissante.

« La meilleure manière de prédire le futur est de l'inventer ! » disait en 1971 le chercheur en science informatique Alan Kay, du Palo Alto Research Center. Et c'est exactement l'aventure que tentent les entrepreneurs et les financiers de la « vallée du risque ». En concentrant sur les énergies de demain la matière grise de leurs laboratoires universitaires, en créant et finançant à tour de bras des start-up vertes, la région de la baie de San Francisco ambitionne de devenir le laboratoire mondial des technologies vertes, comme elle a été – et reste – celui des technologies de la communication.

A Berkeley et à Stanford, temples mondiaux de la recherche, autour de Sand Hill Road, Mecque planétaire du capital-risque, à Palo Alto et Mountain View, capitales globales de l'entrepreneuriat, les meilleurs cerveaux semblent irrésistiblement aimantés par ces nouveaux secteurs. Hier, ils ne juraient que par la « programmation orientée objet » ou le « web deuxième génération » ; aujourd'hui, ils se passionnent pour le placoplâtre écologique ou les vitres superisolantes. Ils sortent les batteries lithium-ion de leurs ordinateurs portables… pour motoriser des voitures de sport électriques et mettre celles-ci à la portée de tout le monde. Ils manipulent le patrimoine génétique des bactéries pour en faire non plus des médicaments, mais des carburants verts.

Ce qui frappe un esprit français, c'est à quel point cette génération d'entrepreneurs *green* est différente de l'idée qu'on se fait des militants verts traditionnels. Les Elon Musk (Tesla), les Shai Agassi (Better Place), les Saul Griffith (Makani Power), les Bill Gross (eSolar), les Matt Golden (Sustainable Spaces) et les Jay Keasling (Amyris), dont ce livre retrace l'aventure, n'ont rien à voir avec les *tree-huggers* américains, les militants anti-OGM français ou les antinucléaires allemands. Zéro cynisme, zéro révolte. Ces allumés des cleantech ne prêchent ni un retour vers la nature, ni un mouvement luddite. Ils ne font pas l'apologie de la privation, ou de la contrition, et encore moins le procès du

marché ! Ils sont pour la science et le progrès technique, pour la modernité et le business. Ils se contentent
de faire le constat de l'impasse dans laquelle nous a
menés le système de production actuel. Et, convaincus
qu'ils peuvent faire mieux, ils s'emploient à récon-
cilier environnement et économie. Ils s'attaquent
ainsi − avec une foi quasi mystique dans le pouvoir
de l'innovation − à l'un des plus grands défis technologiques, scientifiques et humains de tous les temps. Et
ils pensent sincèrement triompher, comme les États-
Unis le firent, hier, avec le sursaut industriel de la
Seconde Guerre mondiale ou la conquête de l'espace.

Évidemment, rien ne garantit le succès. Beaucoup
de ces idées et technologies nouvelles se heurteront
aux dures lois de la réalité. Et la plupart de ces jeunes entreprises vertes mourront. Car la réussite de
cette mutation vers un modèle économique frugal,
propre et durable n'est pas seulement − tant s'en
faut − une question de technologie... Il s'agit d'un
changement politique, économique, sociétal et culturel
d'une ampleur considérable. C'est pourquoi il serait
surprenant que le Sommet de Copenhague sur le climat, en décembre 2009, produise déjà des résultats
significatifs. La crise économique et financière ne
facilite pas les concessions, forcément lourdes en
investissements initiaux. Mais cette rencontre inter-
nationale, et celles qui suivront, promettent en tout
cas d'être différentes de celle de Kyoto. Parce qu'il
ne reste plus que de rares « hurluberlus » pour ne pas

croire au lien entre le réchauffement de la planète et l'activité humaine, et ne pas conclure à l'urgence d'un nouveau pacte international d'envergure.

De fait, les opinions publiques et les gouvernements des pays riches ont, pour la plupart, basculé de l'attentisme à l'action. Dans toutes les capitales occidentales, on parle économies d'énergie, marché du CO_2, taxe carbone, relance verte et énergies propres. Si bien que les milieux d'affaires, jadis vent debout contre de nouvelles contraintes environnementales, préfèrent à présent tenter d'en atténuer les effets... plutôt que de les combattre de front.

Le virage n'est nulle part plus spectaculaire qu'aux États Unis, superpuissance économique et pollueur numéro un de la planète. Après huit années d'obscurantisme environnemental sous George Bush, les États-Unis de Barack Obama font — enfin — de ce sujet l'un de leurs objectifs prioritaires, avec la santé et l'éducation. Et même si la nouvelle Loi américaine sur l'énergie est jugée trop modeste en Europe, il s'agit d'un revirement politique.

La crise et la récession ne sont-elles pas en train de tuer dans l'œuf cet embryon de révolution verte ? Certes, à court terme, le prix du pétrole a fléchi, et les crédits se sont faits plus rares, y compris pour les énergies de demain. De fragiles « pousses vertes » en sont mortes, et des projets industriels ont été différés. Mais 2009 devrait marquer le creux de la vague. Et les experts estiment que le mouvement repartira de plus belle, à partir de 2010.

D'une certaine manière, en effet, cette crise accélère la prise de conscience de la fin d'une ère. C'est l'occasion idéale pour changer de paradigme. « Il n'y a rien de pire que de gâcher une bonne crise », entend-on dire à Washington. De fait, loin d'enterrer ses promesses de campagne, Barack Obama a eu le courage d'avancer coûte que coûte sur son agenda vert. Il a nommé une équipe notoirement pro-environnement. Il essaie de doter les États-Unis d'une politique énergétique cohérente, de réduire sa dépendance au brut saoudien et aux énergies fossiles (l'électricité américaine provient à 50 % du charbon !). Il a, autant que possible, tenté de jouer la « relance verte ». Plus de 11 % du « Stimulus économique américain », soit 94 milliards de dollars, sont prévus pour l'efficience énergétique des bâtiments, la modernisation des réseaux électriques, la recherche et la production d'énergies renouvelables et de véhicules moins polluants. Le nouvel *Energy Bill* devrait inscrire cet effort dans la durée, et créer un marché qui attribue un prix au « carbone ».

Du coup, de la côte Est à la côte Ouest, des milieux d'affaires aux grands philanthropes, des responsables d'ONG aux artistes réputés, des politiciens locaux aux associations de quartier, l'establishment éclairé du pays semble à présent déterminé à relever le défi de son avenir énergétique.

Évidemment, les États-Unis ne deviendront pas du jour au lendemain un « modèle écologique ». Ils seraient d'ailleurs malvenus à nous donner des leçons, tant leur handicap historique est lourd. Grosso modo, un Américain brûle beaucoup plus de ressources naturelles qu'un Européen... et trente-deux fois plus qu'un habitant du Sud ! Le modèle sociétal américain, fondé sur le surendettement, la surconsommation, la culture du « toujours plus » et le gaspillage, est devenu – à juste titre – le symbole de l'orgie capitaliste. « Frugalité » se traduit mal en américain, où une partie de l'opinion publique commence tout juste à remettre en cause ses extravagantes « McMansions », ses ridicules tapis de jogging pour chiens, ses 4 × 4 dévoreurs d'essence, ou ses appartements climatisés comme des glacières...

Yes we can ! Avec un zèle de nouveau converti, une partie du pays semble cependant vouloir mettre aujourd'hui les bouchées doubles. C'est ce dont j'ai voulu rendre compte à travers ces histoires de soleil et de vent, d'énergies nouvelles et d'espoir nées dans l'Ouest américain. Ce livre se veut un voyage initiatique dans la tribu des aventuriers de la « nouvelle nouvelle économie ». Ils veulent sauver la planète... et faire fortune au passage. Ou l'inverse. Et leur rêve est étrangement contagieux. Vinod Khosla, ex-cofondateur de Sun Microsystems et gourou du capital-risque vert, aime à citer le Mahatma Gandhi : « D'abord, ils vous ignorent, puis ils rient de vous, puis ils vous combattent... et puis vous gagnez. »

1.

« *California dream* »

Le 19 mai 2009, ils sont tous là, dans le Rose Garden de la Maison-Blanche. Les patrons des constructeurs automobiles General Motors, Ford, Chrysler, Toyota, les représentants des principales associations américaines pro-environnement (NRDC, Sierra Club...), une brochette de ministres et une poignée d'élus de Californie, menés par le gouverneur républicain Arnold Schwarzenegger.

Le président Barack Obama annonce qu'il étend à tout le pays les normes automobiles d'émission et de consommation de carburant que le Golden State a définies en 2002, mais qu'il n'a jamais eu le droit d'appliquer. Ces nouvelles règles imposeront la construction de voitures 30 % plus propres en 2016, et permettront aux États-Unis d'économiser l'importation de 1,8 million de barils de pétrole. « Je veux applaudir la Californie, sa délégation et son gouverneur pour leur extraordinaire initiative, déclare le président. Ils ont montré la voie sur ce sujet, comme sur beaucoup d'autres dans la lutte pour la protection de l'environnement. »

Arnold Schwarzenegger boit du petit-lait. Il a fait passer une loi exemplaire contre le changement climatique qui prévoit une réduction de 25 % des gaz à effet de serre en 2020, il a mené un inlassable combat pour nettoyer l'eau et l'air californiens, il a fait éclore dans son État une puissante industrie des énergies renouvelables. Et voilà que son action est enfin montrée en exemple par le président, devant le pays et le monde entier ! Un plaisir que le gouverneur ne boude pas, alors qu'à dix-neuf mois de son départ, son image est ternie par le déficit abyssal du budget californien… « Trois ou quatre autres administrations présidentielles avaient essayé de faire cela, sans y parvenir, répondra-t-il un peu plus tard aux compliments d'Obama. Ce président, après cent vingt jours au pouvoir, a réussi à rassembler tout le monde ! »

Schwarzenegger se battait en effet, depuis des années, pour que la Californie ait le droit d'adopter des normes d'émission au pot d'échappement beaucoup plus strictes que les standards fédéraux. Un combat qui lui a valu d'être traîné en justice par les constructeurs automobiles. Et Detroit – qui ne manquait ni de lobbyistes, ni de relais à Washington – était appuyé par le gouvernement de George W. Bush. Pour obtenir sa dérogation, « Terminator » avait même été, début janvier 2008, jusqu'à intenter un procès à l'Agence fédérale de protection de l'environnement ! Peine perdue.

Mais voilà qu'avec Obama, le rapport de force s'inverse : la Maison-Blanche est enfin devenue pro-environnement, et les constructeurs automobiles, au bord du gouffre, ne peuvent pas s'opposer à une administration qui fait leurs fins de mois. Ce moment marque, pour Arnold Schwarzenegger, la consécration de deux mandats de gouverneur au service de la cause verte.

Comble d'ironie : c'est un président issu du parti démocrate qui sanctionne ce triomphe alors que Schwarzy le républicain s'est toujours heurté à l'hostilité de son propre parti sur ces questions. Le 15 novembre 2007, Arnold visite les stands de voitures propres au salon automobile de Los Angeles : « C'est exactement le genre d'innovation dont nous avons besoin. En travaillant ensemble, nous nous assurerons que la Californie reste un leader dans les carburants propres et alternatifs. » Le 22 avril 2008, il félicite la société Frito-Lay, qui va produire l'énergie de son usine de Sun Chips de Modesto grâce à un champ de miroirs solaires. Le 30 juin 2008, il est au siège de Tesla Motors, PME constructrice de voitures électriques qu'il a convaincue d'ouvrir sa future usine à San Jose : « Nous ne voulons pas simplement que ces sociétés à l'avant-garde de l'innovation fassent ici leur recherche et développement, nous voulons qu'elles construisent leurs voitures en Californie. » Le 9 octobre 2008, il inaugure 2 mégawatts de solaire photovoltaïque, sur le parking du fabricant de panneaux Applied Materials : « Il est

plus important que jamais d'assurer notre compétitivité à long terme, et les greentech représentent le
futur… » Le 27 mai 2009, il rejoint à Los Angeles
le Tour annuel de l'hydrogène, qui amène une
cohorte de véhicules à hydrogène de San Diego à la
Colombie-Britannique canadienne : « La Californie
veut prouver au monde que les voitures à faible
émissions qui circulent sur nos routes sont sûres,
compétitives et viables !… »

Ces dernières années, il ne s'est pas passé une
semaine sans que le « Gouvernator » inaugure un
nouveau laboratoire, un site industriel, une réserve
naturelle ou un événement, salon ou conférence
consacré aux greentech… Avec son inimitable accent
autrichien, sa roublardise de comédien et ses cravates
chatoyantes, Schwarzy martèle sans relâche sa volonté
de faire de la Californie « le leader américain des
technologies propres, de l'indépendance énergétique
et du combat contre le réchauffement planétaire ».
Après six ans de règne, même ses adversaires en
conviennent : ce républicain-là a fait davantage pour
« décarboniser » l'économie américaine que beaucoup
de militants démocrates de la cause !

« *Schwarzy* », *le géant vert*

En 2003, pourtant, quand il décide de se lancer dans
la course à la succession du gouverneur Gray Davis,

remis en cause pour sa gestion budgétaire désastreuse, les premiers discours pro-environnement de l'ex-body-builder et star de Hollywood ne sont pas pris au sérieux. Comment diable Arnold, avec ses éternels cigares, sa demeure spacieuse, ses grosses voitures et son jet privé, pourrait-il être un champion crédible de la cause écologique ? Contrairement à Leonardo DiCaprio ou Tom Cruise, qu'on avait souvent vus faire du lobbying vert à Washington, Arnold n'était pas connu pour ce type d'engagement.

Pourtant, selon ses proches, la pollution des côtes californiennes avait frappé et choqué le jeune homme dès son arrivée en Californie, dans les années 60. « Il se trouve que les positions d'Arnold correspondent parfaitement à celles de la majorité de l'électorat américain qui vit dans les banlieues, explique Robert Grady, directeur du groupe financier Carlyle à San Francisco. Il est fiscalement conservateur, contre l'augmentation des impôts, et répressif sur la criminalité... mais plus progressiste sur les mœurs, l'éducation et la protection de l'environnement. » Grady, républicain et ancien collaborateur de George Bush père, a été l'un des premiers artisans de la politique verte du candidat gouverneur. En collaboration étroite avec... un démocrate convaincu : Terry Tamminen, ex-nettoyeur de piscines, ancien acteur shakespearien, et militant vert notoire de Los Angeles.

« Arnold et moi avions de nombreux amis communs : sa femme Maria, le cousin de celle-ci,

Bobby Kennedy Jr., avec qui je travaillais depuis des années sur la qualité des eaux en Californie, l'agent de Hollywood Bonnie Reiss, raconte Terry Tamminen, aujourd'hui président de l'ONG Santa Monica BayKeepers et directeur de la politique sur le climat à la New America Foundation. Alors, quand, en 2003, Arnold a décidé de se lancer dans la campagne pour le poste de gouverneur, Bobby Kennedy m'a demandé de l'aider sur le dossier environnement. » Au début évidemment, Tamminen est un peu sceptique. Mais après quelques rencontres avec Schwarzenegger, il est impressionné par sa détermination. « Et puis surtout, explique-t-il, je me suis dit que je ne pouvais pas laisser passer cette chance d'influer sur le programme d'un éventuel prochain gouverneur ! » Terry Tamminen sait aussi qu'Arnold Schwarzenegger n'est ni un républicain pur et dur, ni un idéologue rigide. Après tout, il est marié à Maria Shriver, fille d'Eunice Kennedy Shriver, la sœur du président John F. Kennedy… Et non seulement Maria a toujours été une démocrate convaincue, mais elle est activement militante. Dans la course à la Maison-Blanche de 2008, elle s'est même engagée derrière le candidat Barack Obama, avant les primaires de Californie, tandis qu'Arnold, lui, soutenait le candidat du *Grand Old Party*, John McCain. Devant la grille d'entrée de la Villa Bella Vista, résidence familiale du couple à Pacific Palisades (Los Angeles), cohabitaient les deux pancartes électorales. Et autour de la table de la cuisine, les débats allaient bon train entre papa Arnold, maman Maria, et leurs quatre enfants, alors âgés de dix à dix-huit ans. « Les filles étaient pour Hillary, et maintenant sont avec Obama.. Les garçons penchent davantage côté McCain », avait alors expliqué le gouverneur au *New York Times*. « Je trouve très positif que les enfants voient que nous ne vivons pas dans un système mono-parti, a de son côté affirmé Maria Shriver. Ils comprennent qu'il y a deux façons de regarder un problème. Qu'il faut être patient et faire des compromis... »

Des compromis, Arnold Schwarzenegger sait en passer. Il l'a d'ailleurs souligné avec « humour », un jour de mai 2008 à Los Angeles, devant un parterre de 400 scientifiques, hommes d'affaires et politiciens. Les républicains sont pour la peine de mort ? Les démocrates pour les énergies renouvelables ? Qu'à cela ne tienne, a-t-il plaisanté : « On fera des chaises électriques marchant à l'énergie solaire ! » Plus sérieusement, avec ses positions pro-avortement, son projet d'assurance-maladie universelle, et ses nombreux collaborateurs démocrates – de sa directrice de cabinet, Susan Kennedy, à son principal conseiller économique, David Crane –, Schwarzenegger est un républicain très atypique. Tout sauf sectaire..

Si bien qu'en ce début du mois de septembre 2003, Terry Tamminen, Robert Grady et quelques autres se mettent à l'ouvrage pour rédiger un « Plan d'action pour l'environnement ». « Comme il s'agissait d'une élection "de rappel", sans primaires, la campagne durait à peine deux mois, se souvient Robert Grady. Notre mission était de concevoir très rapidement le plan le plus agressif possible. » Les deux hommes se sont d'ailleurs dit, à l'époque, que même si Arnold n'était pas élu – au début, on ne lui prêtait pas grande chance ! –, cela forcerait les autres candidats à renchérir sur la question.

Dans la tradition de Theodore Roosevelt, Arnold Schwarzenegger se présente à la fois comme un défenseur du business et un protecteur de l'environnement : « Je ne suis pas un fanatique, explique-t-il en mars 2007 à *Fortune*. Je suis un optimiste : je vois là une formidable opportunité de nettoyer notre État. » Le 21 septembre 2003, il dévoile son programme vert à Santa Barbara. « J'ai eu l'honneur de présenter Arnold ce jour-là, raconte Robert Grady. J'ai expliqué qu'il était possible d'avoir un gouverneur qui était fiscalement conservateur, mais réformateur sur l'environnement. Qu'il ne s'agissait pas d'une question partisane, et que cela ne nuirait pas à l'économie, parce que partout où c'était possible, nous utiliserions des mécanismes de marché, pas des régulations administratives traditionnelles. »

Le plan d'action rédigé par Tamminen et Grady, sur lequel le gouverneur fait campagne, est très ambitieux. Il s'engage sur une réduction de 50 % de la pollution automobile, notamment en retirant de la circulation les vieilles voitures. Il promet de se battre à Washington pour limiter les émissions des bus et des camions diesel. Il prévoit la création d'une réserve de 10 millions d'hectares dans les montagnes de la Sierra Nevada, et la protection de nombreux sites naturels, des côtes (interdiction de forage) et des océans. Il envisage la modernisation des réseaux électriques, pour que le fameux *blackout* de 2001 ne puisse plus se reproduire. Il fait miroiter de généreuses incitations pour le développement des économies d'énergie et des énergies renouvelables. Avec cette liste, Arnold déborde tous ses concurrents démocrates... par la gauche !

Après son discours, ce jour-là, se souvient Grady, la journaliste de *Newsweek* apostrophe le candidat : « Attendez... C'est bien beau tout ça, mais vous conduisez un Hummer ! » Véritable tank automobile, le Hummer est le pire des *gaz guzzlers*... « J'ai été voir les gens de General Motors, et ils l'ont converti pour rouler à l'hydrogène », lui répond Arnold. « OK, ça c'est à cause de la campagne électorale, insiste la journaliste. Mais pourquoi ne pas l'avoir fait il y a dix ans ? – Pourquoi ? réplique alors Schwarzy, avec un grand sourire... Parce que je ne suis pas parfait ! » L'audience éclate de rire. Applaudissements.

Le batteur d'estrade a l'art de désamorcer les critiques par des pirouettes : « Un autre jour, lors de cette même campagne, raconte Robert Grady, Arnold a expliqué que si le vénérable financier Warren Buffett, qu'il annonçait ce jour-là comme l'un de ses conseillers économiques, faisait une fois de plus une déclaration contraire à la sienne sur un sujet particulier, il lui demanderait de se mettre à plat ventre et de faire cinq cents pompes ! »

Une fois élu, le trente-huitième gouverneur de Californie, qui a à cœur de tenir ses promesses, nomme Terry Tamminen secrétaire de l'Agence californienne de protection de l'environnement : « Il voulait que je puisse appliquer à son cabinet le plan que nous avions mis au point, raconte Tamminen. Et c'est ce que nous avons fait. »

Un État frugal en électrons, vorace en essence

Historiquement, la Californie n'a pas attendu Arnold Schwarzenegger pour jouer la star des législations écolos. « C'est une tradition depuis les années 60, où nous avons été les premiers à voter un *Clean Air Act* et un *Clean Water Act*, qui dans les années 70 ont été largement transposés au niveau fédéral », rappelle Terry Tamminen. Ce processus se poursuit actuellement, avec l'extension au niveau national des standards automobiles en vigueur en Californie. « La Cour suprême des États-Unis a confirmé l'année dernière que les gaz à effet de serre pouvaient être considérés comme des polluants, se réjouit Tamminen, ce qui revient à légitimer nos efforts pour les réduire. »

Cette conscience écologique précoce des Californiens s'explique, bien sûr, par la volonté de préserver la beauté de ses sites naturels, la richesse de sa flore et de sa faune. Mais il s'agit aussi d'une réaction à ses excès : développement urbain métastasique à Los Angeles, culte des grosses voitures (les transports représentent 38 % de la consommation énergétique de la Californie, contre 29 % dans le reste des États-Unis et 18 % en France !), « McMansions » somptueuses et arrosage immodéré des jardins et des golfs...

De par sa dimension, le Golden State est, à lui seul, le douzième émetteur de gaz à effet de serre de la planète. Et il est peut-être aussi l'un des États les plus vulnérables au réchauffement climatique. La Californie est déjà régulièrement victime d'érosion côtière, de sévères sécheresses et d'incendies spontanés dévastateurs. Si les températures moyennes globales augmentent de quelques degrés Celsius d'ici 2100, comme le prévoient les scientifiques, l'Agence de protection de l'environnement estime que le paquet de neige de la Sierra Nevada pourrait diminuer de plus de 70 %, mettant ainsi en danger l'approvisionnement en eau de 60 millions de personnes.

La Californie se préoccupe en tout cas d'économies d'énergie depuis les années 70. Elle s'est encore imposée, en 2008, au premier rang des États affichant l'économie la plus « verte », devant l'Oregon, le Connecticut, le Vermont, New York et Washington, selon le classement de l'American Council for an

Energy Efficient Economy. La botte secrète du Golden State ? L'organisme qui régule ses compagnies d'électricité a instauré, il y a trente ans, un système de rémunération original, avec un « découplage » entre la quantité de mégawatts vendus et les profits réalisés. Et il a encore renforcé, en 2007, cette approche « de la carotte et du bâton » sur des objectifs à dix ans. « Nous avons effectivement de fortes incitations financières directes à faire réaliser des économies d'énergie à nos clients », résume Darren Bouton, responsable des communautés durables chez Pacific Gas & Electric. « L'efficience est devenue une ressource énergétique stratégique », confirme Gene Rodriguez, son homologue chez Southern California Edison. Un système qui a fait des miracles, puisque la consommation de mégawatts par résident californien est restée stable depuis... 1975. Alors que dans le même temps, le revenu réel par tête augmentait de 79 % !

Avec son abondance de terres inoccupées, de vent et de soleil, et ses ressources hydroélectriques et géothermiques, la Californie présente par ailleurs une géographie particulièrement propice au développement des énergies renouvelables. C'est la raison pour laquelle ses compagnies d'électricité, contrairement à celles du Sud et de l'Est, sont peu dépendantes du charbon. L'État a pu ainsi leur fixer d'ambitieux quotas d'énergies renouvelables : l'électricité propre non hydraulique est censée représenter 20 % de l'approvisionnement total des *utilities* californiennes en 2010... et 33 % en 2020. Il s'agit, là encore, des contraintes les plus fortes de tout le pays. Il n'est d'ailleurs pas sûr qu'elles arrivent à y satisfaire.

Quoi qu'il en soit, le plan d'action 2003 du candidat Arnold a été appliqué presque au pied de la lettre. « Schwarzenegger a fait un travail remarquable pour pousser son plan vert, estime Robert Sawyer, un professeur de Berkeley qui présidait alors le California Air Resources Board (CARB), organisme chargé de la mise en musique des lois sur l'environnement. La conjonction d'un gouverneur républicain et d'une législature démocrate ayant tous deux des objectifs environnementaux constituait une bonne opportunité – assez inhabituelle – pour passer à l'action. »

Ainsi sont nés les nombreux programmes qui font aujourd'hui du Golden State un modèle du genre. Arnold est particulièrement fier de son « Initiative solaire californienne » : un plan à 3,2 milliards de dollars qui, avec son crédit d'impôt de 50 %, incite professionnels et particuliers à installer des panneaux photovoltaïques sur leur toit. Elle devrait se concrétiser par 1 million de toits solaires en 2018 (3 000 mégawatts d'énergie propre supplémentaire). Côté bâtiment, toutes les nouvelles constructions résidentielles devront être « énergétiquement neutres » en 2020, de même que tous les nouveaux buildings commerciaux en 2030. Terry Tamminen est aussi très fier de son « Autoroute de l'Hydrogène », un réseau de 26 stations permettant aux propriétaires de ce type de véhicules de faire le plein. Mais « à part Terry et Arnold, on ne peut pas dire que l'hydrogène ait convaincu beaucoup de monde », s'amuse rétrospectivement Robert Grady, qui, pour sa part, n'y a jamais cru. De fait, l'État ne compte en 2009 que 300 voitures à hydrogène. Et la technologie est loin d'être mûre pour le grand public.

Mais si Schwarzenegger doit devenir un jour le héros vert de l'histoire américaine, ce sera sans doute grâce à sa loi contre le réchauffement planétaire. Dès juin 2005, avant même *Une vérité qui dérange* d'Al Gore, Arnold affirme : « Pour moi, le débat est clos. Nous connaissons les études scientifiques, nous voyons la menace, et nous savons que le moment d'agir est arrivé ! » Et l'ex-Terminator hollywoodien de dégainer son *Global Warming Solution Act* (ou loi AB32) censé « exterminer » (*terminate*) le réchauffement climatique...

Cette loi-cadre, votée en 2006 mais dont toutes les modalités d'application ne sont pas encore définies, prévoit qu'en 2020, l'État californien ait réduit ses émissions de gaz à effet de serre de 25 %, pour revenir au niveau de 1990. Un objectif à peu près aligné sur celui du protocole de Kyoto, l'étape ultérieure prévoyant une réduction de 80 % à l'horizon 2050. La pièce maîtresse de ce dispositif devrait être la création, d'ici 2012, d'un marché d'échange des droits d'émissions, similaire à celui qui existe déjà en Europe. Sauf que le système européen ne couvre que le gaz carbonique de quelques secteurs clefs, et que les droits ont été attribués de façon trop laxiste pour qu'il soit vraiment contraignant. Ce type de mécanisme, que les Américains appellent *Cap and Trade* (limiter et échanger), fixe les émissions totales pour le pays à un niveau inférieur à celui qui existe. Les droits d'émettre jusqu'à ce seuil sont alors soit alloués gratuitement aux pollueurs (au prorata des émissions antérieures), soit mis aux enchères, en totalité ou pour partie. Les entreprises qui n'atteignent pas leur plafond peuvent ensuite vendre librement leurs « droits à polluer » excédentaires à celles qui ont au contraire dépassé le leur. Ce sont donc l'offre et la demande de droits à polluer qui fixent le prix de la tonne de gaz. « On a déjà eu recours avec succès au *Cap and Trade* dans les années 70 pour réduire les émissions de dioxyde de soufre responsables des pluies acides, rappelle Robert Grady, l'un des architectes du système. A cette époque, les industriels affirmaient que la suppression d'une tonne de SO_2 coûterait 2 000 dollars. Au gouvernement, on tablait plutôt sur 750 dollars la tonne. Mais, une fois mis en place, le marché a fixé le prix d'une tonne entre 107 et 150 dollars ! » Les élus républicains qui tolèrent l'idée d'une « contrainte carbone » préfèrent largement l'instauration de ce type de mécanisme (profitant aux acteurs privés les plus vertueux) au spectre d'un « impôt carbone », plus simple et plus prévisible, mais dont le niveau et l'usage dépendraient entièrement du gouvernement.

La promesse des emplois verts

Dès le départ, l'opposition des milieux industriels aux plans verts du gouverneur est importante. Mais « de même que Richard Nixon a pu ouvrir un dialogue avec la Chine populaire parce qu'on le savait très anticommuniste, Arnold Schwarzenegger a pu verdir la politique californienne parce qu'il avait une réputation très pro-business », explique Robert Grady. Convaincu que l'on pouvait à la fois protéger l'environnement et favoriser la croissance, Arnold se faisait fort de rallier les industriels à sa vision. Il a donc dû monter au créneau à la fois contre certains lobbies des milieux d'affaires et les élus républicains, très opposés à ces mesures... et contre les élus démocrates qui, eux, réclamaient l'imposition de quotas ou des taxes classiques.

« L'industrie n'aime pas être régulée, explique Robert Sawyer, l'ex-patron du CARB. Le business a, d'emblée, agité le spectre d'une ruine économique en cas de régulation sur l'environnement. Mais cela est historiquement faux. En général, les entreprises partent pour des raisons économiques, pas pour des raisons réglementaires. » Paradoxalement, l'opposition des milieux d'affaires, souvent de mauvaise foi, décuple l'esprit combatif de Schwarzy. Soudée et efficace, l'équipe bipartisane du gouverneur travaille en commando : les démocrates se chargent des coups bas de la gauche, les républicains de ceux de la droite. « Arnold définissait la vision, raconte Terry Tamminen. Il lisait souvent ses notes de briefing le matin, sur son vélo d'exercice. Il absorbait les informations provenant de diverses sources, y compris européennes. Il fixait les objectifs... et puis il nous laissait travailler. Cette responsabilisation nous a poussés à donner le meilleur de nous-mêmes. En revanche, on savait qu'on pouvait compter sur son soutien quand on tombait sur un os. »

Le gouverneur s'est efforcé de vendre son programme comme un outil de compétitivité. « Croissance économique et protection de l'environnement marchent ensemble », martelait-il à chaque occasion. Depuis, deux rapports sont venus conforter cette vision. Le CARB a publié, en septembre 2008, une étude comparant le coût de l'inaction et celui d'une application du *Global Warming Solutions Act*. Il conclut à un impact très positif de la loi, qui génèrerait un surcroît de production économique de 27 milliards de dollars, et 100 000 nouveaux emplois verts d'ici 2020. Les bénéfices ne sont pas exclusivement financiers : un air dépollué se traduirait aussi par 300 morts prématurées évitées, 9 000 cas d'asthme et autres troubles respiratoires en moins, ainsi que la disparition de 53 000 jours de congés-maladie. Une étude de l'économiste David Roland-Hots, de l'université Berkeley, est encore plus optimiste, tablant, entre 2008 et 2020, sur 403 000 emplois verts et un PIB californien augmenté de 76 milliards de dollars, dont 42 milliards de revenu supplémentaire pour les ménages.

Arnold n'a pourtant jamais vraiment réussi à convaincre son propre camp politique. « On se plaît à répéter que l'AB32 est passée avec un effort des deux bords, mais en réalité le vote s'est effectué selon une ligne strictement partisane : c'est le fruit d'une majorité d'élus démocrates et d'un gouverneur républicain », affirme Terry Tamminen. En mars 2007, Arnold lui-même reconnaît dans une interview au magazine *Fortune* : « Il y a des gens des deux partis qui ne comprennent pas, mais je dirais que j'ai plus de mal à vendre ces mesures aux républicains. Il y a même un panneau publicitaire dans le Michigan m'accusant de coûter 85 milliards de dollars à l'industrie automobile ! »

Aujourd'hui, le *Big Business* s'est fait à l'idée de cette contrainte. Après tout, une certitude est préférable à une épée de Damoclès. Ses représentants ne se battent donc plus contre le principe d'un marché du carbone, mais sur les modalités de sa mise en place : les industriels et les compagnies d'énergie veulent des allocations gratuites portant sur 100 % des émissions... les militants verts, 100 % d'enchères.

Schwarzenegger ne pouvant pas effectuer un troisième mandat, il existe toujours un risque de voir ces politiques remises en cause, si le prochain gouverneur de Californie est un républicain anti-vert.

Mais Tamminen est optimiste : « Le train est en marche... La législature a voté. Et le CARB, qui définit les détails du système, est notoirement indépendant. En outre, entre maintenant et le moment où Arnold quittera son siège, fin 2010, la plupart de ces règles auront été instaurées. »

Trois embryons de marché du carbone

Quel que soit le mécanisme retenu, l'Ouest américain se prépare donc à lancer son marché du carbone en 2012. Car l'habileté d'Arnold Schwarzenegger est aussi d'avoir su fédérer, derrière son panache vert, tous les États irrités par l'immobilisme de George W. Bush. Là encore, Terry Tamminen a joué un rôle clef : « On a réalisé que si la Californie était le seul État à agir, cela ne pourrait pas marcher... surtout en l'absence d'intérêt de la part de Washington. Non seulement nous risquions d'en souffrir économiquement, mais le gaz carbonique ne s'arrête pas aux frontières des États ! Il fallait donc impérativement convaincre nos voisins de mettre sur pied un marché commun de droits d'émissions. » Alors, avec la bénédiction d'Arnold, Terry quitte Sacramento en 2006 pour aller prêcher la « décarbonisation » auprès des autres gouverneurs. Mission accomplie : aujourd'hui, 33 États américains sur 50 ont développé leur propre plan d'action climatique et ont accepté de rejoindre l'une des initiatives régionales de marché du carbone.

Il existe en effet, aux Etats-Unis, trois projets distincts. La *Western Climate Initiative*, menée par la Californie, compte douze États américains et trois provinces canadiennes. « Notre dispositif concernera tous les secteurs, et tous les gaz à effet de serre, détaille Terry Tamminen. Dès cette année, les industriels peuvent volontairement mesurer et déclarer leurs émissions ; l'an prochain, cela sera obligatoire. Le courtage devrait commencer début 2012. » Il y a aussi le *Regional Greenhouse Gaz Initiative* – ou *Reggie* – de dix États du Nord-Est, qui dans un premier temps ne fixera de limite que pour le CO_2 émis par le secteur de l'énergie, très dépendant du charbon dans cette région du pays. Il y a enfin le *Midwest Governor's Greenhouse Gaz Reduction Accord*, prêt à reproduire ce que décideront ses voisins de l'Ouest. « Par ailleurs, poursuit Tamminen, on se coordonne avec l'Europe et la Nouvelle-Zélande, à travers l'*International Carbon Action Partnership*, dans l'idée de créer un marché global à partir de 2013. »

Pourquoi créer des marchés régionaux ? Ne serait-il pas plus simple de créer un seul mécanisme de *Cap and Trade* fédéral ? Terry Tamminen n'est pas de cet avis : pour lui, cette tactique permet d'abord d'avancer plus vite, avec les bonnes volontés des deux bords. « C'est vrai que ce sujet continue à être source de clivages partisans chez les élus. En même temps, au niveau exécutif, nous avons travaillé avec un certain nombre de gouverneurs républicains très actifs : Charlie Crist en Floride, Tim Pawlenty dans le Minnesota, Jodi Rell dans le Connecticut... »

Surtout, cette approche fragmentée évitera peut-être une guerre civile entre les « États verts », riches en énergies renouvelables, et les « États marron », plus dépendants du charbon. « Cette organisation permet de tenir compte de la disparité des situations énergétiques. Elle autorise aussi davantage de flexibilité : chacun peut protéger ses industries les plus sensibles, et se montrer plus dur avec les plus prospères. » L'idée est ensuite d'emballer le tout dans un futur programme fédéral, qui fixerait des planchers plutôt que des plafonds, et qui forcerait surtout les « cancres » − comme le Texas ou la Géorgie − à rejoindre l'une de ces initiatives ou à réglementer eux-mêmes leurs émissions.

Cela épargnera au gouvernement fédéral de créer une grosse bureaucratie centrale, s'il estime que les trois systèmes marchent bien. « Comme pour les normes d'émissions automobiles, cela pourrait permettre à Barack Obama de prendre la tête d'une parade qui est déjà en marche... plutôt que d'essayer de jouer le rôle de locomotive », conclut Terry Tamminen. Car là, bien sûr, réside la grande différence. Bush était rétif à toute politique environnementale, tandis qu'Obama en a fait l'un des fers de lance de son plan de sortie de crise et, à plus long terme, de revitalisation de l'économie américaine.

« Sur l'environnement, pendant trop longtemps Washington était endormi au volant. Maintenant la Californie a enfin un partenaire et un allié à Washington », se réjouissait Arnold Schwarzenegger, dès janvier 2009, après l'installation de la nouvelle administration. Il faut dire que l'équipe du président américain est constituée d'activistes réputés. Carol Browner, conseillère à la Maison-Blanche pour l'énergie et le changement climatique, est une ancienne protégée d'Al Gore, ex-administratrice de l'Agence de protection de l'environnement sous Bill Clinton. Lisa Jackson, nommée à la tête de l'Agence fédérale de protection de l'environnement, est l'une des architectes de la politique environnementale du New Jersey.

Par ailleurs, sur ces questions, les « Californiens » sont surreprésentés dans les instances fédérales. Steven Chu, le nouveau ministre de l'Énergie, était auparavant patron du Lawrence Berkeley National Laboratory, dont il a réorienté une partie significative des recherches vers l'énergie solaire et les biofiouls cellulosiques de nouvelle génération[1]. Nancy Sutley, qui dirige le Council on Environment Quality, était l'ex-maire adjointe de Los Angeles en charge de l'énergie et de l'environnement, et avait travaillé avec Terry Tamminen à l'Agence californienne de protection de l'environnement. Même chose au Congrès, où Henry Waxman, élu de Los Angeles, a

---

1. Voir chapitre 6.

pris la présidence de l'influent Comité sur l'énergie et le commerce, et corédigé la loi Waxman-Markey sur l'énergie. Par ailleurs, la puissante *speaker* de la Chambre, Nancy Pelosi, ainsi que les sénatrices Dianne Feinstein et Barbara Boxer, forment un trio de choc californien pour soutenir les initiatives vertes de Barack Obama.

« Pour l'instant, je leur mets 20 sur 20, sourit Terry Tamminen en mai 2009. Obama n'a pas perdu de temps, il n'a pas pris la crise économique comme excuse pour ralentir sur l'environnement. »

Ce qui ne veut pas dire que les États-Unis auront forcément de sitôt un marché national des gaz à effet de serre. Car les républicains y restent en majorité très opposés. La plupart d'entre eux reprochent à l'équipe Obama une approche trop partisane. « Le problème du changement climatique s'accumule depuis une centaine d'années ; le résoudre prendra des décennies, souligne Robert Grady. A un moment, les républicains reviendront au pouvoir. Il faut donc que les deux camps s'entendent pour qu'on bâtisse une solution consensuelle. Remporter la bataille du climat, c'est un peu comme gagner la Guerre froide. On a besoin de l'union sacrée ! »

Au demeurant, même des partisans démocrates d'un marché du carbone, comme John Kerry, pensent qu'il n'y a pas urgence à intégrer ce dispositif dans la prochaine Loi. « D'un point de vue tactique, ils jugent que les États-Unis ont intérêt à aller d'abord négocier au Sommet de Copenhague, pour ensuite

construire un système qui satisfasse à ces engagements », explique Terry Tamminen. Et ils ne veulent
pas prendre le risque de lier les mains des négocia-
teurs américains en s'engageant prématurément sur les
modalités précises d'un dispositif national.

Sauver la planète... et faire fortune !

Dans sa croisade pour faire passer sa loi contre le
réchauffement climatique, Arnold Schwarzenegger a
quand même pu disposer de l'appui enthousiaste de
certains milieux d'affaires : essentiellement les financiers et les entrepreneurs de la Silicon Valley, ainsi
que des businessmen progressistes, regroupés dans
des associations comme « Environmental Entrepreneurs » ou « New Voice of Business ». Car un nombre incalculable de multimillionnaires du logiciel et
de l'internet se sont pris de passion pour le business
vert. Le web de deuxième génération ? Les réseaux
sociaux ? L'internet mobile ? Ringardisés ! La folie
du jour, ce qui échauffe les esprits « geek » et trans-
porte les imaginaires « techies »... c'est le business
vert. Un secteur qui présente, il est vrai, les ingrédients idéaux pour attirer les meilleurs cerveaux :
l'excitation de magnifiques défis technologiques,
l'espoir de sauver la planète... et l'appât d'un nouveau
jackpot. Un cocktail irrésistible ! Larry Page (Google), Shai Agassi (ex-SAP), Elon Musk (ex-PayPal),

Bill Gross (Idealab), T.J. Rodgers (Cypress Semi-conductors)... Il a suffi qu'une demi-douzaine de stars des technologies de l'information prêchent la cause des cleantech – et y investissent une partie de leur propre fortune – pour que le secteur devienne « *the new new thing* ». La « nouvelle nouvelle frontière » de l'aventure entrepreneuriale.

« *Don't do evil !* » (Ne faites pas le mal) : avec un slogan pareil, Google se devait d'être à l'avant-garde du mouvement. A titre personnel, ses fondateurs Sergey Brin et Larry Page ont misé sur de nombreuses PME, comme Tesla, dont ils possèdent chacun un bolide 100 % électrique. Mais Larry est de loin le plus mordu des deux : étudiant à l'université du Michigan, il avait déjà travaillé sur un prototype de voiture solaire. Sergey, lui, se passionne davantage pour la génomique.

Les cofondateurs ont commencé par tout faire pour « verdir » leur campus de Mountain View : panneaux solaires sur le toit, voitures électriques sur le parking, matériaux recyclés dans les bureaux, nourriture bio dans les cantines... et location régulière d'un troupeau de deux cents chèvres pour « tondre » les champs avoisinants ! Mais, depuis deux ans, l'engagement du groupe pour l'environnement dépasse de loin l'anecdotique. Le 1ᵉʳ octobre 2008, à la veille des élections présidentielles américaines, le PDG de Google, Eric Schmidt, annonce la publication d'un « Plan énergétique pour les États-Unis », débarrassant le pays de sa dépendance au charbon et au pétrole pour la production d'électricité – et réduisant de 40 % sa consommation d'essence – à l'horizon 2030. Pour sa part, dès novembre 2007, le géant de Mountain View s'était distingué en lançant « RE<C » (*Renewable Energies cheaper than Coal*) : une initiative – qui pourra se chiffrer au total en « centaines de millions de dollars » – pour rendre l'électricité propre moins chère que celle des centrales à charbon...

Que diable Google vient-il faire sur le terrain de l'énergie ? Son objectif est-il de réaliser des économies ? De se lancer dans un nouveau business ? De se donner à bon compte une image vertueuse ? Le 19 septembre 2008, Sergey Brin, Larry Page et Eric Schmidt assistent à la Zeitgeist annuelle qui réunit leurs grands partenaires sur leur campus. « Investir dans les cleantech est une bonne chose à faire à plusieurs niveaux, explique Page, de sa voix de basse traînante, légèrement nasillarde. On y est d'abord venu en tant que gros consommateurs. » Une litote : Google possède en effet des dizaines de centres de serveurs, qui aux quatre coins de la planète manipulent en permanence nos données et fournissent une multitude de services informatiques. « Pour faire tourner nos serveurs, on achète beaucoup d'énergie, poursuit Larry. Et on a remarqué qu'il était difficile de trouver de l'électricité verte, surtout à bon marché. »

Vivant dans la Silicon Valley, Larry et Sergey ont pris conscience que les investissements dans les cleantech, ces dernières années, n'étaient pas à la mesure des problèmes de la planète. « Nous devons assez vite trouver les moyens de produire massivement de l'énergie renouvelable. Ce qui n'est pas la même chose que de réussir une start-up : il y a une vraie différence d'échelle ! » Et ce n'est sûrement pas le brevet, déposé par l'entreprise, sur des centres informatiques flottants, alimentés par la force des courants et refroidis à l'eau de mer, qui sauvera le monde...

Du coup, les « Google boys » se sont dit qu'ils allaient consacrer quelques-uns de leurs millions à pousser certaines entreprises à aller plus vite, quitte à prendre plus de risques. Exemple ? Larry Page est fasciné par le potentiel de la géothermie profonde : « N'importe où sur la planète, en creusant assez, on trouve de la chaleur... Alors, si on changeait radicalement le coût des forages, cela permettrait de ne pas limiter la géothermie au seul 1 % de la surface terrestre où la chaleur remonte spontanément. » Le groupe a déjà pris des participations dans une dizaine d'entreprises prometteuses, comme Alta-Rock Energy (géothermie profonde), eSolar (solaire thermique [1]) ou Makani Power (éolien d'altitude [2]). Il a en outre récemment créé une division de capital-risque, Google Ventures. « Les capital-risqueurs ne financent que des start-up qui ont un modèle

---

1. Voir chapitre 8.
2. Voir chapitre 7.

d'affaires et une rentabilité prévisibles, explique Bill Weihl, le "Tsar de l'énergie verte" du groupe. Nous, nous pouvons investir avec une plus grande incertitude côté business, et une plus grande urgence d'aboutir. »

Par ailleurs, explique Bill Weihl, Google a constitué sa propre équipe de recherche et développement d'une trentaine de personnes, « qui travaillent à l'amélioration du design et des process industriels dans le solaire, l'éolien et la géothermie ». Il collabore aussi avec General Electric sur les réseaux d'électricité intelligents, et a lancé son propre Google Power Meter, pour permettre aux particuliers de mieux maîtriser leurs factures énergétiques [1]. Pour Google, l'idée est donc de résoudre un problème interne, qui peut vite se révéler stratégique − sans pour autant s'interdire, à terme, d'en faire une piste de diversification à part entière. « Si ça marche − si on arrive à produire de l'électricité propre moins cher qu'avec du charbon − on fera beaucoup d'argent. Pas de doute là-dessus ! » sourit Larry Page, flegmatique.

D'une manière plus générale, à l'heure où un nombre croissant de tâches informatiques quittent les micro-ordinateurs, la problématique de l'énergie prend une place croissante auprès des grands noms du secteur des technologies de l'information. Et des sociétés comme IBM, Autodesk, Cisco ou Intel y consacrent maintenant des budgets et des ressources

---

1. Voir chapitre 3.

humaines significatifs. Pour diminuer leur propre empreinte carbone, mais aussi dans l'espoir d'en faire un relais de croissance, ils conçoivent pour leurs clients des plates-formes de gestion de systèmes énergétiques, fabriquent des algorithmes logiciels rendant les réseaux électriques plus intelligents, ou mettent au point la nano-technologie des cellules solaires de demain.

Le capital-risque passe au vert

Dans cette nouvelle aventure industrielle, les intrépides « technoptimistes » de la Silicon Valley peuvent compter sur l'appui indéfectible de leurs financiers habituels : les « VC » (Venture Capitalists) ou capital-risqueurs, qui ont largement amorcé la pompe financière à énergies propres. « Je pense personnellement que, grâce à la loi AB32, vous verrez les dix prochains Google émerger ici », a déclaré au magazine *Bloomberg* le capital-risqueur américano-indien Vinod Khosla. Cet ancien cofondateur de Sun Microsystems, puis partenaire de la firme Kleiner Perkins, a créé en 2004 son propre fonds de capital-risque, Khosla Ventures, à présent exclusivement dédié aux technologies propres. Khosla a consacré des centaines de millions de dollars, dont une bonne partie de sa fortune personnelle (évaluée à 1,5 milliard de dollars), à des prises de participations dans une soixantaine de start-up de biocarburants, d'amélioration de l'efficience énergétique, de technologies solaire ou éolienne, de géothermie profonde, de nouveaux designs et de matériaux écologiques pour le bâtiment... Pour lui, pas de doute, « les énergies renouvelables constituent le prochain grand cycle de croissance ».

Même diagnostic pour John Doerr, son ancien collègue de Kleiner Perkins Caufield & Byers, devenu sur beaucoup de ces dossiers un concurrent. Pour mémoire, Kleiner Perkins est l'un des « VC » les plus influents de l'ère des technologies de l'information. On lui doit plus de 300 investissements, dont des *success stories* mondiales, comme Compaq, Sun, Amazon, America Online, Google ou Electronic Arts... En mars 2007, John Doerr, la star de Sand Hill Road, fait une intervention remarquée à la conférence TED (Technology, Entertainment, Design), un événement californien futuriste regroupant des personnalités triées sur le volet. « J'ai vraiment peur : je ne crois pas que nous allons y arriver ! » Doerr raconte alors, d'une voix étranglée, qu'il a récemment été apostrophé à un dîner familial par sa fille, Mary, quinze ans. « Elle m'a dit : "Papa, j'ai peur et je suis en colère... Ta génération a créé ce problème, et maintenant, vous feriez mieux de le résoudre !" » L'investisseur vedette raconte que pour lui, tout a basculé ce soir-là. « L'une des lois de Kleiner, dit-il, est qu'il existe un moment où la panique est une réponse appropriée... Et nous avons atteint ce moment ! »

Il raconte, dans un silence religieux, la manière dont lui et ses collègues ont fait le tour du monde pour étudier le problème : États-Unis, Brésil, Chine, Inde... « J'ai peur », scande John Doerr, comme une litanie. Il exhorte chaque membre de l'auguste assemblée à « neutraliser son empreinte carbone », à faire du « lobbying environnemental » auprès de son gouvernement, et à utiliser son pouvoir personnel pour « verdir son entreprise et ses institutions ». Puis il conclut, en essuyant une larme de père : « Alors seulement, je pourrai me réjouir de la conversation que j'aurai avec ma fille dans vingt ans... »

Trêve de pathos, John Doerr considère aussi – et peut-être surtout – ce dossier comme extrêmement prometteur : « Les greentech sont un phénomène plus important que l'internet. Cela pourrait être la plus grosse opportunité économique du XXIe siècle ! » Aussi Kleiner Perkins s'est-il mis à recruter des experts de haut vol... Son associé vedette ? L'ex-vice-président américain et prix Nobel 2007, Al Gore. Kleiner Perkins a dédié environ 1 milliard de dollars à ce secteur d'investissement, et pris des dizaines de participations dans de jeunes pousses qui ciblent les économies d'énergie et les énergies renouvelables.

Aussi courtisés que des rock stars, Khosla et Doerr sont assurément les capital-risqueurs verts les plus connus de la Vallée ; mais pas forcément les plus engagés. « Nous sommes de loin la firme qui a déployé le plus gros effort dans les cleantech aux États-Unis :

peut-être trois fois plus important que Kleiner Perkins !» s'écrie Alan Salzman. Carré dans un fauteuil d'une de ses salles de réunion, à San Bruno, le PDG de Vantage Point Venture Partners explique avoir préparé sa société à relever le défi des technologies propres comme un chef d'expédition s'attaque à l'Himalaya : « On a au moins dix-neuf professionnels spécialisés, contre moins de la moitié chez Kleiner. On a investi dans deux douzaines de sociétés. On a dédié plus de 1 milliard de dollars au secteur. On a des conseillers pointus comme Robert Kennedy Jr., et un réseau unique de partenaires dans l'industrie. »

L'homme, dont l'apparente jovialité est parfois nuancée par un regard bleu perçant, explique sa stratégie : « On ne s'intéresse pas aux gamins qui cherchent des profits rapides. On regarde exclusivement les projets ambitieux, qui peuvent résoudre des problèmes majeurs de notre société. Ceux qui ont le potentiel de transformer des industries, notamment dans les véhicules électriques, le solaire, le stockage de l'énergie, les nouvelles technologies d'éclairage. »

Vantage Point a commencé à s'intéresser au secteur avant tous ses concurrents : dès les années 90, avec les technologies pour nettoyer les sites chimiques surpollués. Mais les contraintes édictées par l'État n'avaient alors pas résisté à la puissance de lobbying des industriels de la chimie, et cette première vague de PME n'avait pas su trouver la bonne équation économique.

Dix ans plus tard, Salzman et ses collègues ont jugé qu'avec la hausse du pétrole, le souci d'indépendance énergétique et la lutte contre le réchauffement climatique, une nouvelle opportunité s'ouvrait. « On a regardé nos problèmes, et la taille des industries concernées : électricité, automobile, pétrole... Des secteurs bien plus considérables que ceux des technologies de l'information, raconte Salzman. On a surtout été frappés par le fait qu'elles n'avaient pas, depuis bien longtemps, été transformées par l'innovation entrepreneuriale. Et on les a jugées mûres pour ces transformations, parce que la technologie était désormais capable de fournir des solutions. »

Grâce à son statut de pionnier, Vantage Point estime avoir en portefeuille un grand nombre de leaders : Tesla et Better Place sur l'électrification des voitures [1], Miasolé sur les panneaux solaires à couche mince, Brightsource dans la production d'électricité solaire thermique [2], Bridge Lux dans l'éclairage LED, Premium Power Corporation dans le stockage d'électricité... « C'est pourquoi, conclut Salzman, on a l'espoir d'aider à faire émerger les Google, les Cisco et les Apple des technologies de l'énergie. »

Vantage, Kleiner, Khosla... Ces trois-là sont indubitablement à l'avant-garde du peloton des investisseurs verts américains. Mais dans leur sillage, on trouve Quercus Trust, Rockport Capital Partners,

1. Voir chapitres 4 et 5.
2. Voir chapitre 8

Draper Fischer Jurvetson et bien d'autres... Rares sont les grandes firmes de capital-risque qui n'ont pas au moins trempé un orteil dans le vert. Car en 2007 et 2008, la vague cleantech a déferlé sur la planète, avec une vigueur rappelant celle du tsunami « dot com », dix ans plus tôt. Les investissements mondiaux en capital-risque dans ce secteur ont bondi de 38 % en 2008, pour atteindre 8,4 milliards de dollars, dont 5,8 milliards pour les seuls États-Unis, selon le CleanTech Group. Avec un classement plaçant le solaire largement en tête, devant les biocarburants, les technologies automobiles, l'éolien puis les réseaux électriques intelligents...

Brutalement refroidi par la crise du crédit et la récession, le mouvement a marqué le pas au premier trimestre 2009. Les start-up les plus fragiles n'y ont pas survécu. Cependant, le rebond amorcé dès le deuxième trimestre devrait se confirmer en sortie de crise.

S'adapter ou disparaître

Capital-risqueurs, entrepreneurs, grands groupes. Ajoutez à leurs efforts ceux des laboratoires de recherche des deux universités phares de la région – Berkeley et Stanford – qui planchent sur la séquestration du carbone, les technologies de combustion extra-propres, le design de batteries avancées ou les sciences du bâtiment... et vous comprendrez que le mythique « écosystème » de la Silicon Valley, celui auquel on doit les révolutions successives des semi-conducteurs (années 70), de la micro-informatique et des bio-technologies (années 80), puis de l'internet et des smartphones (années 90 et 2000), s'est mis au service d'un nouveau rêve. Une cause souvent jugée plus noble et plus enthousiasmante encore que la révolution numérique, la recherche spatiale ou la découverte de nouveaux médicaments.

Dès 2003, raconte Robert Grady de Carlyle, « l'ambition de l'équipe qui travaillait sur la politique énergétique d'Arnold Schwarzenegger était que la Silicon Valley et la Californie avaient le potentiel de devenir le centre d'innovation mondial des cleantech, comme elles l'avaient été pour les info-tech ». La Silicon Valley a-t-elle vraiment les moyens de jouer ce rôle ? « Oui, mais pas toute seule, nous explique John Doerr lors de la conférence ECO:nomics du *Wall Street Journal*. Car cette fois-ci, l'innovation se produit tout autour de la planète : dans la Silicon Valley, mais aussi en Europe, en Israël, en Chine... C'est un problème global, dont les solutions seront globales. Si vous regardez les trente premières sociétés de la planète dans l'éolien, le solaire et les batteries, six seulement sont américaines ! »

Reste que, pour Alan Salzman, de Vantage Point, la culture de la Vallée est parfaitement adaptée à ce secteur : « La Silicon Valley est le symbole du pouvoir de l'innovation et de l'esprit d'entreprise. Je ne parle pas du lieu physique, évidemment, parce que cela se déroulera partout dans le monde… Mais la leçon de ces vingt-cinq dernières années, c'est l'expertise que nous avons acquise pour créer l'écosystème, les outils, et les ressources permettant ce type de transformation. Et elle va continuer à s'appliquer jusqu'à la fin du siècle. »

Salzman insiste sur les similarités des courbes d'apprentissage entre technologies de l'information et technologies vertes. « Avec toute nouvelle technologie, quand on a décrypté le code, le processus est clair. S'il existe une récompense financière assez importante, vous engagez une vaste armée de scientifiques, d'ingénieurs et d'entrepreneurs pour résoudre l'équation. Et le fait de concentrer autant de matière grise sur le problème permet de réduire les coûts et d'améliorer la qualité de manière spectaculaire. » Selon lui, la nouvelle technologie descend alors la courbe prix/performance à une vitesse vertigineuse. C'est ce qui s'est produit avec la puissance de calcul informatique (selon la fameuse loi de Moore, qui veut que la puissance de calcul des puces double tous les dix-huit mois à prix égal), avec les écrans TV plasma (qui, il n'y pas si longtemps, coûtaient 8 000 euros), avec les téléphones mobiles…

L'ex-entrepreneur et financier Vinod Khosla pense, lui aussi, que les *venture capitalists* sont particulièrement compétents pour gérer le risque technologique, quelle que soit l'industrie. Il aime citer

l'inventeur et auteur britannique Arthur C. Clarke :
« La seule manière de découvrir les limites du possible
est de s'aventurer un peu au-delà, dans l'impossible. » Et il truffe systématiquement ses présentations
sur les cleantech de prédictions historiques qui ridi-
culisent les « techno-sceptiques ». Souvenez-vous de
David Sarnoff, affirmant dans les années 20, quand
on lui proposait d'investir dans la radiophonie :
« Cette boîte à musique sans fil n'a aucune valeur
commerciale. Paieriez-vous pour un message envoyé
à personne en particulier ? » Il y a aussi la célèbre
anecdote de Harry Warner (Warner Bros) s'exclamant, en 1927 : « Qui diable voudrait entendre les
acteurs parler ? » Ou cette note interne à la Western
Union, en 1876 : « Le téléphone présente trop de
problèmes pour être sérieusement considéré comme
un moyen de communication... » Et même le grand
Ken Olsen, fondateur et président du géant DEC,
s'exclamant en 1977 : « Il n'existe aucune raison
pour que les particuliers possèdent jamais un ordinateur chez eux ! »

Terry Tamminen, lui, tient un discours plus pru-
dent : « La similarité principale entre les technologies
de l'information et les cleantech, c'est qu'il s'agit de
prises de risque sur lesquelles il y aura beaucoup de
perdants... et quelques gagnants. C'est pourquoi il
est important de développer un large éventail de
technologies, pour augmenter les chances d'en voir
certaines adoptées par un marché de masse. » En
revanche, il estime que certains financiers de la

Vallée ont déjà appris, à la dure, que l'on ne peut pas transposer le modèle des « dot com » aux technologies propres : « Vinod Khosla a eu quelques surprises en passant du logiciel à l'éthanol de maïs. Le déploiement du business internet est instantané, alors que, pour distribuer un biocarburant, il faut aussi penser aux raffineries, à la construction des infrastructures, à la concurrence avec les cultures agricoles... »

Alan Salzman reconnaît en effet que, sur ces nouveaux secteurs, lui et ses congénères « VC » sont en apprentissage permanent : « Un vrai retour sur les bancs de l'école », sourit-il. Premièrement, jamais les capital-risqueurs n'ont été si dépendants des aléas macro-économiques : leurs paris − notamment dans les biofiouls et les voitures électriques − sont à la merci des fluctuations brutales du prix du pétrole. Pire : ils sont aussi vulnérables aux caprices des politiciens. On se rappelle comment Ronald Reagan avait tué le premier essor de l'éolien et du solaire américains en supprimant brutalement les incitations fiscales créées par Jimmy Carter. Les financiers et les entrepreneurs de la Silicon Valley ont beau expliquer qu'ils ne plébiscitent que les technologies susceptibles d'être « compétitives, à grande échelle, sans subventions », ils ajoutent, en général, qu'un coup de pouce réglementaire et/ou fiscal, au départ, est utile, voire indispensable « pour amorcer la pompe »...

Deuxièmement, la nature même de ces technologies est différente : « Il ne s'agit pas de trois étudiants

en ingénierie de Stanford, avec une poignée de serveurs dans le placard, sans bâtiment, sans fournisseurs, sans stocks... L'énergie, c'est du concret : il
faut planter de l'acier en terre, usiner des produits
physiques, en quantité importante, mondialement »,
reconnaît Salzman. Le calendrier n'est pas si différent : développer une société de biotech, ça prend
aussi douze ans... Mais l'intensité capitalistique relève
d'une autre échelle. « Si le développement de la
technologie – une centaine de millions de dollars –
reste dans les cordes des "VC", en revanche, l'étape
consistant à passer du prototype au déploiement de
masse de ces technologies demande énormément de
capitaux. »

Interrogé lors de la journée Zeitgeist, Eric Schmidt,
le PDG de Google, abonde dans ce sens. « Est-ce
que les technologies de l'énergie sont la prochaine
révolution ? Oui, on l'espère bien. Mais elle aura
des caractéristiques différentes, et il est encore trop
tôt pour toutes les cerner... » Pour lui, une chose
est sûre : « Avec les cleantech, on n'est pas dans la
Googlenomics, mais dans l'industrie. Comme pour les
semi-conducteurs, le montant de capital requis pour
construire les usines est significativement plus
important, les cycles industriels sont plus longs, les
chaînes d'approvisionnement plus complexes, les risques de stocks plus élevés... »

Sans oublier que les sociétés de greentech évo-
luent dans des environnements plus larges que leurs
cousines hi-tech. « Quand vous vous appelez Tesla

Motors, vous ne pouvez pas être complètement isolé, dans une industrie comme l'automobile, qui représente mille milliards de dollars, explique Alan Salzman. Dans beaucoup de cas, on cherche à travailler avec les géants installés, sans pour autant abdiquer toute autonomie. »

Le financier pense que les petites sociétés, comme Tesla et Brightsource, seront à l'avant-garde pour créer des ruptures technologiques. « Depuis vingt-cinq ans, on a vu ce film se dérouler dans d'autres secteurs, rappelle-t-il. Ces ruptures sont menées par de nouveaux acteurs. On sait ce qu'il faut à ces jeunes sociétés pour réussir, on a constaté le pouvoir irrésistible de l'innovation. » Mais pour devenir de grands noms, ces gazelles devront ensuite être capables d'intégrer l'ordre établi... sans se faire dévorer par les grands prédateurs. « Certains des acteurs puissants verront l'avantage qu'il y a à rallier le mouvement », prédit Alan Salzman. Pour lui, soit les grands opérateurs mettent la tête dans le sable et disparaissent (qui se souvient encore des titans informatiques Honeywell, NCR ou Wang ?), soit ils s'adaptent et en tirent bénéfice, comme l'ont fait IBM ou Hewlett-Packard.

Eric Schmidt ne dit pas autre chose : « Beaucoup de percées scientifiques et d'innovations viendront de la Silicon Valley... Mais l'industrialisation pourrait s'effectuer ailleurs, avec des partenaires manufacturiers aux poches plus profondes. »

2.

La tribu des « carborexiques »

En 2008, Dave Chameides, cameraman free-lance
à Los Angeles, a fait visiter sa cave de dix mètres
carrés plus de cinquante fois. La quarantaine extra-
vertie, ce grand gaillard brun en jean et tee-shirt,
qui reçoit souvent pieds nus, ne se lasse pas de guider les visiteurs du monde entier dans l'escalier
exigu menant au sous-sol de sa maison de North
Fairfax Avenue. Pour y voir quoi ? « 13,8 kilos de
déchets non recyclables... 64 bouteilles en plastique,
153 bouteilles de verre, 2 canettes en aluminium,
1,8 kilo de sacs en plastique, 8,6 kilos de carton,
5,4 kilos de rebuts électroniques, 31,5 kilos de
papier, 12,7 kilos de magazines, 8 pots de peinture,
9 boîtes à pizza... » Des ordures ? Oui, des ordures !
Cet inventaire à la Prévert est le résultat du pari
insensé de Dave : ne RIEN jeter pendant toute une
année. Mais au contraire garder, compacter et ranger dans sa cave tout ce qui aurait dû prendre le

chemin de la poubelle. Pour relater cette expérience, « Sustainable Dave » a créé le blog « 365 jours d'ordures » (365daysoftrash.blogspot.com), sur lequel il a consigné avec minutie, jour après jour, la nature et le poids de ce qu'il entreposait. Entre janvier et décembre 2008, son site web affichait plus de 250 000 visiteurs des États-Unis, d'Europe et d'Asie. « Dave Durable » est apparu sur toutes les chaînes américaines et a été interviewé par les journaux et magazines du monde entier, devenant instantané-ment une icône médiatique, et le héros d'un groupe sociologique qui compte de plus en plus d'adeptes, dans les grandes villes des côtes Est et Ouest des États-Unis. Une tribu de citoyens qui se disent volontiers « vert foncé », mais que le *New York Times* a préféré qualifier de « carborexiques » (les « décroissants », en France) parce qu'ils cherchent par tous les moyens à mener une vie frugale et diminuer leur « empreinte carbone », c'est-à-dire la quantité de CO_2 qu'ils émettent – directement ou indirectement – dans l'atmosphère.

Zan et Paul Scott, à Santa Monica, ont adopté une approche plus classique, mais pas moins active : « En 2001, quand je me suis découvert un cancer de la vessie, j'ai décidé de ne plus différer mon rêve », raconte Paul. Les Scott ont couvert le toit de leur maison de panneaux solaires et acheté l'un des rares véhicules électriques encore disponibles, à l'époque, sur le marché : une Toyota RAV 4 EV. Ils ont ainsi réduit leur facture d'électricité à la portion congrue :

50 dollars par an. Et, depuis sept ans maintenant, la vie de ce couple tourne autour des questions environnementales. A titre bénévole, les Scott sont très impliqués dans « Plug in America », l'association des anciens conducteurs de Toyota RAV 4 et d'EV1 de General Motors, qui militent pour le retour des voitures 100 % électriques. A titre professionnel, Zan est spécialiste en relations publiques pour des PME de cleantech, et Paul est devenu vendeur de panneaux solaires pour l'installateur Solar City [1].

Dave, Zan et Paul n'ont rien d'extraordinaire, me direz-vous : on trouve des « écolos » partout. Chaque pays a ses originaux, qui refusent de prendre l'avion pour ne pas contribuer à la pollution, ne mangent que leurs propres légumes, vivent dans des tipis, se soulagent dans la nature, et font dormir leurs enfants dans le même lit parce qu'ils sous-chauffent leur maison. Mais les nouveaux « vert foncé » américains ne sont pas des marginaux, des babas cool, ou des néo-luddites refusant le progrès. Ils ne rejettent ni le système capitaliste, ni le confort moderne, ni la technologie.

Ces nouveaux militants sont des citoyens ordinaires, le plus souvent des travailleurs urbains bien insérés dans la société de consommation, avec enfants, voitures, télévision et magnétoscope. Ils ont simplement, en tant que consommateurs, développé une conscience aiguë du poids de leurs actes quotidiens

---

1 Voir chapitre 8.

et de la gravité des enjeux. Ils incarnent une nouvelle conscience citoyenne et, bien que minoritaires
– et certainement surreprésentés à Los Angeles, San
Francisco et New York –, ils annoncent une tendance qui gagne du terrain. Celle du « consommer
moins, consommer mieux, consommer frugal et
responsable ». Il faut dire qu'aux États-Unis, la
société d'hyperconsommation avait, avant la crise,
atteint des sommets surréalistes. Surmarketing, surendettement, folie du toujours plus. Bien pire qu'en
Europe.

Un peu de « thé de lombric » ?

Dave Chameides n'a pas toujours été soucieux de
l'environnement. « J'étais un jeune homme ordinaire : je conduisais un 4×4, j'oubliais souvent
d'éteindre les lumières en sortant, et je faisais mes
courses, comme tout le monde, au supermarché du
coin », raconte-t-il. Mais, en 2001, quand il a appris
que sa femme était enceinte de sa première fille,
Dave a tout à coup eu une révélation. « J'ai pris
conscience, à travers cette future paternité, que je
ne vivais pas que pour moi. Que ce n'était pas :
après moi le déluge… Que j'étais coresponsable du
monde que je laisserais à mes enfants. » Alors, Dave
a vendu ses deux voitures, acheté une Toyota
Prius, et fait installer des panneaux solaires sur sa

maison. « Un choix par ailleurs très rationnel pour le portefeuille, souligne-t-il. J'ai investi 10 000 dollars en panneaux. Mais ma facture d'électricité est tombée de 200... à 10 dollars par mois. »

Un début dont beaucoup se seraient contentés. Mais plus Dave se penchait sur les questions énergétiques et environnementales, plus il prenait conscience de sa propre responsabilité. Alors, il s'est mis à en faire chaque semaine un peu plus. Il a, bien sûr, changé toutes les ampoules de sa maison, pour les remplacer par des ampoules fluorescentes compactes. Il s'est mis à faire sécher sa lessive au soleil, et a arrêté d'arroser sa pelouse, ce qui lui a valu de vifs démêlés avec l'association de propriétaires du quartier. « Je leur ai dit que je voulais remplacer le gazon par des plantes locales, nécessitant pas ou peu d'eau. Ils m'ont dit que la pelouse était obligatoire. Alors, je leur ai dit que, comme il n'était pas obligatoire de l'arroser, j'allais arrêter de le faire ! » raconte-t-il en rigolant.

Dave a aussi pris l'habitude de débrancher les appareils électroniques – télé, magnétoscope, ordinateur – plutôt que de les laisser en veille, à pomper inutilement de l'électricité. Son chantier suivant a été de convertir lui-même un vieux van Volkswagen diesel à... l'huile de friture. Dans le coffre du véhicule, garé devant chez lui, il montre un énorme tank à huile bricolé : « Pour faire le plein, j'effectue la tournée des restaurants du quartier une fois par mois, avec un jerrican. »

Jusque-là, rien de très extraordinaire. Et puis, en octobre 2007, en débarrassant sa maison avec un ami de tout un tas de vieilleries, David Chameides a pris conscience de l'importance de ce geste si banal. « Je me suis dit que je ne me rendais pas vraiment compte à quel point je gaspillais, parce que tout cela était évacué "ailleurs", vers des décharges lointaines. Mais même recycler requiert de l'énergie ! » Alors, Dave et son ami ont commencé à se demander ce qui se passerait si, au lieu d'envoyer tout ce qu'on jetait « ailleurs », on l'entassait chez soi. « J'ai décidé de tenter l'expérience : garder toutes mes ordures pendant l'année 2008, pour voir la quantité de déchets que je générais, mais aussi dans quelle mesure je pouvais la réduire. »

Davantage boy-scout qu'ayatollah, Dave n'a tout de même pas imposé cette discipline à sa femme, ni à leurs deux fillettes. Il s'est en revanche lui-même investi avec passion et rigueur dans cette aventure très spéciale. Imaginez-vous en train de peser, toutes les semaines, ce que vous jetez à la poubelle, ou ce dont vous vous débarrassez, pour en faire un compte minutieux en ligne !

Comme Dave l'avait pressenti, cette expérience a changé en profondeur sa façon de vivre. Pour commencer, il fallait trouver un moyen d'éviter les odeurs des restes de repas. On sait tous à quel vitesse la poubelle de la cuisine peut devenir pestilentielle. L'arme fatale de Dave, sur le front des déchets alimentaires, c'est... le ver de terre ! Il a installé dans sa cave une véritable « usine à lombrics », composée de cinq bacs en plastique percés de trous, pouvant contenir jusqu'à 12 000 bestioles : des vers de la variété « Red Wiggler », voraces et très féconds. Il les nourrit d'épluchures de fruits et légumes, ainsi que de bouts de carton, de lettres et de papier journal passés à la broyeuse. Les vers produisent du compost pour son jardin, et un liquide brunâtre également bon pour les plantes, joliment baptisé « thé de ver ».

Très fier de ses asticots, Dave a mis en ligne une vidéo didactique pour les candidats éleveurs. Il faut dire que la mode du « vermicomposting » conquiert un nombre croissant de bobos américains, y compris dans les appartements new-yorkais, où ils colonisent la salle de bain, voire l'espace perdu sous le sommier (ils détestent la lumière) ! Au point qu'il existe un site internet, wormfinder.com, qui vous indique le fournisseur de vers le plus proche, en fonction de votre code postal, d'autres qui vous vendent le matériel d'élevage complet, avec robinet incorporé, pour tirer le « thé ».

En vitesse de croisière, l'usine de David Chameides, dont la population double tous les trois mois, peut absorber jusqu'à 2,2 kilos d'épluchures et de papier par semaine. Le marc de café et les coquilles d'œufs sont les bienvenues. Il faut, en revanche, éviter de donner aux bestioles des restes de viande et de poisson. Pas de problème pour Dave – il est végétarien. Quant au lait et au fromage, si Dave ne les finit pas, c'est son chien qui s'en charge.

Pour éliminer le papier, Dave ne peut pas compter sur ses seuls lombrics. Journaux, magazines, papier d'emballage et courrier – surtout sous la forme non sollicitée du *junk mail* (en moyenne 20 kilos par an et par Américain adulte, dont 88 catalogues) – finissent par former rapidement des montagnes. Certes, le papier se recycle à 54 % aux États-Unis. Mais il constitue à lui seul la plus grosse part (un tiers) du camembert des ordures ménagères, devant le trio des déchets végétaux (12,8 %), des restes alimentaires (12,5 %) et des plastiques (12,1 %), le caoutchouc, le textile, le bois, le métal et le verre comptant chacun pour moins de 10 %.

Des écologistes créatifs ont trouvé un moyen astucieux de se débarrasser de ce papier superflu : ils en font de ravissantes perles pour des colliers et bracelets vendus en ligne. Mais la solution de Dave, pour diminuer cette quantité de papier, est d'opter pour l'envoi de factures en ligne (électricité, téléphone, câble...) et d'essayer de tarir à la source le flux de son courrier indésirable. Moyennant 20 dollars par an, la start-up Greendimes.com écrit à tous les importuns, pour que ses clients ne reçoivent plus de *junk mail*, plante cinq arbres en leur nom, et veille à ce qu'il n'y ait pas de récidive ! A défaut, les Américains peuvent avoir recours à d'autres services, quasi gratuits mais non exhaustifs, comme Direct Marketing Association, Catalog Choice et Optout. Dave a aussi menacé les organisations caritatives de cesser de leur donner de l'argent si elles continuaient à lui envoyer des relances sur papier. J'oubliais : il s'est en outre appliqué à inscrire, en lettres capitales : « je vous interdis de louer, vendre ou échanger mes informations personnelles, mon nom ou mon numéro de téléphone » au bas de chaque fiche d'abonnement ou de garantie qu'il remplissait. Ouf ! Dave est à présent presque complètement débarrassé de son courrier indésirable. « N'abandonnez jamais, conseille-t-il. Et essayez de prendre ça comme un jeu ! »

« Slow Food » et « Plastic Blues »

David Chameides, bien sûr, a modifié sa façon de faire les courses. Pour ne pas contribuer à l'empreinte carbone des produits de l'agriculture industrielle, ou de ceux provenant de l'autre bout de la planète, il privilégie les aliments produits localement et les fruits et légumes bios de saison, de toute façon plus sains et plus savoureux. Il ne va pas jusqu'à faire pousser lui-même ses légumes – mais il y songe...

A cet égard, il aurait des leçons à prendre de la famille Dervaes, qui a opté pour l'autosubsistance complète. Jules, le père de soixante et un ans, fils d'un employé de la Standard Oil, et trois de ses enfants adultes satisfont à TOUS leurs besoins alimentaires grâce à une mini-ferme urbaine de 820 mètres carrés, à Pasadena, au nord-est de Los Angeles. « C'est notre mode de contestation », a expliqué Jules au *New York Times Magazine*. Les Dervaes produisent, chaque année, plus de 2 700 kilos de 350 variétés différentes de fruits, de légumes et de fleurs comestibles. Ils élèvent des chèvres, des poulets, des canards... et bien sûr des vers de terre de compost. Ils s'éclairent au solaire, et produisent même le biodiesel qui alimente leur voiture. L'argent de la vente de fruits et légumes aux restaurateurs du voisinage leur fournit celui nécessaire à l'achat des équipements et vêtements qu'ils ne fabriquent pas eux-mêmes.

Sans aller jusqu'à cette extrémité, le jardin urbain est redevenu très « in » dans les grandes villes de Californie. Le mouvement « Slow Food », né en Italie, est incarné, dans la baie de San Francisco, par la prêtresse du bien manger Alice Waters, avec son restaurant Chez Panisse, et le pourfendeur de l'agriculture industrielle, Michael Pollan, professeur à Berkeley. Avec leur complicité, le maire de San Francisco, Gavin Newsom, a récemment lancé un programme pour encourager ses résidents à cultiver salades et tomates bios dans leur jardin ou leur courette, sur leur terrasse ou sur leur balcon. Les citoyens qui n'ont pas la main verte n'ont aucune excuse : deux PME locales − Freelance Farmers et MyFarm − se proposent de leur louer des jardiniers bios expérimentés. Pour 25 à 35 dollars par semaine, ces « pros » arrivent sur leur vélo, s'occupent des salades et laissent une caisse de légumes bios. « Notre objectif est que les gens apprennent eux-mêmes, et prennent le relais. Avec tout ce qui arrive à l'économie, il y a un réel besoin d'investir davantage dans l'autosuffisance », explique Emily Stevenson de Free Lance Farms, dont la devise est « Retournez à la terre : cultivez votre jardin ! »

En tout cas, ces cultivateurs du dimanche ont maintenant une complice de poids à Washington : à peine installée à la Maison-Blanche, Michelle Obama s'est empressée de planter sur la pelouse Sud un « Victory Garden », en référence à ces lopins vivriers cultivés en Angleterre et aux États-Unis pendant la Seconde Guerre mondiale. Aux États-Unis, comme en Europe, on a aussi vu, ces dernières années, se multiplier les fermes biologiques, encouragées par des communautés d'acheteurs urbains. En s'abonnant à la livraison régulière de paniers de produits frais, les consommateurs « locavores » deviennent un peu les co-actionnaires de « Community Supported Farms ». En 2007, les États-Unis en comptaient près de 13 000, recensées par Local-Harvest.com.

Mais cela ne représente, bien sûr, qu'une infime partie du marché. L'agriculture américaine classique reste l'une des plus énergivores et gaspilleuses de la planète. Et les quelques essais de production d'électricité à base de bouse de vache, dans le Vermont, représentent l'arbre qui cache la forêt d'un agro-business sans complexes, doté de lobbies riches et puissants. Seul signe encourageant : Kathleen Merrigan, la nouvelle adjointe du secrétaire à l'Agriculture du gouvernement Obama, est une enseignante de l'université de Tufts, qui milite en faveur d'une agriculture durable et d'une alimentation saine.

Pour en revenir à David Chameides, le plus étonnant, dans son expérience d'accumulation d'ordures, est qu'il a en douze mois généré moins de 14 kilos de déchets non recyclables. A peine plus de 1 kilo par mois… alors que l'Américain moyen en produit 2 kilos par jour ! Comment a-t-il fait ? C'est simple : pour commencer, critique vis-à-vis d'une société de surconsommation qui confine à l'absurde, Dave achète moins que les autres. Selon Consumer Reports, l'Américain est exposé, en moyenne, à 247 messages commerciaux par jour. Soit 7,2 millions sur une durée de vie de quatre-vingts ans.

Pour éviter de se laisser piéger, Dave a noté sur une petite fiche les douze questions à se poser avant de sortir sa carte de crédit :

1) Ai-je besoin de cela ?
2) Est-ce que je ne possède pas déjà un objet qui servira à la même chose ?
3) Est-ce que je peux l'emprunter, au lieu de l'acheter ?
4) Est-ce que je ne peux pas fabriquer quelque chose d'équivalent ?
5) Puis-je l'acheter d'occasion ?
6) Puis-je en acheter ou en commander un produit localement ?

7) Puis-je en acheter un qui ait été fabriqué de manière responsable pour l'environnement ?

8) Puis-je en acheter un qui serve aussi à autre chose ?

9) Puis-je trouver quelque chose qui utilise l'énergie humaine au lieu du gaz ou de l'électricité ?

10) Pourrai-je le recycler quand il ne servira plus ?

11) Quel impact le cycle de vie de cet objet aura-t-il sur l'environnement ?

12) Est-ce que sa fabrication ou sa mise au rebut va nuire à l'environnement ?

De quoi vous gâcher votre virée à l'hypermarché ! « Ça peut sembler un peu exagéré de se poser toutes ces questions, concède Dave. Mais je pense que, pour commencer à avoir une influence sur l'énorme gaspillage actuel, chacun d'entre nous doit se mettre à penser un peu différemment. » D'abord évidemment, jamais de sac plastique. Chacun sait que 500 à 1 000 milliards de poches, sacs ou emballages plastique sont utilisés chaque année sur la planète – plus de 1 million par minute ! – dont une bonne partie aux États-Unis. Or beaucoup finissent dans la nature, ou dans l'estomac des tortues de mer, dauphins et baleines. Ce qu'on sait moins, c'est qu'à cause de l'énergie dépensée et des arbres nécessaires à leur production, les sacs en papier ne sont guère meilleurs pour l'environnement. Le kraft est même souvent plus polluant, et plus difficile à recycler, que le plastique.

Le B-A BA du consommateur vert est le sac de course réutilisable. (Il est d'ailleurs intéressant de noter qu'en raison de la civilisation de la voiture, le petit cabas à roulettes tel que nous l'utilisons dans nos villes européennes est quasi inconnu aux Etats-Unis.) Ensuite, chaque fois que c'est possible, Dave achète les aliments en vrac, et garde ses boîtes ou ses sachets, d'une fois sur l'autre, pour les réemployer. « Ça n'a l'air de rien, dit-il. Mais maintenant je fais ça pour le café, le riz, les pâtes, etc. D'ailleurs, je me suis aperçu que cela revenait moins cher. » En outre, Dave a commencé à regarder la composition des emballages, et n'accepte plus ceux qui ne sont pas biodégradables. Il pense que le changement viendra des normes imposées par le gouvernement, mais aussi de la pression des consommateurs : « Si un industriel de l'agro-alimentaire reçoit 10 000 lettres réclamant des sachets biodégradables, il sera bien obligé de changer ! » Mais il n'y a pas que les courses. David Chameides veut aussi changer les usages des grandes chaînes de café ou de restauration rapide. Il s'interdit par exemple de boire quoi que ce soit dans un gobelet jetable. « Savez-vous que Starbucks a utilisé 2,3 milliards de gobelets jetables dans ses magasins en 2006 ? Qu'aux États-Unis, tous commerces confondus, on en utilise 16 milliards ? » Or, pour des raisons réglementaires, ces gobelets sont composés à 90 % de papier neuf. En 2006, leur fabrication a nécessité la coupe de 6,5 millions d'arbres et absorbé 15 milliards de litres d'eau et 5 000 milliards de joules. Tout cela pour ajouter 114 000 tonnes d'ordures dans les décharges... Dave conseille donc à ses concitoyens l'achat d'une tasse en céramique ou en acier inoxydable. « Un investissement qui en vaut la peine, assure-t-il : Starbucks, Coffee Bean & Tea Leaf et Peet's Coffee & Tea déduisent 10 cents du prix de votre café si vous fournissez le *mug*. L'année où Starbucks a lancé ce programme, en 2004, il a déjà économisé 15,1 millions de gobelet, soit 297 000 kilos de papier. » Ce qui vaut pour le café vaut aussi, évidemment, pour l'eau. Après avoir écouté David Chameides, on regarde différemment la bouteille d'Evian dans les linéaires des magasins. Lui a naturellement fait le vœu de ne plus jamais toucher à une bouteille en plastique. « D'abord boire au robinet coûte moins cher... même en achetant une carafe à filtre, écrit-il sur son blog. Ensuite, produire et distribuer un litre d'eau en bouteille gaspille, en moyenne, 5 litres d'eau ! Et puis, certaines bouteilles contiennent du bisphénol A, qui est un perturbateur hormonal. Enfin, alors que ces bouteilles sont censées être recyclées, il en atterrit tout de même plus de 3 millions, chaque jour, dans les seules décharges californiennes... sans même parler de celles que l'on retrouve dans les rivières ou les océans ! »

« Dave Durable » tient le même type de raisonnement sur les couverts en plastique, et tout ce qui est mouchoirs ou serviettes jetables... A cet égard, un intéressant partenariat entre l'américain Cargill et le

japonais Tenjin, baptisé NatureWorks, affirme arriver
à fabriquer, pour 1 dollar la livre, des polymères
concurrents du plastique, produits à partir de matières
100 % renouvelables. Ces produits sont d'ores et déjà
utilisés dans les emballages alimentaires ou les fibres
pour l'ameublement ou les vêtements. « Ces bio-
plastiques utilisent 65 % d'énergie fossile en moins
pour leur fabrication, et réduisent les gaz à effet de
serre de 80 à 90 % par rapport au plastique dérivé
du pétrole », explique son PDG, Marc Verbruggen.
Seul problème : leur matière première principale est
actuellement le sucre de maïs. Ce qui, comme pour
la production d'éthanol, crée une compétition dan-
gereuse avec les cultures alimentaires. « Nous ne sommes pas concernés par le débat "carburant ou
nourriture" : nous pouvons, à terme, utiliser des
herbes non alimentaires », affirme Verbruggen. Peut-
être, mais il faut d'abord − comme pour les biocarburants − que les scientifiques réalisent des progrès
considérables pour arriver à dégrader à un prix rai-
sonnable la cellulose de ces plantes ligneuses [1].

Toutes les nuances de vert

Bien sûr, les consommateurs « vert foncé »,
comme Dave ou Zan et Paul Scott, ne représentent

---

1. Voir chapitre 6.

que la partie la plus militante de la population américaine. Mais ils sont l'avant-garde d'un mouvement culturel que les sociologues de la consommation jugent durable. Ce segment d'acheteurs, stratégique pour les entreprises, est bien entendu scruté à la loupe par tous les cabinets de recherche en marketing. En 2007, le cabinet Yankelovitch a évalué le poids de ce qu'il appelle les « Greenthusiasts » à 13 % de la population américaine, soit 30 millions de personnes. L'Institut du marketing naturel, lui, pense que ceux qui recherchent « un style de vie sain et durable » – les « LOHAS » (Lifestyle Of Health And Sustainability) – pèsent 16 % du marché de la consommation. Le sociologue Paul Rey, qui décrit cette clientèle comme « culturellement créative », résume ainsi leur préoccupation : pour eux, « celui qui gagne n'est pas celui qui meurt avec le plus de jouets, c'est celui qui a mené une vie qui a du sens ». Un concept proprement révolutionnaire en Amérique.

A l'autre extrémité du spectre, 20 à 30 % des consommateurs américains sont ignorants, ou carrément rétifs au discours environnemental. Qu'ils ne croient pas au réchauffement de la planète, qu'ils aient d'autres préoccupations, ou qu'ils s'en moquent, ils font en tout cas leurs courses selon d'autres critères : prix, commodité... Selon les études, on les retrouve sous le terme de « marrons de base », de « pessimistes fatalistes », ou simplement d'« indifférents ». Entre les deux, se tient le marais majoritaire, plus ou moins conscient des enjeux mais peu actif, pour des raisons diverses. Après vingt ans de pratique, Joel Makower, consultant en marketing environnemental, président de Greener World Media et auteur de l'ouvrage *Stratégies pour une économie verte*, a établi la nomenclature empirique suivante :

— L'engagé : sait quoi faire, et le fait souvent.

— Le contradictoire : sait quoi faire, mais n'en prend pas la peine.

— Le préoccupé : veut apprendre quoi faire, mais ne le sait pas encore.

— L'incertain : ne sait pas comment faire la différence.

— Le cynique : ne sait pas, et s'en moque complètement.

L'une des questions cruciales, pour les entreprises s'adressant au grand public, est de savoir à quel point les consommateurs sont prêts à suivre leurs déclarations « environnementalement correctes » avec leur portefeuille. Il existe, bien sûr, pléthore de sondages sur la question. Mais il sont souvent trompeurs, et contradictoires. Car « conscience verte » n'est absolument pas synonyme de « consommation verte ». Ainsi, selon l'enquête environnementale de l'agence Cone en 2007, les Américains affirment qu'ils économisent l'énergie (93 %), qu'ils recyclent (89 %), qu'ils conservent l'eau (86 %) et parlent environnement avec leurs parents et amis (70 %). Cone en conclut qu'une « solide majorité d'Américains sont en faveur d'actions significatives de la part

des entreprises ». A contrario, selon Ipsos-Reid,
64 % des Américains affirment que, quand une
entreprise qualifie de vert un produit, « c'est en
général seulement une stratégie de marketing ». Et,
selon l'étude « Going Green » de Yankelovitch,
même si 37 % des Américains se disent « très préoccupés » par l'environnement, seulement 1 sur 4
affirme être « très informé » sur la question. Et seuls
22 % estiment qu'il peuvent « faire la différence »
sur ce sujet.

De ce magma confus, Joel Makower tire deux
idées claires : premièrement, les consommateurs américains cherchent des moyens de se comporter de
manière plus responsable vis-à-vis de l'environnement. « Ils sont prêts à agir, mais à condition que ces
gestes soient faciles, n'entraînent que des changements mineurs dans leurs habitudes, et ne coûtent pas
davantage. » Deuxièmement, « un produit ne se vendra pas mieux, simplement parce qu'il est vert ».
Outre ses qualités environnementales, il doit aussi
être… meilleur ! C'est-à-dire : moins cher, plus
rapide, plus blanc, plus clair, plus facile à utiliser, plus
efficace, ou tout simplement plus « cool ». Ce que
Joel Makower résume, avec humour, en expliquant
que les Américains veulent tout : « Des produits bon
marché faits par des entreprises qui ne polluent pas et
paient bien leurs employés ; le luxe sans la culpabilité ; des voitures spacieuses, stylées et sûres qui
consomment peu de pétrole ; des centrales éoliennes
et solaires, à condition qu'elles ne gâchent pas la vue ;

des solutions simples à des problèmes complexes ; et des changements sans changer. » Une conclusion qui s'applique sans doute aussi aux citoyens européens.

En dépit de ces difficultés et incertitudes, il ne fait cependant pas de doute, pour Joel Makower, que « le business vert est en train de basculer rapidement d'un mouvement à un marché, et de la marge au centre ». Il voit le nombre des produits et services verts approcher bientôt la masse critique dans certains secteurs, à mesure que les nouveaux matériaux et les technologies innovantes deviennent compétitifs, et que petits entrepreneurs et grands groupes font de leur réflexion sur l'environnement une plateforme pour inventer des produits, des services et des modèles d'affaires innovants.

Le potentiel économique est énorme, car la question environnementale concerne tous les secteurs. Le problème vert attire aussi bien l'attention des grands distributeurs comme Wal-Mart ou Home Depot, que celle des fabricants de produits de grande consommation (Clorox ou Procter & Gamble), des géants de la mode et de l'habillement (Nike, Levi's), des industriels (automobile, énergie, chimie, industrie, agro-alimentaire), des spécialistes de la technologie (HP, Dell, IBM, Cisco, Google), des acteurs du bâtiment ou des services (immobilier, voyage, finance). Et il oblige les leaders à se remettre en question. Car, dans beaucoup de secteurs, d'ingénieuses start-up profitent de cette opportunité pour grignoter les positions des marques établies. Et même si leur offensive ne réussit à grapiller qu'une part infime du chiffre d'affaires, elle capte souvent les clients les plus jeunes et les plus prospères, et peut causer des dommages importants sur l'image de marque et le moral des employés des entreprises ainsi ringardisées. Sans oublier que, dans la foulée de sommets internationaux comme celui de Copenhague, plane pour tous les agents économiques la menace de réglementations publiques plus strictes.

Les entreprises n'ont plus le choix

Aussi la question environnementale est-elle récemment devenue l'un des casse-tête stratégiques des grands industriels et distributeurs occidentaux. La préoccupation écologique, bien sûr, ne date pas d'hier. La prise de conscience du business s'est faite en trois vagues historiques : dans les années 60, après quelques catastrophes écologiques de grande ampleur, la pollution industrielle était devenue tellement menaçante qu'il a bien fallu la contrôler. En 1970, les États-Unis ont créé leur Agence de protection de l'environnement, et voté un certain nombre de lois pour lutter contre la pollution de l'air et de l'eau.

A partir du milieu des années 80, les sociétés ont découvert que réduire la pollution, c'était aussi réduire le gaspillage. Elles sont progressivement devenues plus vertes, parce que c'était bon pour leur productivité, donc pour leurs profits. Rationalisation des processus industriels et économies d'énergie ont contribué à diminuer leur « empreinte carbone » avant même que le concept ne soit défini.

Mais la troisième vague verte, celle du « business durable », n'est apparue qu'à la fin des années 90. Elle consiste à intégrer le paramètre environnement en amont et à repenser l'ensemble de la chaîne de production, y compris les fournisseurs, les sous-traitants et les partenaires. Depuis deux ans, cette préoccupation est exacerbée par la hausse du prix du pétrole, la prise de conscience du réchauffement climatique et la nouvelle sensibilité écologique des consommateurs, des employés et du monde politique. Les industriels − à commencer par les constructeurs automobiles, les producteurs de ciment ou d'acier, les centrales à charbon − n'ont plus le choix.

A l'avant-garde, certaines PME pionnières ont su démontrer comment ce que les états-majors percevaient comme un surcoût pouvait être transformé en avantage compétitif pour se différencier, innover et se forger une image de leader. Le meilleur exemple est peut-être celui d'Yvon Chouinard, avec les vêtements de loisirs Patagonia. Dès le début des années 90, le fondateur a fait procéder à un audit environnemental et conclu : « Tout ce que l'on fabrique pollue. » Et encore : « On ne peut pas faire du business sur une planète morte. » Dans son catalogue 1993, il expliquait à ses clients que Patagonia avait sacrifié 30 % de ses modèles, afin de mieux se concentrer sur des procédés de fabrication durables. Le groupe s'est mis à utiliser 100 % de coton bio. Et il a inventé le « synchilla », une laine polaire faite à partir de bouteilles de plastique recyclées. Aujourd'hui, Patagonia va jusqu'à recycler les vieilles vestes polaires de ses clients.

Ce pionnier est un des seuls à être resté indépendant. Beaucoup de ces vétérans du produit écologique ont en effet, ces dernières années, été avalés par des multinationales américaines ou européennes, avides de capitaliser sur leur image et leur savoir-faire. Les glaces Ben & Jerry's ont été rachetées par Unilever, les céréales Kashi par Kellogg's, les pâtes dentifrice Tom's of Maine par Colgate-Palmolive, les savons The Body Shop par L'Oréal, les yaourts Stonyfield Farms par Danone, les chocolats Green & Black's par Schweppes, les boissons Odwalla par Coca-Cola, les baumes à lèvres Burt's Bees par Clorox...

Et ces multinationales se sont elles-mêmes efforcées – avec plus ou moins de succès – de devenir de meilleures « citoyennes » du monde. Il n'existe pratiquement plus de grand groupe américain qui n'ait son département développement durable et qui n'ait mis sur pied un programme pour réduire ses émissions de gaz à effet de serre, utiliser des matériaux moins toxiques, économiser énergie et eau, mieux recycler ses déchets et fabriquer des produits plus respectueux de l'environnement. Le géant General Electric s'est ainsi doté, dès 2004, d'un programme ambitieux appelé « Ecomagination ». Le conglomérat a notamment annoncé que le chiffre d'affaires de son portefeuille vert – qui comprend 80 produits et services, des machines à laver aux turbines industrielles – avait fait un bond de 21 % en 2008, atteignant 17 milliards de dollars, ce qui représente 9,2 % de ses ventes totales. L'objectif 2012 est de 25 milliards.

Joel Makower cite quelques autres exemples : au cours de la décennie écoulée, le groupe Procter & Gamble a réduit le poids de ses couches jetables Pampers de 40 % et leur packaging de 80 %, tout en améliorant leur performance. Wal-Mart et Nike sont devenus les plus gros acheteurs mondiaux de coton bio. General Motors est le premier utilisateur au monde d'électricité provenant de gaz de décharges à ordures. Intel et PepsiCo sont les deux plus importants acheteurs d'énergies renouvelables. McDonald's est un consommateur important de produits recyclés, qui y consacre au moins 100 millions de dollars par an.

Cela fait-il de ces géants industriels des champions de la cause verte ? Bien sûr que non. C'est loin d'être suffisant, car ces efforts ne portent que sur une part infime de leur activité. Et l'édition 2009 de « L'état du business vert », le rapport annuel de Greener World Media, est plutôt négative. « C'est un mélange de nouvelles encourageantes et décourageantes, a expliqué Joel Makower en présentant l'étude à San Francisco. Mais au bout du compte, en dépit d'un ensemble toujours plus important d'engagements et d'actions de la part des entreprises, nous sommes moins optimistes sur le fait que ces gestes, cumulés, soient de nature à résoudre les problèmes de la planète, à un rythme et à une échelle suffisants. »

Reste que les patrons des grandes entreprises américaines passent maintenant beaucoup de temps à se demander : comment être vert ? Où faut-il placer le curseur ? Question difficile. Car en dépit des avancées du concept environnemental, il n'existe que peu de standards ou de certifications permettant d'y répondre. La norme américaine LEED, dans le bâtiment, est une heureuse exception [1]. On sait désormais ce qu'est un bâtiment écologique. Mais une usine verte ? Une banque verte ? Un ordinateur vert ? Une lessive verte ?

Brigades anti-« greenwashing »

En l'absence de critères objectifs, tous les pollueurs de la planète peuvent se proclamer plus écolos que le voisin. Et ils ne s'en privent pas. Il est pour

---

1. Voir chapitre 3.

le moins étonnant de subir, à la télévision américaine, un déluge de spots publicitaires de la major pétrolière Chevron, se posant en championne de l'environnement, ou du lobby du charbon chantant les louanges du *clean coal*, alors que les techniques de séquestration du carbone sont loin d'être au point ! D'où un retour de bâton compréhensible dans l'opinion publique. La plupart des sondages récents révèlent que les consommateurs américains font peu confiance aux revendications environnementales des marques. Et les accusations de *greenwashing* – qui consiste à « verdir son image » de manière injustifiée – se multiplient. Dans une étude de 2007, la firme TerraChoice a recensé, chez les grands distributeurs américains, six péchés de *greenwashing*. Le plus courant est le mensonge par omission : une firme met en avant une qualité spécifique d'un produit (par exemple le contenu en papier recyclé), en passant sous silence des attributs beaucoup moins flatteurs (l'utilisation massive d'énergie ou d'eau pour le fabriquer). Mais il y a aussi l'absence de preuves, le flou des assertions, leur non-pertinence, ou le mensonge pur et simple. Aux États-Unis, les ONG s'évertuent à dénoncer ces comportements en créant des brigades anti-*Greenwashing* et en publiant un index du *greenwashing*.

Pourtant, les consommateurs devraient commencer par balayer devant leur porte. Car peu d'entre eux semblent prêts à faire, dans leur vie quotidienne, ce qu'ils exigent des entreprises, souligne Joel Makower. Combien de citoyens américains – même parmi les plus informés – conduisent un véhicule hybride, partagent une voiture pour aller au travail, ou roulent moins ? Combien ont fait un bilan énergétique de leur maison, effectué des travaux d'isolation, opté pour les ampoules à basse consommation, ou installé des panneaux solaires ? Combien emploient des produits de jardinage ou des détergents bios ? Malgré leur côté agaçant de bons élèves de la classe écolo, il faut reconnaître à David Chameides et ses congénères « vert foncé » une implacable cohérence. Au lieu de diaboliser le *Big Business*, ils commencent par donner l'exemple, et pensent que seul un mouvement citoyen de « consommacteurs » encouragera le gouvernement à définir des standards plus rigoureux et imposera aux entreprises de nouvelles façons de penser.

En attendant l'apparition de labels universels, à quoi les consommateurs à la conscience verte peuvent-ils se fier pour faire leurs emplettes ? Aux États-Unis, commencent à apparaître des classements écologiques, comme celui de Climate Counts. Cet organisme attribue aux entreprises un score de 0 à 100 en fonction de quatre questions : mesurent-elles leur « empreinte carbone » ? Ont-elles un objectif pour la réduire ? Soutiennent-elles ou combattent-elles les initiatives publiques pour diminuer l'effet de serre ? Communiquent-elles sur ces sujets de manière transparente ?

Au classement 2008, les lanternes rouges (avec un score entre 0 et 5) s'appelaient Burger King, Wendy's et Yum Brands (KFC, Taco Bell, Pizza Hut)… mais aussi Amazon et eBay ! Tandis que, parmi les champions (plus de 65), on trouvait Nike, StonyField Farm, IBM, Canon, General Electric et Hewlett-Packard. Climate Counts publie aussi un petit guide de shopping, soulignant, pour chaque catégorie de produits et services, les entreprises les plus vertueuses. Même imparfait, ce genre de classement, assez médiatisé, pousse les entreprises à changer. Ainsi Apple, qui n'avait obtenu qu'un 2 en 2007, est monté à 11 en 2008. Et Levi's est passé de 1 en 2007 à 22 en 2008.

Les consommateurs commencent aussi à scruter l'information liée aux produits eux-mêmes. Et des sites indépendants, comme Goodguide.com, les aident dans cette démarche. Initiative salutaire, car les caractéristiques environnementales, qui se sont multipliées depuis quelque temps sur les produits de grande consommation, soulèvent souvent davantage de questions qu'elles n'apportent de réponses. Joel Makower en donne les exemples suivants : « Fabriqué à partir de matériel recyclé » (à 1 % ou à 100 % ?), « n'endommage pas la couche d'ozone » (mais contient-il d'autres polluants ?), « biodégradable » (peut-être, mais probablement pas avant des centaines d'années…), « non toxique » (vrai à l'usage, mais qu'en est-il de sa fabrication ?)…

Et pourquoi pas labelliser la vertu environnementale de chaque produit ? En 2007, la marque de vêtement Timberland a commencé à placer un Index vert sur certains modèles de chaussures. Un score de 1 à 10, en fonction des émissions de CO_2 nécessaires à sa fabrication et à son transport, la toxicité de ses matériaux et les ressources non renouvelables consommées. Un système qui devrait être généralisé à tous les produits de la marque d'ici 2010.

Le géant britannique de la distribution Tesco se livre, en Grande-Bretagne, à une expérience similaire mais plus ambitieuse, en affichant l'empreinte carbone de ses lessives et de ses jus d'orange. En France, Leclerc et Casino s'y essaient également. Mais l'exercice est compliqué : est-ce que l'empreinte CO_2 d'un pot de beurre de cacahuète doit prendre en compte les émissions causées par les engrais et les pesticides de la culture de la graine ? Quid de l'énergie nécessaire à sa récolte et à sa transformation, puis à la fabrication du pot et de son étiquette ?

Il est encore trop tôt pour savoir ce que donneront ces initiatives, destinées à fournir au consommateur toutes les données utiles pour qu'il exerce son choix. Peut-être, demain, surveillera-t-on notre « régime carbonique », comme nous contrôlons aujourd'hui peu ou prou notre « ration calorique ». Mais attention : les étiquettes ne disent pas tout, et il faudra venir à bout d'un certain nombre de mythes. Par exemple, l'idée trompeuse que la nourriture locale est toujours meilleure pour l'environnement que celle qui vient de loin. Diverses études ont, au contraire, montré qu'un agneau de Nouvelle-Zélande avait une empreinte carbone quatre fois moins importante qu'un agneau produit en Grande-Bretagne (où l'élevage

intensif est très gourmand en énergie), qu'un bouquet
de fleurs envoyé du Kenya en Europe était responsable de six fois moins d'émissions de CO_2 que des
fleurs de serres hollandaises, ou que du vin de Loire
expédié à New York (par bateau) était plus vert que
celui envoyé (par camion) de la Napa Valley ! Il ne
faut pas non plus supposer qu'acheter le bon produit
suffit : la moitié des émissions de carbone liées à un
aliment dépendent de la manière dont on le cuisine.
Ainsi, il ne sert pas à grand-chose d'acheter des
pommes de terre bios locales si c'est pour les faire
bouillir sans couvercle et les réduire en purée avec
un robot. Dans ce cas, autant aller manger des frites
au McDonald's du coin : elles seront moins bonnes pour votre santé, mais meilleures pour votre
empreinte carbone !

Wal-Mart vire écolo

S'il existe aux États-Unis un symbole du capitalisme brutal et de la société d'hyperconsommation,
c'est Wal-Mart. Numéro un mondial de la grande
distribution et premier acheteur global de produits
de consommation, le groupe de Bentonville (Arkan-
sas) affiche 404 milliards de dollars de chiffre
d'affaires, gère 4 000 magasins aux États-Unis et
près de 3 000 autres dans 14 pays. Il emploie 2 millions de salariés, et sert chaque année quelque

200 millions de clients. Considéré comme un exploiteur impitoyable, sexiste et homophobe, et un pollueur sans état d'âme, Wal-Mart souffrait, au début des années 2000, d'une image si déplorable qu'elle commençait à dissuader certains clients. Les analystes de Wall Street parlaient alors, à propos du titre, d'un « risque de réputation »...

Soucieux de changer cet état de fait, son PDG Lee Scott a organisé en 2005 deux jours de séminaire secret entre son état-major et les environnementalistes les plus influents du pays. Cette réunion dite du « Choix », a accouché d'une résolution étonnante : Wal-Mart allait complètement repenser sa manière de travailler, à la lumière des critères les plus exigeants du développement durable. Wal-Mart allait devenir vert, avec pour double objectif d'améliorer sa profitabilité et son image de marque. « Il ne s'agissait pas de raconter mieux notre histoire, a expliqué Lee Scott au *New York Times*. Il s'agissait de créer une meilleure histoire à raconter. »

Les choses n'ont évidemment pas changé du jour au lendemain. Mais le groupe a pris le taureau par les cornes, et économisé au passage des millions de dollars. Au lieu de rester sourd aux critiques de ses détracteurs, l'état-major a tenté de travailler avec les ONG et les militants écolos. C'est ainsi qu'un beau jour de 2005, Adam Werbach, activiste vert, ancien président de l'ONG environnementale Sierra Club et créateur de la petite société de consultant de San Francisco Act Now Production, a reçu un curieux coup de fil. Un certain Andy Ruben, responsable du programme de développement durable chez Wal-Mart, voulait l'inviter à déjeuner.

Werbach croyait savoir à quoi s'en tenir : dans un livre écrit en 1997, *Agissez maintenant, excusez-vous plus tard*, il qualifie les magasins du groupe de distribution de « nouvelle race de toxine », qui « écrase les prix, démolit le commerce et détruit la culture locale ». Cependant, piqué par la curiosité, il accepte tout de même le déjeuner.

Au cours de cette rencontre, Adam Werbach est impressionné par les connaissances et surtout la pertinence des questions du cadre de Wal-Mart. « Il m'a demandé comment je m'y prendrais pour rendre les aliments bios populaires auprès de ses clients. Ou comment engager toute l'entreprise derrière le concept de durabilité », a-t-il ensuite raconté au *San Francisco Chronicle Magazine*. Andy Ruben propose aussi à Adam Werbach de travailler sur un projet pour susciter une prise de conscience environnementale parmi les employés de Wal-Mart. Werbach commence, bien sûr, par refuser. Mais plus il y réfléchit, plus cela le tente.

Car la proposition de Ruben croise, en réalité, une de ses préoccupations majeures : comment éviter que le mouvement vert ne s'adresse qu'à une poignée de citoyens avertis et déjà convaincus ? Comment démocratiser ses idées, et enrôler le grand public dans la lutte contre le réchauffement planétaire ? Werbach avait, dès 2004, prononcé un discours incendiaire devant le CommonWealth Club, intitulé « L'environnementalisme est-il mort ? », où il accusait le mouvement écolo de n'avoir pas réussi à lier justice sociale et militantisme vert. Et c'est justement cela qui avait attiré l'œil d'Andy Ruben : il voulait lui donner l'occasion d'aller évangéliser les masses laborieuses de la *Middle America* ! De mesurer l'influence de ses propos sur les quelque 1,4 million d'employés de Wal-Mart, miroir sociologique des 1,4 million de clients qui faisaient chaque semaine leurs courses dans ses magasins.

Le « bobo » de Bernal Heights (un quartier branché de San Francisco) a donc accepté de rencontrer les « Monsieur et Madame Michu » de l'Amérique profonde, et il en a été, dit-il, « transformé ». Adam Werbach a aussi mesuré le volontarisme de l'état-major de Wal-Mart, qui travaillait déjà à l'époque avec des figures respectées de l'écologie, comme Paul Hawken et Jib Ellison. Il dit avoir compris que cette mission avait du sens. Act Now Productions (racheté depuis par Saatchi & Saatchi S) a ainsi conçu et géré un *Personal Sustainability Program* destiné aux employés de Wal-Mart, sur une base volontaire. Un acte qui a valu à Werbach de se faire insulter, traiter de « traître » et cracher au visage par un grand nombre de ses pairs. Carl Pope, du Sierra Club, dira alors qu'aider Wal-Mart à devenir vert, c'est comme « réarranger les chaises sur le pont du *Titanic* », à partir du moment où le gros du problème se situe en amont, chez les fournisseurs, souvent chinois.

« Je n'ai jamais dit que Wal-Mart était vert, ni que le groupe était parfait », s'est alors défendu Adam Werbach au micro de la National Public Radio. Il a expliqué en substance que le groupe avait une « très, très longue route » devant lui pour devenir un modèle environnemental. Mais qu'il était sincère et que, compte tenu de sa taille et de son pouvoir d'entraînement sur ses clients et ses fournisseurs, cela valait la peine de l'aider à prendre cette direction.

Adam Werbach a choisi la coopération plutôt que le conflit. Et il juge que son travail a été utile. Selon le bilan du groupe, en septembre 2007, 480 000 « associés » (employés) de Wal-Mart ont adopté un « programme de développement durable personnel ». C'est-à-dire qu'ils se sont engagés à faire de petits changements pour la planète, dans leur vie quotidienne et dans l'éducation de leurs collègues et de leurs clients – arrêter de fumer, manger plus sainement, perdre du poids, inciter au recyclage du plastique ou à la transformation de fermes familiales en jardins bios.

Il ne s'agit là, bien sûr, que d'une infime partie des efforts environnementaux de Wal-Mart. Car le groupe a aussi mis sur pied un programme appelé « Sustainability 360 », qui touche à tous les segments de son activité. L'objectif ultime ? Dépendre à 100 % d'énergies renouvelables, créer zéro déchet et ne vendre que des produits respectueux des ressources et de l'environnement. Ainsi le groupe Wal-Mart travaille-t-il sur des prototypes de magasins « hautement efficients ». Il a acheté de l'électricité solaire, pour approvisionner 22 sites en Californie et à Hawaï. Il a amélioré de 25 % l'efficacité de sa flotte de véhicules, en optimisant la manière de les charger. Il est passé à des moteurs diesel plus petits et plus frugaux pour les camions roulant de nuit, et travaille sur des projets de diesels hybrides. Il s'est enfin engagé à diminuer les rebuts de ses magasins de 25 %, en améliorant ses procédés de recyclage du plastique, du carton, de l'aluminium…

Clorox « lave plus vert »

Mais le changement le plus visible – et peut-être le plus salutaire – concerne les produits vendus en magasin. Wal-Mart travaille, bien sûr, à diminuer le gâchis de sacs plastique de 33 % d'ici 2013. Surtout, le groupe commence à examiner sérieusement avec ses 61 000 fournisseurs – y compris chinois – la meilleure manière de fabriquer, à coût égal, des produits moins nocifs pour l'environnement. Ainsi le distributeur ne vend-il depuis 2008 que des détergents concentrés (une économie de 1,5 milliard de litres d'eau sur trois ans, sans compter la résine de plastique et le carton). Il a dépassé, en octobre 2007, l'objectif de vente de 100 millions d'ampoules compactes à économie d'énergie. Il va aussi s'atteler – avec les fabricants – à réduire de 25 % la consommation des produits les plus énergivores, comme les écrans TV plasma. Un changement qui reviendrait, aux États-Unis, à économiser un an de facture d'électricité à 3 millions de foyers ! Il s'est engagé à n'acheter que du poisson pêché durablement. Et il a ajouté aux vêtements vendus sous sa propre marque une ligne de jeans, tee-shirts et autres accessoires en coton bio, bambou ou polyester recyclé. Fin 2008, une vente test sur ces « vêtements verts », fournis par Greensource, avait remporté un réel succès.

Même si la tâche est titanesque et l'exécution imparfaite, la stratégie de Wal-Mart a déjà contribué à aiguiser la conscience environnementale de ses très gros fournisseurs. Exemple ? Procter & Gamble, qui possède des marques phares comme Pampers, Ariel, Always, Pantene, Bounty, Pringles, Gillette ou Duracell, s'est engagé à développer, d'ici 2012, un marché d'au moins 50 milliards de dollars de ce qu'il appelle des « produits d'innovation durable » (avec une empreinte carbone réduite d'au moins 10 %), et à diminuer en même temps de 20 % les émissions de dioxyde de carbone, la consommation d'énergie, les besoins en eau et les déchets de chacune de ses usines.

Mais l'initiative la plus étonnante est venue de là où on l'attendait peut-être le moins : le groupe Clorox d'Oakland, qui réalise plus de 5 milliards de dollars de chiffre d'affaires annuel avec ses célèbres détergents à l'eau de Javel, a lancé en janvier 2008 une ligne de produits nettoyants naturels baptisée GreenWorks. « L'aventure a commencé en 2003, comme un "projet-passion" de certains de nos scientifiques. Ils exploraient la manière d'utiliser des composants naturels, pour obtenir le même pouvoir nettoyant que nos produits conventionnels », explique Emeline Berlind, directrice marketing de cette ligne verte.

Trois ans plus tard, les technologies ayant progressé, et la conscience verte des clients commençant à se faire jour, le groupe Clorox a formé une équipe de production sur le sujet. « Le projet personnel de ces employés a été, dès lors, intégré dans une équipe plus étoffée, dotée d'un objectif stratégique », explique Emeline. Clorox a joué le jeu, développant et testant dans ses labos huit produits distincts (lingettes, lave-vitres, produit vaisselle, nettoyant tous usages, mais aussi WC, salle de bains, sols, surfaces), faits à 99 % de composants naturels, comme la noix de coco ou les huiles essentielles de plantes. « On a beaucoup travaillé sur la formulation des produits eux-mêmes, mais aussi pour essayer de comprendre ce que voulaient les consommateurs, et comment on devait vendre ces nouveaux nettoyants », poursuit Emeline Berlind.

Le marché américain des produits ménagers respectueux de l'environnement était jusque-là dominé par des marques artisanales et assez confidentielles, comme Seventh Generation, Method ou Shaklee, cumulant environ 150 millions de dollars de ventes par an. « Premièrement, ces produits étaient difficiles à trouver. Ils n'avaient pas pénétré les circuits grand public, explique Emeline Berlind. Deuxièmement, ils étaient chers. Troisièmement, ils n'étaient pas tous si efficaces que ça. Enfin, aucune de ces marques n'était assez connue pour inspirer confiance à un public de masse. » Les diverses études de marché avaient pourtant montré à Clorox qu'il existait une cible de consommatrices évitant les produits chimiques, y compris dans les petites villes de l'Amérique profonde.

Mais Clorox avait, avec ce public-là, le handicap d'une image environnementale douteuse. Aussi, le groupe d'Oakland a-t-il sollicité et obtenu le soutien officiel… du Sierra Club. Une vraie révolution, puisqu'il s'agit du premier produit que cette association cautionne, en cent seize ans d'existence. Prompt à critiquer une coopération similaire entre Werbach et Wal-Mart, son président Carl Pope a pourtant accepté que le sceau du Sierra Club figure sur les flacons GreenWorks, à côté de la marque Clorox. Et son ONG touche de l'argent sur les ventes !

Jusque-là, les consommateurs doutaient de l'efficacité des nettoyants naturels et ne croyaient pas en la qualité environnementale des produits conçus par une grande marque de détergent. « La seule manière d'y remédier, c'était de combiner une grande marque de nettoyage et un label vert réputé, a déclaré Pope au *New York Times*. Je ne vous dirai pas que

cela ne suscite pas de controverses en interne... »
Mais le président du Sierra Club a apparemment
décidé qu'il était plus important d'essayer de développer ce marché. Parce qu'ils pensent qu'il y a
urgence, Pope et Werbach incarnent une nouvelle
race d'écolos pragmatiques, prêts à faire des compromis pour que leurs idées vertes atteignent enfin
les 90 % de la population qu'ils n'avaient auparavant
aucun moyen de toucher.

Ce partenariat semble avoir porté ses fruits : un
an après son introduction, GreenWorks est devenu
la marque leader, avec 42 % du marché des nettoyants verts. Il a par exemple vendu, à lui seul,
pour 3,4 millions de dollars de produits pour laver
les vitres, tandis que Seventh Generation et Method
atteignaient 2 millions à eux deux. Mieux : au lieu
de séduire les clients des marques vertes, Green-
Works – très bien mis en valeur par Wal-Mart, les
magasins Target et la plupart des drugstores –
semble avoir conquis les acheteurs de produits traditionnels, plutôt que les fidèles des labels verts
concurrents. « Quand vous êtes David, il n'est jamais
très agréable de voir Goliath s'introduire sur votre
territoire, a confié au *San Francisco Chronicle* le patron
de Method, Eric Ryan. Mais ce qui est positif, c'est
que Clorox consacre beaucoup d'argent à crédibili-
ser l'idée que l'on peut être à la fois vert et efficace.
Cela va contribuer à développer ce marché. » Très
satisfait des résultats, le groupe d'Oakland compte en
tout cas, selon son porte-parole Aileen Zerrudo,

« lancer un nouveau produit GreenWorks tous les six à neuf mois ».

David Chameides, lui, n'est pas près d'acheter des nettoyants GreenWorks, même s'il est seulement 15 à 20 % plus cher que les marques classiques. Il a affiché sur son blog un lien vers des recettes pour fabriquer soi-même ses détergents, à base de jus de citron, de vinaigre blanc et de levure de bière. Son expérience « zéro déchet » l'a conforté dans ses convictions. « Même si je ne garde plus mes ordures dans ma cave, j'ai gardé le même style de vie, expliquait-il en avril 2009. Parce que cela fait sens. Cette expérience a changé pour de bon mon regard de consommateur. Maintenant, quand je vais faire les courses, je peux "voir" le cycle énergétique complet du produit et du packaging, et cela influence ma décision. » Dave, qui a amené de nombreux visiteurs de son blog à réfléchir sur leur bilan carbone, continue à être très présent sur la toile. « La puissance de rayonnement du web est inouïe, dit-il : les gens qui ont de bonnes idées n'ont désormais plus aucune excuse pour ne pas les faire partager au monde entier ! » Carborexiques de tous les pays...

3.

« Home, green home »

Amory Lovins, soixante-deux ans, enjambe comme un gamin les montants d'une série de nouveaux panneaux solaires qui couvrent le toit de sa résidence d'Old Snowmass, un petit village perché à 2 200 mètres d'altitude dans le Colorado, à trois heures de route de Denver. Au loin se détachent les sommets encore enneigés des montagnes Rocheuses. « On vient d'ajouter ces deux panneaux solaires thermiques, pour l'eau chaude et le chauffage au sol. Comme ça, on n'aura même plus besoin de poêle à bois l'hiver », explique d'une voix douce cette grande figure américaine des énergies propres. Lovins arbore d'épaisses lunettes, une moustache brune et une calvitie naissante, qui lui donnent un petit air de professeur Tournesol. Il adore faire visiter sa curieuse résidence, tout en courbes et pierres grises d'environ 375 mètres carrés, qui sert aussi de siège au Rocky Mountain Institute, l'institut de recherche sur l'environnement et l'énergie qu'il a créé en 1982 avec sa première femme, Hunter.

Grâce à son design intégré, sa super-isolation, ses matériaux recyclés et quelques technologies dernier cri, ce bâtiment économise 99 % des besoins en chauffage, 90 % de ceux en électricité, et plus de 50 % de la consommation d'eau d'une maison normale comparable ! Le tout, pour un coût de construction de moins de 506 000 dollars de 1984 : « Les quelque 6 000 dollars de surcoût, par rapport à une construction classique, ont été remboursés en dix mois par les économies d'énergie et d'eau », affirme Amory Lovins. Mieux : depuis qu'elle est reliée au réseau d'électricité, cette maison vend son courant excédentaire à la compagnie locale... « C'est cette résidence qui a inspiré l'ingénieur allemand Wolfgang Feist pour construire la première maison "passive", à Darmstadt, au début des années 90, explique fièrement Lovins. Maintenant, il en existe 10 000 rien qu'en Allemagne, et 10 000 supplémentaires dans quatre autres pays d'Europe du Nord. » Avec les technologies actuelles et en poussant au maximum les performances énergétiques, les maisons dites « passives » ne coûtent pas forcément plus cher à la construction. Et s'il existe un léger surcoût au départ (10 à 15 % en général), il est rapidement amorti grâce aux économies de fonctionnement, massives et récurrentes. En outre, ces bâtiments ont pour avantage majeur de diminuer considérablement les émissions de gaz à effet de serre, parfois jusqu'à des valeurs négatives...

Amory montre des panneaux qui suivent la trajectoire du soleil, et d'autres dont l'inclinaison change
avec les saisons. Depuis peu, ils sont reliés à des
compteurs individuels, indiquant en temps réel leur
production d'énergie. Il insiste sur l'isolation excep-
tionnelle des bâtiments. « On a mis en place des
"super-fenêtres", constituées de multiples couches de
verre, entre lesquelles est injecté du gaz krypton :
elles perdent dix fois moins de chaleur qu'un vitrage
simple, et laissent entrer les trois quarts de la lumière
naturelle visible, et la moitié de l'énergie solaire. » Le
propriétaire est aussi ravi de ses nouvelles portes ultra-
étanches, « qui se ferment comme celles d'un coffre-
fort ! » La cuisine n'est composée que d'appareils
électroménagers très économes. Le linge est séché à
l'air ambiant ventilé, dans une cheminée avec Velux
dédiée à cette fonction, au-dessus de la « salle des
machines ». L'éclairage naturel est utilisé au maximum, et toutes les ampoules sont à diodes électrolu-
minescentes dernier cri (LED), ou bien fluorescentes
à basse consommation.

Sous une vaste véranda, une grande serre semi-
tropicale départage les espaces de vie et de travail.
« Voilà notre chaudière, s'amuse Lovins : il y pousse
des bananiers, des manguiers, des avocatiers et des
papayers ! On a aussi construit une petite cascade,
avec une série de bassins à poissons. Sinon, la maison serait tellement silencieuse qu'on entendrait la
moindre conversation. » En contrebas de cette
serre s'étend un espace de travail ouvert : derrière

une table de ping-pong, deux jeunes gens fixent des écrans d'ordinateurs. En haut, le bureau d'Amory Lovins occupe une vaste mezzanine en bois.

Les quelque 75 autres employés du Rocky Mountain Institute (RMI) sont répartis entre deux autres maisons, à quelques kilomètres de là, et des bureaux situés à Boulder (Colorado), plus facilement accessibles pour les clients. Le RMI est en effet un organisme hybride, mi-ONG, mi-consultant. « On est un *think-and-do-tank* indépendant et entrepreneurial, dont la mission est de promouvoir un usage durable des ressources, explique Lovins. Nous créons des solutions, pas des problèmes ; nous sommes des praticiens, pas des théoriciens ; et nous croyons aux transformations en profondeur, pas aux améliorations progressives. »

Ainsi la moitié du budget du Rocky Mountain Institute (13 millions de dollars au total en 2009) provient de missions de conseil pour le secteur privé. L'institut a notamment participé à la conception de plus d'un millier de bâtiments, dont un tiers de ceux ayant obtenu le plus haut score de performance énergétique sur la planète. « L'un de nos plus récents projets est un large complexe d'immeubles en Europe, qui va produire davantage d'électricité qu'il n'en utilise », dit Lovins. Le RMI a, au fil du temps, travaillé dans tous les secteurs industriels, avec 90 des 500 plus grands groupes américains, et certains étrangers : General Motors, Bank of America, Dow, Shell...

L'institut s'efforce de choisir ses clients pour maximiser son impact : « Nous voulons des partenaires hautement motivés, mûrs pour un changement stratégique, et qui ont un réel problème à résoudre », dit Lovins. Le RMI fait notamment partie des « consultants verts » qui ont aidé Wal-Mart à améliorer son bilan carbone. Pourquoi Wal-Mart ? « Un, leur patron Lee Scott voulait vraiment changer, et pas seulement sur le plan de l'environnement. Deux, ils ont une énorme influence sur leur fournisseurs, qui feraient n'importe quoi pour eux. Trois, ils bougent très vite. Quatre, la plupart de leurs produits non alimentaires viennent de Chine. Ce qui peut constituer un levier pour transformer le pays où se joue l'avenir de la planète. »

Amory Lovins est un consultant pragmatique : « Si on ne devait travailler qu'avec les groupes industriels angéliques, on n'aurait pas beaucoup de clients ! » Physicien de haut vol qui a mis sa science au service de l'environnement, il a la certitude tranquille du visionnaire à qui l'histoire vient donner raison. Lui qui se bat depuis quarante ans pour la cause environnementale avait signé, dès 1977, l'ouvrage *Soft Energy Paths*, dans lequel il préconisait déjà l'adoption des énergies renouvelables. Puis en 1999, avec Hunter Lovins et Paul Hawken, *Le capitalisme naturel*, un ouvrage clef jetant les bases d'une nouvelle révolution industrielle au service de l'environnement et de la prospérité économique.

Le bâtiment, pire que le transport

A sa conception, au début des années 80, le siège du Rocky Mountain Institute devançait de trois décennies le mouvement de fond qu'on voit aujourd'hui s'amorcer sur la performance énergétique des maisons, des immeubles et des bâtiments industriels. Les Américains commencent tout juste à prendre conscience du fait que l'habitat résidentiel et commercial est, de loin, le plus gros chantier d'une politique énergétique responsable. Aux États-Unis, les bâtiments sont la première source de demande énergétique. Ils utilisent 72 % de l'électricité produite et 55 % du gaz naturel. Si bien que près de la moitié des émissions de CO_2 sont liées aux bâtiments (12 % à leur construction, et 39 % à leur utilisation)... contre un petit tiers pour les transports ! Réduire la facture énergétique des immeubles et accroître l'utilisation d'énergies renouvelables dans les bâtiments constitue donc un passage obligé pour résoudre l'équation climatique et énergétique. Mais ce ne sera pas facile, car il faut à la fois innover, changer les politiques et promouvoir des solutions rentables : « C'est un peu comme si nous étions sur le *Titanic,* que nous savions que l'iceberg est à six kilomètres, mais qu'il en faille huit pour infléchir la trajectoire du navire ! » plaisante Arun Majumdar, autre grand spécialiste de la question, directeur du département Environmental Energy Technologies du Lawrence Berkeley National Lab.

L'Amérique a en effet pris l'habitude de construire des bâtiments spacieux et particulièrement voraces en énergie. « Jusqu'ici, ils étaient conçus pour le confort et l'esthétique, au mépris de toute considération énergétique », déplore Majumdar.

La première étape consiste donc à mieux isoler et rénover le parc existant. Même si le dossier des économies d'énergie fait moins rêver que celui des énergies propres, c'est d'abord là – et non dans les technologies sophistiquées – que se trouve le principal gisement énergétique des cinq années à venir. Pour rendre ce phénomène plus concret, Amory Lovins a inventé le concept de « négawatt » pour mesurer l'énergie électrique économisée : « Les négawatts coûtent beaucoup moins cher à produire que les mégawatts de n'importe quelle provenance, et réduisent d'autant l'effet de serre », affirme-t-il.

Pour désigner les actions relevant d'économies d'énergie, les Américains emploient une métaphore très imagée : les gestes les plus faciles à mettre en œuvre sont comme ces « fruits bas » (*low hanging fruits*) qu'il suffit de tendre la main pour cueillir. « D'autant que le potentiel pour réaliser des économies augmente à mesure que l'on améliore le design et les technologies, souligne Amory Lovins. Non seulement les fruits bas sont tombés de l'arbre, mais ils nous couvrent les chaussures, et s'écrasent le long de nos chevilles... tandis que l'arbre de l'innovation continue à nous bombarder avec davantage de fruits ! »

Alors, si les procédés sont au point, et les délais d'amortissement si intéressants, qu'attend-on pour transformer toutes nos maisons en résidences solaires « passives » ? « En ce qui concerne la performance énergétique, il existe soixante ou quatre-vingts obstacles spécifiques, dont chacun peut devenir une opportunité entrepreneuriale », diagnostique Lovins. Ce visionnaire a justement créé le Rocky Mountain Institute pour contribuer à dynamiter ces barrières. Pour commencer, il suggère que les régulateurs arrêtent de rémunérer les compagnies d'électricité en fonction des mégawatts vendus, et instaurent plutôt des systèmes récompensant les négawatts économisés. « Partout en Europe et dans 48 États américains, les compagnies d'électricité gagnent davantage si elles vendent plus de courant, et sont pénalisées si elles nous font faire des économies. C'est totalement absurde ! » En revanche, dans un petit nombre d'États, comme la Californie, elles sont financièrement incitées à rendre leurs clients frugaux. Elles peuvent même garder un pourcentage de l'argent ainsi épargné, ce qui produit des résultats spectaculaires.

Le raisonnement d'Amory Lovins part toujours des besoins : « Il faut d'abord utiliser l'électricité de manière efficiente, et à bon escient. On a calculé que si l'État américain moyen devenait aussi performant que les dix leaders, on économiserait 31 % du total de l'électricité consommée aux États-Unis, soit 62 % de celle produite au charbon ! » Ce pionnier de la question écrivait d'ailleurs, dès 1976, que le péché originel des États-Unis avait été de prendre le *hard path* de la dépendance aux énergies fossiles, et de la production électrique centralisée. « On a pris cette voie parce qu'on s'est posé la question : où peut-on trouver davantage d'énergie, de n'importe quelle nature, de n'importe quelle provenance, à n'importe quel prix ? » Selon lui, les États-Unis auraient dû au contraire s'en tenir à un *soft path*, qui consiste à partir des usages : une douche chaude, une bière froide, etc., et à se demander ensuite comment les satisfaire à moindre coût. Aussi préconise-t-il, aujourd'hui, de multiplier les petites unités de production chaleur-électricité au gaz décentralisées, et les sites de solaire et d'éolien. Qu'elles carburent au charbon ou à l'atome, il juge les énormes centrales « techniquement et financièrement aussi obsolètes que les locomotives à vapeur de l'ère victorienne, ou les ordinateurs centraux des années 70 ».

Mais la botte secrète d'Amory Lovins pour minimiser les besoins en énergie, c'est le concept de « design intégré », illustré de manière si séduisante dans sa propre demeure, qu'il a d'ailleurs ouverte aux visites publiques, pour l'exemple. « L'arche qui soutient le milieu de la maison a douze fonctions différentes, mais je la paie seulement une fois, explique Amory. Chacun des composants de cette maison a au moins trois fonctions. » En général, juge le fondateur du RMI, « la méthode de design des bâtiments est mauvaise. Parce que les ingénieurs et les architectes se demandent séparément : quelle doit être la performance du toit, des murs, des fenêtres, de la chaudière, etc. ? Mais à optimiser les morceaux isolés, on risque de "pessimiser" la maison en tant que système ! ».

Il existe, depuis peu, un institut américain de la « maison passive », l'Affordable Comfort Institute, qui vulgarise ces techniques. Cependant, la profession des entrepreneurs en bâtiment résiste, parce que rendre la maison étanche demande une plus grande attention dans la construction et requiert des équipements spécifiques dont ils ne sont pas forcément familiers, comme « un bon échangeur de chaleur air-air ». Cela suppose aussi d'étanchéifier l'enveloppe thermique avec d'excellentes portes, surtout sous des climats froids. « Or personne ne les fabrique encore aux États-Unis, dit Lovins. J'ai dû faire venir les miennes d'Allemagne ! »

L'expertise du Rocky Mountain Institute ne se limite cependant pas à l'habitat. Il a, au fil des années, promu son cher « design intégré » dans une trentaine de secteurs d'activité différents. Il a par exemple récemment conçu pour un client un centre de données informatiques qui consomme 75 % d'élec-

tricité en moins, coûte 10 % de moins à construire,
et fonctionne évidemment de manière plus économe. Ce site générera, en revanche, davantage de
revenus par serveur et par unité de surface qu'un
centre traditionnel.

L'autre « dada » de ce gourou vert est le transport
automobile. Lovins préconise depuis plus de vingt
ans la production d'*hypercars*, avec des carrosseries
allégées de 50 à 60 %. La tôle d'acier y serait rem-
placée par des matériaux à la fois légers et très résis-
tants, comme de l'aluminium ou des matières
plastiques composites, renforcées avec des fibres de
carbone. Résultat : le moteur, qui a moins de masse
à pousser, peut être trois fois moins puissant à performance équivalente, donc plus frugal. Cette différence suffirait, selon Lovins, à rendre dès à présent
compétitifs les moteurs électriques, et même à
hydrogène. Mais ce type de raisonnement n'a jamais
convaincu Detroit. Et il commence seulement à être
sérieusement étudié par certains groupes, comme
Toyota.

« Comme le design intégré n'est pas enseigné aux
États-Unis, explique Amory Lovins, notre plus
récent programme est un plan pour le renversement
pacifique de la mauvaise ingénierie ! Il faut changer
à la fois la pédagogie et la pratique. » En mai 2009,
cet indécrottable optimiste − Lovins, lui, préfère
dire qu'il pratique l'« espoir appliqué » − a reçu le
Prix national du design du musée Cooper-Hewitt,
dans la catégorie… « design de l'esprit » !

« *C'est une maison verte...* »

En mai 2009, le magazine *Time* a aussi distingué Amory Lovins comme l'une des « 100 personnalités les plus influentes » de l'année. De fait, on voit, ici ou là, poindre des signes de son approche intégrée dans l'industrie du bâtiment. Prenez le cas de la PME de San Francisco Sustainable Spaces, créée par Matt Golden. Grand gaillard brun avenant et volubile de trente-quatre ans, Matt fait partie de cette génération qui a surfé sur la vague internet, avant de chevaucher la révolution verte. « Après l'éclatement de la bulle internet, j'ai ressenti le besoin de faire quelque chose qui ait davantage de sens, raconte-t-il. Cela faisait un moment que je croyais en la réalité du changement climatique, alors en 2001, je suis devenu le dix-huitième employé de l'installateur de panneaux solaires SPG Solar. C'était encore le *wild west* de l'industrie solaire ! »

Très vite, cependant, Matt Golden s'aperçoit qu'installer du solaire sur des maisons mal isolées revient purement et simplement à jeter de l'argent par les fenêtres. « Les gens multipliaient les équipement verts, et les juxtaposaient. Si bien que, souvent, leur factures augmentaient parce que personne ne pensait à intégrer ces systèmes. » Un désastre à la fois pour le portefeuille des clients et pour l'environnement ! Matt s'est alors dit qu'il manquait vraiment une marque : « Une société en laquelle les gens auraient confiance, et qui optimiserait concrètement leurs systèmes énergétiques. »

En 2004, Matt vend sa voiture, et crée avec un ami Sustainable Spaces. Il n'avait pas étudié la science du bâtiment, mais... les affaires étrangères à l'université de Georgetown, à Washington DC. Qu'importe : « On a fait une formation avec l'association professionnelle des entrepreneurs en bâtiment, raconte-t-il. Et on s'est lancés. On n'avait pas vraiment idée de la complexité de la chose... » Les jeunes intrépides ont dû inventer sur le terrain ce métier, qui n'existait pas. « Moi, je faisais les audits, mon partenaire gérait les projets. On a appris à la dure, client par client. » Les jeunes entrepreneurs avaient en effet la contrainte d'être, d'emblée, rentables : « On n'a jamais raté un mois de paie. »

L'idée, pour Matt Golden, n'était pas de devenir un simple maître d'œuvre, mais de s'inspirer des sciences du bâtiment, telles qu'elles sont pratiquées au Berkeley Lab, et de les appliquer dans le monde réel. En 2009, sa société est encore la seule, dans toute la région de la Baie, à proposer un service complet : bilan énergétique poussé, préconisation d'un plan d'action, réalisation des travaux de rénovation et installation de nouveaux équipements.

Sustainable Places fait payer l'audit initial 600 dollars, qui sont ensuite déduits intégralement des travaux. « C'est un filtre pour pré-qualifier des clients vraiment motivés, dit Matt. Si les audits étaient gratuits, on croulerait sous la demande. » Or les bilans énergétiques effectués par Sustainable Places ne sont pas de simples cases à remplir sur un site internet. Ses techniciens arpentent physiquement la maison, de la cave au grenier, passent tout au crible avec des équipements sophistiqués : caméra thermique, soufflerie de porte, etc. Et ils en ressortent avec un devis personnalisé.

La facture correspondant aux interventions préconisées peut être salée : jusqu'à plusieurs dizaines de milliers de dollars. Mais le chantier peut être réalisé par étapes, et cet investissement est en général amorti au bout de cinq à sept ans, grâce aux économies engendrées. « On commence par les fondamentaux, explique Matt : supprimer les courants d'air, isoler les fenêtres, étanchéifier les conduits (30 % de pertes en moyenne), changer les équipements électroménagers et les ampoules électriques… Puis on regarde les systèmes de chauffage, d'air conditionné, de ventilation, d'eau chaude. Et on les repense en fonction des besoins réduits. C'est alors seulement qu'on peut envisager des énergies renouvelables ! »

Ses clients types ? Des Américains de la classe moyenne supérieure, gagnant 120 000 à 140 000 dollars annuels par foyer. Leurs trois grandes motivations : les économies, le confort, la santé. La lutte contre le réchauffement climatique n'est plus qu'un bénéfice adventice. « Ils nous appellent parce qu'ils veulent réduire leur facture de gaz. Ou bien, ils veulent installer tel chauffe-eau, ou nous parlent solaire. Mais en discutant, on découvre d'autres problèmes : l'humidité, un chauffage mal réparti, l'asthme des enfants, des allergies… »

C'est exactement le cas d'Ilisa, cadre d'une chaîne de télévision de la région de la baie de San Francisco, et de Lilla, qui gère sa boutique internet de couvertures pour bébé. Les deux femmes vivaient dans l'inconfort d'un bungalow des années 40, à San Leandro, au sud d'Oakland, jusqu'à ce qu'elles aient une petite fille. Jugeant qu'un air de mauvaise qualité, un placard plein de moisissures et une maison inégalement chauffée n'étaient plus supportables, elles font appel à Sustainable Spaces. Matt Golden et ses équipes opèrent alors un lifting des « tripes » de leur maison, du sous-sol au grenier : isolation, changement des fenêtres, ampoules à économie d'énergie, nouveau système de chauffage et de ventilation, panneaux solaires pour l'eau chaude. Ilisa et Lilla en ont eu pour quinze jours de travaux — et 40 000 dollars. Mais, depuis, leur facture énergétique annuelle est tombée de 650 à moins de 50 dollars, pour un lieu de vie désormais sain et confortable.

Matt Golden et son associé ont réussi leur pari : leur chiffre d'affaires a progressé de 100 % par an, au cours des cinq dernières années. Au bout de trois ans et demi, ils ont pu lever de l'argent auprès d'un *business angel*, puis, en septembre 2008, à nouveau 6 millions de dollars de capital-risque. Aujourd'hui, Sustainable Places emploie une soixantaine de personnes — quatre équipes d'audit et huit de travaux, ainsi qu'un nombre croissant d'informaticiens et de chargés de clientèle – pour traiter 30 à 40 maisons par mois.

En dépit de la crise, la société continue à enregistrer une forte demande. « Même sans l'aide du "Stimulus économique" du gouvernement, on va plus que doubler nos ventes en 2009, et atteindre nos objectifs. » C'est que ces entrepreneurs sont les défricheurs d'un marché potentiel énorme. Les préoccupations sur le réchauffement climatique et la nouvelle politique de relance de l'administration Obama donnent des ailes à l'activité de la rénovation énergétique.

« L'objectif officiel est une réduction de 25 % de l'énergie consommée dans le résidentiel en 2030, explique Matt Golden. Pour y arriver, il faudrait, à cette date, traiter 10 millions de maisons par an. » Les subventions du gouvernement vont essentiellement profiter aux travaux de base dans l'habitat social et aux ménages à bas revenus. Mais la PME Sustainable Places, elle, vise le segment au-dessus : « Les 5,5 millions de maisons de la classe moyenne ou supérieure. Soit un marché potentiel d'environ 60 milliards de dollars par an... »

Des incitations à l'envers

Historiquement, les entrepreneurs américains en bâtiment faisaient fortune en construisant des mai-

sons et lotissements haut de gamme, les fameux
« McMansions ». Et les meilleurs artisans n'étaient
pas attirés par le secteur des économies d'énergie.
Mais le modèle économique est en train de changer, et comme l'immobilier neuf ne va pas se
redresser du jour au lendemain, les très gros déve-
loppeurs s'y intéressent désormais : « C'est une lame
de fond, juge Matt Golden. Sears, Home Depot, les
gros promoteurs : en ce moment, tous les acteurs
majeurs de cette industrie regardent vers le marché
de la rénovation. » Sustainable Places, qui a pris un
temps d'avance sur le développement des processus
et des logiciels, ambitionne ainsi de jouer les cataly-
seurs de cette industrie naissante. Par exemple en
cédant les droits d'exploitation de ses outils technologiques et managériels aux grands groupes susceptibles de démultiplier son savoir-faire.

« Si on atteint les objectifs officiels, d'un point de
vue CO_2, cela reviendrait à retirer la moitié des voitures américaines des routes, s'enthousiasme Matt.
Et, en termes d'économies d'énergie, cela équivaut
à ce qu'on importe chaque année d'Arabie Saoudite. » Autre avantage : cette politique verte devrait
être fortement créatrice d'emplois : 1,25 million
dans la construction directement, et 6 à 8 millions
en comptant les postes induits…

Le jeune entrepreneur regrette simplement que
ce potentiel ait été jusqu'ici négligé. « Aux États-
Unis, notre industrie du bâtiment est virtuellement
cassée ! On pense en termes de marchés verticaux :

isolation, fenêtres, chauffage-ventilation-air conditionné, électricité, eau... C'est comme ça que les
métiers se sont structurés. Et il existe de puissants
intérêts en place, avec du pouvoir et de l'argent
pour défendre le statu quo. » Pourtant, ce qui
compte vraiment, souligne-t-il, ce n'est pas le produit, c'est la performance : « Si on diminue les
besoins en isolant mieux, si on supprime les déper-
ditions sur les conduits, on s'aperçoit qu'en général,
la chaudière est au moins deux fois plus grosse que
ce qu'elle devrait être ! »

Problème : le lifting énergétique est plus difficile
à expliquer que les panneaux solaires, et aussi moins
gratifiant : « La performance énergétique a toujours
été le vilain petit canard des technologies renouvelables dernier cri », déplore Matt Golden. Il estime
pourtant qu'on est en train de passer à la deuxième
génération des cleantech. Tous ces gros projets
solaires et éoliens, qui demandent des financements
de l'ordre de 500 millions de dollars pour une usine,
ont été gelés par la crise. Du coup, financiers et
politiciens redécouvrent les vertus de l'efficacité de
terrain, et des méthodologies pour amplifier le mouvement.

« Fondamentalement, on n'a aucun problème
de technologie, souligne-t-il. On pourrait acheter
tout le matériel chez Home Depot, et améliorer la
performance énergétique de la maison du client
de 30 à 40 %. Le plus crucial, c'est la mise en
œuvre puis la réalisation rigoureuse des travaux. »

Chaque industrie ayant maintenant la responsabilité de réaliser des économies en réduisant ses émissions de CO_2, le débat n'est pas : économies d'énergie ou énergies renouvelables. « Ce sont les économies d'énergie qui généreront de quoi financer tout ce qui est plus cher : les énergies renouvelables, et les nouvelles infrastructures de transport. »

Jusqu'ici, le système public d'incitation fonctionnait à l'envers : les textes disaient bien qu'il fallait commencer par l'efficacité énergétique avant de passer aux énergies renouvelables, mais ils étaient rarement appliqués. « Regardez le Stimulus : c'est le monde à l'envers, dit Matt Golden. Les travaux fondamentaux – qui créent le plus de jobs et ont la plus grande valeur – sont les moins aidés. Les équipements lourds, comme les chaudières, sont davantage subventionnés. Et les systèmes d'énergies renouvelables sont en tête de liste ! »

Heureusement, le tir devrait être corrigé dans la prochaine loi nationale sur l'énergie, ainsi que dans les programmes délocalisés gérés par les États et les municipalités. La Californie, par exemple, prévoit que les principales réductions de son empreinte carbone soient générées par les transports (36 millions de tonnes métrique de CO_2 par an), puis par la performance énergétique des bâtiments et des équipements (26,4 millions de tonnes métriques par an), l'« Initiative solaire californienne » n'apparaissant qu'en fin de liste (2,1 millions).

Afin d'obtenir des aides publiques permettant de financer les travaux de rénovation énergétique, Sustainable Spaces a formé un groupe de 350 professionnels, appelé Efficiency First. Et Matt Golden, qui adore influer sur les politiques – il a jadis été stagiaire dans l'équipe du vice-président Al Gore à la Maison-Blanche – mène le lobbying pour la mise en place d'un « coefficient énergétique », qui servirait de base à ces aides. Les États-Unis, pour l'instant dépourvus de tout système d'évaluation, songent à le rendre obligatoire avant toute vente immobilière. « Avec une amélioration de 20 % de ce coefficient, quelles que soient les solutions employées, on recevrait 3 000 dollars d'aide, et pour chaque point de plus, 150 dollars supplémentaires », explique Golden qui a réussi à faire inscrire ces chiffres dans le projet de loi.

Au final, Matt Golden sait que son activité sera jugée à l'aune du ratio argent investi/réductions d'émissions de gaz carbonique. « Aussi ne suffit-il pas de créer des emplois, il faut que ça marche, qu'il y ait de vrais résultats. » C'est pourquoi il demande une régulation plus stricte : une procédure d'accréditation, des standards rigoureux, et une supervision extérieure, pour garantir la qualité de la mise en œuvre. Mais son goût pour l'interventionnisme public a des limites : « Il ne faut surtout pas laisser le gouvernement choisir les technologies. Il est très mauvais pour ça ! »

La maison écolo défie la crise

Bien sûr, il faudrait aussi s'assurer que les nouvelles constructions ne présentent pas les défauts du parc existant. « Or, la plupart des résidences nouvelles sont construites trop vite et mal conçues », dit Matt Golden. Le problème vient souvent de la mise en œuvre. « Vous pouvez avoir une épaisse couche d'isolant, mais s'il existe une mince couche d'air entre l'isolant et le plafond ou le toit, on ne pourra même pas détecter sa présence à la caméra thermique ! » Là encore, le processus de sélection des entreprises ne favorise pas la qualité : chaque sous-traitant a souvent été choisi... parce qu'il était le « moins-disant » en termes de coûts. Aussi, pour construire vert, il faut un opérateur intermédiaire, qui coordonne tous ces sous-traitants. Ce qui ne peut exister que dans le haut de gamme.

Pour infléchir les choses, le Green Buildings Council a créé, en 1998, la norme verte LEED (Leadership in Energy and Environmental Design). Il s'agit d'un processus de labellisation, qui couvre à présent toutes les catégories de bâtiments : existants, nouveaux, commerciaux, etc. Le LEED pour les maisons individuelles, par exemple, a démarré en 2007. Les scores vont du label minimum (« Certifié ») au plus élevé (« Platine »), en passant par les intermédiaires (« Argent » et « Or »).

Et les experts commencent à publier quelques chiffres encourageants. Selon le cabinet McGraw-Hill Construction, 41 % du total des montants investis dans le bâtiment américain vont actuellement à des projets LEED, alors qu'on partait de presque rien il y a encore six ans. Et le phénomène est international : toujours selon les prévisions de ce cabinet, le marché mondial de la construction verte (résidentielle et commerciale) devrait progresser de 10 milliards de dollars en 2005, à 36-49 milliards en 2009, et 96-140 milliards à l'horizon 2013 ! « La croissance dans le monde entier est phénoménale, a commenté Harvey Bernstein de McGraw-Hill. Même en pleine crise économique mondiale, les opportunités offertes par le marché de la construction durable sont réelles, et reconnues comme telles par les acteurs de l'industrie. »

Pas étonnant : en plein marasme immobilier, consécutif à la débâcle des prêts hypothécaires, seuls les constructeurs verts tirent leur épingle du jeu. C'est le cas de la société californienne Living Homes, qui propose à ses clients des maisons écologiques de qualité. Au 2914 Highland Avenue, à Santa Monica, son fondateur, Steve Glenn, s'est personnellement fait construire la première résidence particulière du pays classée « LEED Platine ». Dessinée par Ray Kappe, fondateur de l'Institut d'architecture de Californie du Sud, cette demeure de 230 mètres carrés, avec étage et toit-terrasse, est devenue le magnifique showroom grandeur nature de Living Homes.

« La structure en acier, bois et verre est constituée de 12 modules préfabriqués, qui ont été installés en huit heures », explique Shiron Bell, chargée de marketing pour la société de Santa Monica. A 750 000 dollars sans le terrain (2 000 à 3 000 euros/m², selon les modèles), la maison verte de Steve Glenn se situe plutôt dans le haut du marché. Mais « elle revient environ 20 % moins cher qu'une construction de standing équivalent, alors qu'elle est 80 % plus efficace en termes d'énergie », souligne Shiron Bell.

A quelques blocs plus à l'est, sur Lincoln Boulevard, la petite équipe d'architectes et de designers de Living Homes travaille sur une douzaine d'autres projets en cours à Los Altos, à Venice, à Las Vegas. Steve Glenn est un fan de Lego et un architecte frustré : « Je n'étais pas assez bon au lycée pour faire des études d'architecture, a-t-il coutume de raconter. Mais je me suis ensuite aperçu que les vrais décideurs étaient les promoteurs immobiliers. » Si bien qu'après une première carrière dans les technologies de l'information − chez ClearView Software, puis au sein de l'incubateur Idealab de Bill Gross[1] − Glenn a créé Living Homes avec l'appui du capital-risqueur Vinod Khosla.

L'idée est de proposer ses maisons écologiques, clefs en main, à des particuliers ou à des promoteurs. Pour l'instant la société travaille avec deux cabinets d'architectes : Ray Kappe pour le haut de gamme

---

1. Voir chapitre 8.

personnalisé, et Kieran Timberlake pour les petits immeubles urbains. Pour mieux coller à l'époque, il réfléchit à l'introduction d'une troisième gamme de contructions, encore meilleur marché. « Les fioritures, les plans compliqués, les espaces inutiles qu'il faut chauffer et ventiler ne sont plus au goût du jour », martèle Steve Glenn à longueur d'interviews.

Living Homes propose donc des bâtiments aux lignes épurées et joue sur la modularité : grâce à des panneaux coulissants en bois, un salon en mezzanine se transforme instantanément en chambre à coucher. Design, espace, chauffage, ventilation, eau, matériaux : tout, dans les maisons Living Homes, est conçu pour minimiser l'empreinte écologique du bâtiment, sans sacrifier une once de confort ou d'esthétique. Au contraire.

« Nous suivons des règles de design que nous avons baptisées Z6, pour Zéro Eau, Zéro Énergie, Zéro Gaspillage, Zéro Émissions, Zéro Carbone, Zéro Ignorance », résume Steve Glenn. Concrètement ? Les eaux de pluie sont récupérées, toutes les eaux grises sont réutilisées pour l'arrosage. L'enveloppe thermique est très étanche, si bien que les panneaux et tubes solaires du toit suffisent à fournir l'essentiel des besoins en chauffage (plancher radiant), en eau chaude et en ventilation. Toutes les ampoules sont des diodes LED. Non seulement l'usage des matériaux est limité pour éviter tout gâchis, mais ils sont soigneusement sélectionnés (recyclés ou fabriqués de manière durable). Le plan de travail de la cuisine de Steve, par exemple, que l'on pourrait de loin prendre pour du granit, est fait en « Paper-Stone » : une matière innovante, très dure et très étanche, mélangeant cellulose de vieux journaux et résine sans pétrole.

Génie domestique

Living Homes n'est qu'un exemple parmi des centaines d'autres : souci environnemental et crise économique favorisent partout aux États-Unis l'éclosion de cabinets d'architecture, de design et de promotion immobilière vantant les mérites de solutions écologiques, économes et bon marché. La start-up SG Blocks, par exemple, construit des maisons et des unités de bureaux exclusivement constitués de containers recyclés du port d'Oakland !

L'autre tendance dans l'air du temps est le *Small House Movement* : les Américains redécouvrent qu'on peut très bien vivre dans 30 à 90 mètres carrés ! Un juste retour de balancier : la taille de la résidence américaine moyenne avait progressé de 140 % depuis les années 50, pour atteindre 232 mètres carrés avant la crise. Ce chiffre s'est depuis remis à baisser de presque 10 mètres carrés en 2008. La taille réduite d'un lieu de vie n'est plus forcément stigmatisée comme un signe d'échec social de ses occupants. Portées par des sites web (Jewel Box Home), des associations (Small House Society) ou des livres (*Little House on a Small Planet*, *The Not So Big House*), les petites maisons sont devenues à la mode. Des sociétés comme Tiny Texas Houses, ou Tumbleweed Tiny House, qui peinaient hier encore à placer leurs résidences écologiques modèle réduit, remplissent plus facilement leurs carnets de commandes. A 20 000 ou 30 000 dollars l'unité, ces maisons de poupée, victoriennes ou rustiques, se vendent comme des petits pains.

Mais même une maison frugale et bien isolée ne garantit pas des économies d'énergie. Car le maillon faible, ce sont souvent... ses occupants ! Les économies d'énergie sont aussi − et peut-être surtout − une question de mentalité et d'habitudes. Les citoyens d'une planète menacée devront prendre conscience des conséquences énergétiques de leurs gestes quotidiens. Qui sait, aujourd'hui, la quantité d'électrons que consomme un réfrigérateur-congélateur, à quel point les bonnes vieilles ampoules à incandescence dévorent inutilement les mégawatts, la quantité d'énergie gaspillée par un magnétoscope ou un micro-ordinateur laissés en veille, ou encore le volume d'eau gâché par un réservoir de WC surdimensionné ?

Demain, ces données feront sans doute partie de la vie d'un nombre croissant d'Américains. C'est en tout cas le pari de GreenBox, une autre jeune pousse de la Silicon Valley. Cette start-up de San Bruno a été fondée par quatre mousquetaires du logiciel : Gary Grossman, Robert Tatsumi, Peter Santangelli et Jonathan Gay. Même si vous ne connaissez par leurs noms, vous utilisez sans doute couramment leur « bébé » d'hier : le programme Flash, devenu l'alpha et l'oméga de l'animation graphique sur internet. En 2006, ces programmeurs de talent avaient quitté leur job chez Macromedia (après le rachat de Flash par Adobe) quand Gay, qui construisait une maison hors réseau électrique à Sonoma, s'est mis à réfléchir à ses futurs besoins en énergie.

Ce faisant, il prend conscience qu'en moyenne, 20 % de l'électricité achetée par une maison est gaspillée. Mieux : en discutant, Gay et ses amis acquièrent la conviction que si les utilisateurs étaient conscients de ce que leur coûtaient réellement leur chaudière et leurs équipements électriques, ils pourraient facilement consommer moitié moins. En octobre 2006, ils créent donc GreenBox, avec comme objectif de donner au grand public un outil convivial pour maîtriser sa consommation énergétique. « On a mis au point une interface simple sur le web, permettant à un usager de visualiser, à chaque moment, ce qu'il utilise comme électricité, et combien ça lui coûte », explique Brad Bogolea, assistant du directeur marketing.

En manipulant son programme, Brad montre comment identifier les charges permanentes, par opposition au pic de consommation engendré par chaque acte : faire tourner le lave-vaisselle ou la machine à laver, allumer l'éclairage du jardin, régler

le thermostat de l'air conditionné à 18 ou 20 °C...
« Vous pouvez aussi afficher à l'écran vos dépenses
totales par jour, par semaine, par mois, calculer
votre empreinte carbone, comparer vos factures à
celles d'une maison type, ou même, s'ils sont
d'accord, à celle de vos voisins ! » GreenBox prévoit
en outre d'intégrer la consommation d'eau et de gaz
à son programme. L'idée est de devenir le « bon
génie énergétique » incontournable de la maison. A
terme, ce portail internet privé permettrait aussi de
programmer les thermostats, ou de gérer les réglages
à distance.

Problème : le compteur visuel de GreenBox n'est
que le dernier maillon de la chaîne énergétique.
Pour innover de manière radicale, il faudrait que
cette plate-forme s'intègre dans un écosystème, où
elle communiquerait à la fois avec le compteur du
fournisseur d'électricité et les divers équipements
électroménagers du foyer. Au printemps 2009,
GreenBox n'a que dix employés, installés au rez-de-
chaussée d'un immeuble de San Bruno. Mais son
programme a déjà séduit la compagnie d'électricité
Oklahoma Gas & Electric, qui l'a déployé dans un
test de ses nouveaux compteurs numériques. Un
certain nombre d'autres opérateurs, comme Pacific
Gas & Electric, examinent sa technologie en laboratoire.

GreenBox n'est bien sûr pas seul sur ce créneau
d'avenir. Lucid Design Group propose le Building
DashBoard, que Living Homes intègre à ses mai-

sons. Il y a aussi Tendril Networks, Gridpoint et Control4...

Surtout, ces questions passionnent un acteur de la Vallée qui n'a plus grand-chose d'une PME : le titan Google. Le moteur de recherche internet, qui s'est donné pour mission principale d'« organiser toute l'information du monde », fait de ce domaine de l'énergie son nouveau terrain de jeu. Son bras philanthropique, Google.org, a ainsi annoncé en février 2009 la création d'un Google Power Meter, en test chez certains employés du groupe. Et il a dévoilé en mai 2009 toute une série de partenaires : le fabricant de compteurs intelligents Itron, ainsi qu'une demi-douzaine de compagnies d'électricité aux États-Unis, au Canada et en Inde (Reliance Energy). Décidément, plus une parcelle chiffrable de notre intimité n'échappera au gorille de Mountain View. Non seulement il saura comment je surfe, à qui j'écris, ce qui m'intéresse, avec qui je corresponds, qui j'appelle, ce que j'achète et où je suis, mais il se peut aussi qu'il ait bientôt une vue plongeante sur ma consommation énergétique !

Plus en amont, des sociétés prometteuses, comme Silver Networks, aident les compagnies d'électricité à mettre un peu d'intelligence dans des réseaux qui n'ont jusqu'ici aucun moyen de savoir ce qui se passe chez leurs clients. Car une chose est sûre : pour tous les EDF de la planète, ce type de technologie va devenir stratégique. Non seulement une communication interactive avec ses usagers et une

connaissance plus fine de leur modèle de consommation leur permettront d'éviter de mettre en route
inutilement de nouvelles capacités de production,
lors des périodes de pointe, mais elles faciliteront
aussi l'introduction de tarifs différenciés, en fonction
de la charge du réseau. Une technique commerciale
encore très peu développée aux États-Unis. Reste
que ces géants électriques ne veulent surtout pas,
pour autant, perdre le contrôle de leurs données,
ni le contact direct avec leurs usagers. Ce qui ren-
dra sans doute plus difficile à des jeunes sociétés
comme GreenBox de se faire une place au soleil...

Des matériaux intelligents

Le boom de l'habitat économe crée naturellement
un appel d'air pour tous les fabricants de nouveaux
matériaux de construction. Des sites web comme
BuildingGreen.com recensent ainsi les produits les
plus performants, secteur par secteur. « Au début des
années 70, il y avait le même montant de capitaux
investis dans les sciences des matériaux de construction et dans les technologies de l'information.
Ensuite, les TI ont absorbé toute l'attention et les
ressources, ce qui a permis l'émergence de gadgets
comme votre mini-dictaphone numérique ou mon
téléphone intelligent, explique Kevin Surace, PDG
de Serious Materials. Par contraste, les sciences du

bâtiment ont été complètement délaissées : on construit de la même manière qu'il y a trente ans, et la plupart des matériaux utilisés ont un siècle. Croyez-moi, les gens qui les ont inventés sont plus que morts ! »

Kevin Surace a travaillé dans les semi-conducteurs, puis les progiciels et les télécoms. Mais en 2002, il s'est associé avec un ancien d'Apple et de General Magic (fabricant défunt des premiers agendas électroniques), Marc Porat, pour créer Serious Materials, dans l'idée de produire des isolants sonores pour les écoles, les hôpitaux, les hôtels et les lotissements. Leur société, basée à Sunnyvale, au cœur de la Silicon Valley, est aujourd'hui à l'avant-garde d'un mouvement de renouveau des matériaux d'isolation phonique et thermique. Elle a notamment breveté les nouvelles cloisons sèches « Eco-Rock » qui économisent 90 % d'énergie à la production, ainsi que les fenêtres extrêmement performantes « Serious Windows », privilégiées par Amory Lovins.

Le tour de force de Serious Materials est que ses produits sont dans la même catégorie de prix que ceux qu'ils remplacent. « Pour nos cloisons ou nos fenêtres d'entrée de gamme, on avait l'obligation de sortir au même prix, dit Kevin Surace. Notre haut de gamme est plus cher. Mais nos fenêtres sophistiquées permettent d'économiser 20 à 30 % d'énergie sur l'air conditionné et le chauffage. Soit, pour une maison, des dizaines de milliers de dollars ; pour un

immeuble, des millions. Ce qui compense rapidement le différentiel de coût. »

Les débouchés de Serious Materials sont à 70 %
dans le commercial, et à 30 % dans la rénovation
résidentielle, le métier de Sustainable Spaces. « Notre
potentiel de croissance est illimité, s'enthousiasme
Kevin Surace. Car sur ces deux produits, nous
n'avons pas de concurrent direct qui ait la technologie et soit capable de couvrir tout le pays. » Cela fait
cinq ans que Serious Materials couvre les 50 États
américains et le Canada, via un millier de distributeurs de cloisons sèches et 200 distributeurs de fenêtres. « Nos produits ont déjà été installés sur
50 000 chantiers. On double nos ventes chaque
année, avec un chiffre d'affaires d'environ 50 millions de dollars en 2009 ». Serious Materials, qui est
financé par le capital-risque, espère s'introduire en
bourse, quand le marché se sera remis à fonctionner
normalement.

La PME de Sunnyvale, qui emploie 200 personnes dans cinq usines réparties sur le continent,
devrait avoir doublé ses effectifs d'ici fin 2009.
Kevin Surace déclare ne pas arriver à satisfaire une
demande stimulée par les aides aux économies
d'énergie du plan Obama. Il n'envisage cependant
pas, pour l'instant, de doper sa croissance en s'asso-
ciant avec de gros constructeurs traditionnels : « Ces
groupes sont vieux de plus d'un siècle. Ils ne font
pas de recherche, ne comprennent pas ces marchés.
Cela les obligerait à changer leurs usines. Nous,

nous mettons au contraire la recherche et développement et la réactivité au cœur de tout ce que
nous entreprenons. »

Selon lui, le principal obstacle à une « révolution
verte » dans le bâtiment, c'est la culture conserva-
trice de l'industrie. « Les gens ne veulent pas changer : les entrepreneurs en bâtiment ne veulent rien
de nouveau. Les sous-traitants doublent leurs factures dès qu'ils voient quelque chose de nouveau.
Ce sont des pratiques obsolètes, qui ne sont ni
compétitives, ni appropriées. » Serious Materials
essaie en revanche de rallier à ses vues tous les gens
qui influent sur le choix des produits : le propriétaire, le promoteur, l'architecte, le designer, le maître
d'ouvrage, les sous-traitants, les ingénieurs... « C'est
souvent le propriétaire qui décide, dans le souci de
réaliser des économies de fonctionnement. C'est
plus facile de le convaincre s'il est aussi le futur utilisateur. » Mais il est beaucoup plus difficile de
séduire les promoteurs, qui construisent des immeubles de bureaux pour les revendre : ils ne sont jamais
prêts à investir aujourd'hui dans des économies qui
demain profiteront à d'autres.

L'un des plus gros chantiers de Serious Materials
est la rénovation de l'Empire State Building. Le
Rocky Mountain Institute d'Amory Lovins a justement participé à l'étude du projet de rénovation
de ce bâtiment mythique de 280 000 mètres carrés, qui date des années 30. « Nous allons notamment enlever 6 500 fenêtres à double vitrage, et

dans une usine temporaire de Serious Materials, installée au cinquième étage de l'immeuble, nous les "réusinons" en SuperWindows, en y injectant du gaz krypton », raconte Amory Lovins. Cela isolera au moins trois fois mieux et bloquera la moitié de la chaleur, mais laissera passer davantage de lumière naturelle. « On va éliminer le besoin d'air conditionné, jusqu'à une température de 46 °C, dit Lovins. Si bien que, une fois les fenêtres remises en place, avec l'amélioration de l'éclairage, la charge de refroidissement sera diminuée d'un tiers. » Du coup, les vieux appareils de climatisation pourront être rénovés et réduits, au lieu d'être remplacés et augmentés. L'argent ainsi économisé sera alors investi dans d'autres améliorations. Résultat final : l'Empire State consommera 38 % moins d'énergie. Et le surcoût total de 13 millions de dollars, par rapport à l'investissement prévu, sera remboursé au bout de trois ans, grâce à une économie d'usage de 4,4 millions de dollars par an.

Des maisons et des villes

En Californie, les bâtiments verts poussent comme des champignons : la petite ville de Calabasas, non loin de Los Angeles, s'est dotée, en 2008, du premier hôtel de ville-bibliothèque classé « LEED Or ». San Francisco a fait de sa nouvelle Academy of

Sciences du Golden Gate Park, signée Renzo Piano, le premier musée modèle « LEED Platine », avec un magnifique toit végétal vallonné. William Mc-Donough, l'architecte pionnier et auteur de l'ouvrage fondateur de l'économie circulaire, *Cradle to Cradle* (*Du berceau au berceau*), a notamment construit des bureaux pour Gap et rénové l'usine Ford de River Rouge. En 2009, 82 % des entreprises américaines devraient « verdir » au moins 16 % de leur patrimoine immobilier, et 18 % devraient le faire sur plus de 60 % de leur parc, prédit McGraw-Hill Construction.

Mais tout cela ne constitue qu'une goutte d'eau par rapport au stock de bâtiments commerciaux existants. Comment mener une opération d'envergure, qui puisse toucher l'ensemble des infrastructures américaines et ensuite être étendue à la Chine et à l'Inde, qui bâtissent à tout va ? C'est la difficile mission du High Performance Buildings Research & Implementation Center, qui réunit plusieurs universités et laboratoires publics. Arun Majumdar, du Berkeley Lab, qui participe à cette initiative, ne cache pas que la conception, la construction et la gestion des grands immeubles sont à repenser de fond en comble. « Actuellement, presque aucun de ces édifices – même ceux certifiés LEED – n'atteint réellement les performances énergétiques annoncées sur le papier, a-t-il expliqué lors d'une conférence publique à Berkeley. C'est un peu comme si ces immeubles étaient des gros véhicules 4 × 4 que l'on conduisait un pied sur l'accélérateur et l'autre à fond sur la pédale de frein ! » Puisque les gens du système de chauffage et de ventilation ne parlent pas à ceux qui font les fenêtres, ou aux ingénieurs qui installent les machines, il faut changer les procédures. L'une des solutions consisterait à mettre un chef d'orchestre aux commandes : « une espèce de système d'exploitation central, pour qu'au moins les systèmes fragmentés de ces buildings fonctionnent en harmonie ».

Au-delà des seuls buildings et maisons, les responsables américains réfléchissent aussi, bien sûr, au problème plus vaste de l'urbanisme. Rien ne sert de construire des maisons « passives » si leur emplacement maximise l'usage de la voiture ! « Le fait de conduire est devenu un usage à la fois sous-taxé et surutilisé, résume Amanda Eaken de l'ONG Natural Resources Defense Council. Les études récentes de l'Urban Land Institute montrent, sans surprise, que des communautés bien planifiées peuvent réduire de près d'un tiers le besoin de prendre sa voiture. » D'où la mise en place de stratégies de « communautés durables ». Les États-Unis ont, là encore, une longueur de retard sur l'Europe concernant le concept de villes et de quartiers à échelle humaine, où résidences et commerces se côtoient. Mais les initiatives se multiplient : à Sacramento, la municipalité s'est fixé pour objectif de diminuer de 20 % d'ici 2050 le total des kilomètres parcourus en voiture par ses résidents. A Seattle, le centre commercial en déshérence de NorthGate a été transformé en « éco-quartier ». Thornton Place propose des appartements classés « LEED Argent », des commerces et restaurants de proximité, et des politiques favorisant transports en commun, vélo et voitures propres.

À l'échelle des grandes villes américaines, une espèce de compétition semble engagée pour savoir laquelle deviendra la plus verte... « Nous avons cru trop longtemps que plus signifiait mieux, que les villes avec une forte densité d'énergie, de béton et d'automobiles nous apporteraient une vie meilleure. Ce fantasme est remplacé par le sentiment que les vraies richesses urbaines, ce sont les relations de voisinage, les marchés de proximité, les parcs, la mobilité, la tranquillité, la verdure et des existences pleines de sens. Toutes choses qui demandent moins de ressources, mais un meilleur design », écrit Paul Hawken, pionnier vert et coauteur du *Capitalisme naturel*, dans son introduction au dernier hit-parade écologique des grandes cités, le « SustainLane 2008 », en tête duquel arrive la ville de Portland, devant San Francisco, Seattle, Chicago, New York et Boston.

4.

Bolides écolos

Mardi 13 janvier 2009. Salon de l'automobile de
Detroit. Dans le coin voitures de « luxe » du hall
d'exposition, deux créatures en robes noires décol-
letées se tiennent de chaque côté d'une Maserati
rutilante, sur un stand désert. En face, trois Aston
Martin dernier cri n'attirent pas davantage les visiteurs. En revanche, une foule compacte de journalistes, de caméras et de curieux est agglutinée
devant le minuscule stand mitoyen, où un jeune
homme de trente-sept ans au physique rond, pan-
talon sombre et chemise ouverte, sourit devant un
bolide rouge. La vedette du jour, à Detroit, c'est
lui : Elon Musk, PDG de Tesla Motors, une start-
up de la Silicon Valley, qui fabrique la première
voiture de sport 100 % électrique. Un bolide absolument silencieux, qui vous scotche à votre siège
en accélérant de 0 à 100 kilomètres-heure en
moins de quatre secondes et peut pousser jusqu'à

240 kilomètres-heure. Avec une autonomie annoncée de 390 kilomètres.

En ce début 2009, Tesla n'a livré que 150 modèles, à 100 000 dollars pièce, à une brochette de milliardaires de la Silicon Valley et de stars de Hollywood qui avaient accepté de débourser des acomptes plusieurs mois à l'avance. Et, malgré un carnet de commandes plein jusqu'en novembre, avec 1 200 noms sur la liste d'attente, la PME connaît de graves difficultés financières. Peu importe : grâce aux défections d'autres constructeurs, Tesla a pu avoir un stand au rabais, et Elon Musk n'a pas résisté à cette opportunité de s'afficher dans la capitale de l'automobile, à côté des grands noms de l'industrie. Une consécration. Un symbole aussi : que Tesla réussisse ou échoue, la PME aura marqué l'histoire. Selon l'expression de son fondateur Martin Eberhard, elle est en effet l'« étincelle » qui aura mis le feu au marché mondial des voitures électriques.

Il y a encore trois ans, l'idée même de produire pour le grand public des automobiles alimentées exclusivement par une batterie paraissait impossible. Aujourd'hui, il n'y a plus un constructeur sur la planète qui ne développe son projet de modèle électrique. Au Salon de Detroit 2009, le vert est partout : sur les stands, les carrosseries, les gigantesques panneaux vidéo promotionnels. Outre une nouvelle Lexus hybride et sa Prius III, Toyota annonce un modèle électrique pour les États-Unis avant 2010. General Motors met en vedette sa future Chevrolet Volt électrique rechargeable. Même le chinois BYD, un fabricant de batteries, est venu exposer ses voitures électriques. Detroit 2009 apparaît ainsi à la fois comme le Salon de la crise, où General Motors et Chrysler se battent pour leur survie (les deux groupes seront contraints de se déclarer en faillite quelques mois plus tard), et le véritable coup d'envoi de l'ère de la voiture propre.

Eberhard, le Géo Trouvetou de l'automobile

« Tout est parti de réflexions dans lesquelles je me suis plongé à partir de 2002 », raconte Martin Eberhard. Dans un bistrot de Woodside, près de Palo Alto, cet ingénieur électronicien de quarante-huit ans, au débit rapide et à la barbe grisonnante, raconte avec émotion la naissance de Tesla Motors. En 2000, Eberhard a vendu sa société de livres électroniques Nuvo-Media (fabricant du défunt Rocket eBook) pour 187 millions de dollars au groupe Murdoch. Mais ce n'est pas un « flambeur » : « Je suis un gars normal, aime-t-il à dire : je conduis une Mazda 3, je récure ma baignoire et je change les couches de mes enfants. » A cette époque, donc, Martin est à la recherche d'une nouvelle idée entrepreneuriale. Comme beaucoup de Californiens, ce natif de Berkeley est à la fois préoccupé par le réchauffement de la planète et très critique quant à la dépendance américaine vis-à-vis du pétrole, qui a contribué à pousser Bush à la guerre en Irak. « La

partie la plus facilement substituable de notre consommation de pétrole – 40 à 45 % – est utilisée pour le
transport automobile », rappelle Martin Eberhard. En
outre, les transports en général sont responsables de
près de 30 % des gaz à effet de serre émis aux États-
Unis, et la voiture individuelle de 20 %.

L'ingénieur se lance alors dans une série de calculs
sur la performance énergétique de divers modes de
propulsion. « Biocarburants, pile à hydrogène, batterie
électrique... Je n'avais pas de religion. Mais je suis
arrivé à la conclusion que l'électricité était, et de loin,
le carburant le plus efficace. » Martin croit tellement
peu à l'avenir de la pile à hydrogène qu'il a rebaptisé
cette technologie *fool cell* (la pile des imbéciles) au lieu
de *fuel cell*... En outre, l'avènement du solaire et de
l'éolien donne l'espoir d'arriver, à terme, à générer de
l'électricité vraiment propre en grande quantité. Les
partisans de cette solution soulignent même que ces
centaines de milliers de batteries constitueraient un formidable moyen de stockage, contribuant ainsi au développement des énergies renouvelables intermittentes.

La voiture électrique, bien sûr, est loin d'être une
idée nouvelle : les premiers prototypes datent des
années... 1830, avant même que n'apparaisse le
moteur à essence. Puis, au début des années 1990, la
Californie a brièvement vu apparaître des Toyota
RAV4-EV, des Ford Ranger, des Honda EV+, ou des
EV1 de General Motors, produits en petites séries...

Martin Eberhard a étudié toutes les expériences
ratées du passé. « Je collectionne les brochures des

modèles disparus, s'amuse-t-il. En compulsant cette documentation, je me suis dit que leurs automobiles ressemblaient à des voiturettes de golf, ou à des boîtes de conserve trafiquées. Elles étaient affreuses, lentes, peu pratiques et chères... » Il en a conclu que l'approche elle-même était mauvaise. On ne peut pas entrer par le bas de gamme sur un marché de masse, comme l'automobile, et être compétitif, « parce qu'une start-up va forcément acheter toutes ses pièces beaucoup plus cher que les constructeurs établis. Les pneus, la peinture, les pare-chocs, les moteurs des essuie-glaces, les sièges : tout coûtera le double ! ».

S'il ne peut pas se battre sur les prix, l'ingénieur décide alors qu'il faut être compétitif sur la performance. Après tout, sur le segment des voitures de luxe, les clients ne regardent pas à la dépense. Ce qu'ils recherchent, avant tout, c'est le glamour et la vitesse. D'où l'idée de concevoir un joli bolide électrique : un objet de luxe pour les *happy few*, dont le succès permettrait, ensuite, de redescendre en gamme, pour fabriquer une voiture familiale.

La seconde idée révolutionnaire de Martin Eberhard est de motoriser son véhicule avec des batteries lithium-ion. Ce type de batteries, qui tient bien la charge, est alors surtout utilisé pour les gadgets électroniques : téléphones mobiles, ordinateurs portables, livres électroniques. Les voitures électriques du passé, elles, utilisaient pour la plupart les technologies plomb-acide, ou nickel-cadmium, dont la portée après une charge ne dépasse guère 65 kilomètres. « Pouvait on appliquer la technologie lithium-ion − dont l'équilibre de charge est délicat à gérer − à des modules comprenant 7 000 cellules, au lieu de trois dans un ordinateur ? » Martin Eberhard multiplie les séances café-brainstorming avec son ami Marc Tarpenning, ex-partenaire dans NuvoMedia. A force de parler technique et de griffonner des systèmes de batteries sur leurs calepins, les deux ingénieurs jugent que ce défi peut être relevé.

De plus en plus excités, Martin et Marc commencent donc, début 2003, à réfléchir à plein temps à leur projet fou : la création de la « compagnie automobile du futur »... Chemin faisant, ils lui trouvent un nom. « On cogitait, avec ma femme, quand j'ai eu l'idée de Tesla Motors », raconte Martin. Nikola Tesla (1856-1943) est un ingénieur serbe de génie, collaborateur de Thomas Edison, à qui l'on doit, entre autres, l'invention du courant alternatif. « J'ai testé le nom auprès de Marc, se souvient-il, ça lui a tout de suite plu. On ne savait pas encore si on allait construire des voitures... mais on a sur-le-champ acheté le nom de domaine ! » La société Tesla Motors de San Carlos est formellement créée en juillet 2003.

Eberhard et Tarpenning ne peuvent pas, à eux seuls, réinventer l'automobile. Ils décident donc de se concentrer sur le moteur, les transmissions, l'électronique, et de confier la fabrication de la carrosserie à un industriel. « On a passé en revue tous les constructeurs de véhicules haut de gamme fabriquant des petites séries et acceptant de travailler pour d'autres », raconte Martin. Le premier sur sa liste était le britannique Lotus : une marque prestigieuse, dont les modèles étaient agréés par le Département américain des transports, et dont les volumes étaient compatibles avec leur projet.

Après un premier contact positif au Salon de l'automobile de Los Angeles, les entrepreneurs californiens se rendent au siège de Lotus en Grande-Bretagne et décrochent un accord de principe. La Tesla sera dérivée du modèle Lotus Elise, fabriquée dans l'usine d'Ethel (Norfolk), et expédiée « nue » en Californie. Eberhard et Tarpenning ont aussi un accord verbal avec une PME d'ingénierie automobile de la Vallée, AC Propulsion, dont ils utilisent certains systèmes. Enthousiastes, ils écrivent le business plan de Tesla Motors et se mettent en quête de capitaux. « Vous connaissez les ingénieurs de cette Vallée, plaisante Martin Eberhard. Ils ne doutent de rien... Et, croyez-moi, il fallait ça pour démarrer, en partant de zéro un nouveau groupe automobile. Parce que, si on avait su à l'avance toutes les difficultés qui nous attendaient, on ne se serait sans doute jamais lancés ! »

Elon Musk, l'homme pressé

La première rencontre entre Martin Eberhard et Elon Musk a lieu, début 2004, dans les bureaux de ce dernier, à El Secundo, au sud de l'aéroport de Los

Angeles. « On s'était déjà brièvement rencontrés, quelques années auparavant, car Marc et moi sommes tous les deux membres de la Mars Society, dont le but est de promouvoir l'exploration humaine de Mars. Et Elon Musk était venu faire une conférence, dans ce cadre, à l'université de Stanford. »

Elon a une allure réservée, presque timide, et une diction balbutiante qui contraste avec son parcours époustouflant. L'homme incarne bien le concept, assez répandu dans la Vallée, de *serial entrepreneur*. La légende veut que le jeune Elon ait vendu son premier programme informatique – le jeu vidéo Blaster – à l'âge de... douze ans, pour 50 dollars ! Fils d'un ingénieur sud-africain et d'une mère canadienne, le jeune garçon a été élevé à Pretoria. Mais il a quitté l'Afrique du Sud à dix-sept ans, notamment pour éviter d'avoir à faire son service militaire au pays de l'apartheid. Séparée de son père, sa mère l'a ensuite rejoint en Amérique du Nord, avec son frère et sa sœur.

Parti en froid avec son père, qu'il dit n'avoir pratiquement pas revu depuis, Elon a dû financer ses études en alignant les petits boulots. N'ayant pu immigrer directement aux États-Unis, le jeune homme atterrit d'abord à l'université Queens d'Ontario. Puis il décroche une bourse pour la faculté de Wharton, en Pennsylvanie, où il obtient des diplômes en économie et en physique. « Je suis inconditionnellement pro-Américain, déclarera-t-il plus tard au journal *Florida Today*. Les États-Unis sont le pays où de grandes choses sont possibles ! »

Passionné d'informatique et d'espace, Musk est admis à l'université de Stanford, en 1995, pour y achever son cursus de physique. Mais l'étudiant ne passera que deux jours sur le campus. A vingt-quatre ans, il part créer Zip2, qui conçoit des logiciels d'édition en ligne pour les groupes de presse. La Silicon Valley est en train d'inventer l'économie internet, et Elon surfe avec succès sur l'euphorie naissante des « dot-com ». En 1999, il vend Zip2 à la division Alta Vista de Compaq, pour 341 millions de dollars, en cash et stock-options.

La même année, il fonde la PME de paiement en ligne X.com. Un an plus tard, il fusionne X.com avec la société Confinity de Max Levchin et Peter Thiel, ce qui donnera naissance à PayPal. En octobre 2002, ce nouveau champion des paicments en ligne est racheté par le site d'enchères sur internet eBay, pour 1,5 milliard de dollars. Elon Musk en est alors le premier actionnaire, avec plus de 11 % du capital. A trente et un ans, l'homme est donc assez riche pour se reposer sur ses lauriers. Ou du moins ralentir. Mais ces mots ne semblent pas faire partie de son vocabulaire.

Dès 2002, Musk investit dans sa passion pour le cosmos en misant 100 millions de dollars (environ un tiers de son patrimoine) sur une nouvelle société : Space Exploration Technologies. Space X, qu'il dirige lui-même d'El Secundo, conçoit, fabrique et lance des navettes spatiales à bas coût. En septembre 2008, à sa quatrième tentative, la PME de Musk, qui n'emploie que 150 personnes, parvient à mettre en orbite sa fusée Falcon 1. Un exploit qui jusqu'ici était l'apanage d'entreprises d'Etat, ou de l'Agence spatiale européenne... Mais pour Elon, ce n'est qu'un début : son ambition ultime est d'envoyer des missions habitées sur Mars, voire de coloniser un jour la planète rouge !

« Oui, ça peut paraître bizarre, mais après tout, il y a quelques siècles, on aurait aussi trouvé étrange l'idée de coloniser un autre pays », remarque son cousin Lyndon Rive, PDG de l'installateur de panneaux solaires Solar City [1], où Elon Musk a aussi investi, et dont il dirige le conseil d'administration. « Les grands hommes ne connaissent pas le sens du mot impossible, poursuit Lyndon Rive, admiratif. Le moteur d'Elon, c'est de se confronter aux grands défis de l'humanité. L'entrepreneur américain moyen travaille 55 heures par semaine, lui au moins 100 heures... Il ne dort que cinq heures par nuit. Il ne s'arrête jamais ! »

Entre-temps, l'insatiable Elon Musk a aussi trouvé le temps d'épouser l'écrivain Justine Wilson, avec qui il aura cinq fils (des triplés et des jumeaux) en moins de six ans. Sa femme est justement enceinte des deux derniers quand Musk commence à se préoccuper de son « empreinte carbone ». Un peu gêné de se déplacer en jet privé Dassault Falcon 900 et de posséder une McLaren F1 et une Porsche 911

---

1. Voir chapitre 8.

Turbo, il cherche alors désespérément à acquérir un objet introuvable : une voiture de sport électrique. « Je suis très pro-environnement, dira-t-il plus tard au magazine *Newsweek*. Mais je suis pour résoudre les problèmes avec des produits meilleurs, plutôt que par la privation. »

Elon Musk tente d'abord de convaincre la petite société AC Propulsion, qui travaille sur un prototype appelé Tzero, de le faire homologuer et de lui en vendre un. En vain. Ensuite, il propose à son PDG, Tom Gage, 25 000 dollars pour électrifier sa Porsche. Gage n'est pas non plus intéressé, mais il conseille à son ami Martin Eberhard de parler à ce riche entrepreneur qui rêve apparemment des mêmes voitures que lui.

Le premier rendez-vous de février 2004 entre Martin et Elon, supposé ne durer que trente minutes, se prolonge deux heures. D'emblée, Musk est séduit par l'idée d'Eberhard, et veut la financer. « On s'est serré la main sur un accord de principe, raconte Martin. Mais Elon m'a dit : "OK, je vais le faire, mais comme ma femme va accoucher de jumeaux d'ici quelques semaines, il faut qu'on boucle ça rapidement. Ensuite, je risque d'être très occupé !" »

La société européenne de capital-risque intéressée par Tesla, elle, ne peut pas prendre une décision si rapidement. Alors, sur les 7 millions de dollars levés lors de ce premier round, Musk en apporte 5. Au fil des mois, le riche entrepreneur investira au total 55 millions de dollars : un bon tiers du capital de Tesla

Motors. Il en devient donc président, et prend le contrôle de son conseil d'administration, où sont aussi représentés des capital-risqueurs de la Vallée, notamment la société Vantage Point Venture Partners d'Alan Salzman, et Technology Partners.

Rétrospectivement, Eberhard regrette amèrement de n'avoir pas pris le temps d'étudier plus à fond la personnalité et le passé de Musk... Elon avait certes, sur le papier, un parcours impressionnant. Mais ses relations avec les cofondateurs de PayPal avaient été houleuses. Et Musk n'avait véritablement joué le rôle de PDG de PayPal que d'avril à octobre 2000, ayant ensuite été écarté par le conseil d'administration.

« Au début, tout a bien fonctionné entre nous, raconte Martin Eberhard. Elon était très occupé avec Space X. » Le financier appelait souvent le manager, mais il ne venait au siège de Tesla que toutes les six semaines, pour le conseil d'administration. Outre l'argent, Elon Musk apporte à Tesla Motors une grande visibilité. Car, si Eberhard vit de façon discrète, Musk, qui mène grand train et aime ce qui brille, compte parmi ses amis tous les *rich and famous* de la Silicon Valley et de Hollywood. Il en convainc certains, comme les fondateurs de Google, Larry Page et Sergey Brin, ou encore le richissime Jeff Skoll, ex-président d'eBay, d'investir dans Tesla Motors et de commander chacun une voiture.

Skoll, qui vient de créer la société de production de films Participant, travaille alors à *Syriana* et *Good Night and Good Luck*. Du coup, George Clooney décide lui aussi de s'offrir une Tesla, rameutant dans la foulée Matt Damon et Leonardo DiCaprio. Puis c'est au tour de Flea et Anthony Kiedis des Red Hot Chili Peppers, du rappeur Will.i.am, de l'agent des stars Ari Emanuel (par ailleurs frère du *chief of staff* de la Maison-Blanche), des patrons Larry Ellison (Oracle) et Michael Dell (Dell), et même du gouverneur Arnold Schwarzenegger et du maire démocrate de San Francisco, Gavin Newsom. Le bolide est encore loin d'exister, mais la liste de ses futurs clients se lit déjà comme un *Who's Who* de la jet-set américaine.

La Silicon Valley, Detroit de la voiture électrique ?

Il faut dire que la voiture électrique devient alors très « in » en Californie. Économie, environnement, technologie, politique : tous les ingrédients sont réunis pour pousser ce concept. En toile de fond, bien sûr, il y a la brutale hausse des prix du brut, qui torpille les ventes de gros véhicules, et la guerre en Irak, qui sensibilise les Américains aux dangers de l'addiction au pétrole. Sur le plan local, il y a la réglementation du Golden State pour des véhicules plus propres, et le formidable succès de la Toyota Prius. Les anciens propriétaires des éphémères voitures électriques des années 90 ont créé la dynamique association « Plug in America », qui milite sans relâche pour leur résurrection. Il y a aussi cette propension de la Silicon Valley à toujours s'enthousiasmer pour le prochain défi technologique. Ses laboratoires universitaires, ses financiers et ses entrepreneurs planchent sur les nouvelles technologies de batteries, les matériaux susceptibles d'alléger les carrosseries pour étendre la portée des voitures, les modèles d'affaires inédits...

Tout au long de l'année 2007, les annonces de financement ou de création de nouvelles sociétés de véhicules électriques se multiplient. La petite PME ZAP de Santa Rosa développe toute une gamme de véhicules à partir de scooters et d'utilitaires à trois roues. Henrik Fisker, designer chargé par Tesla de concevoir son modèle de voiture familiale « White Star », annonce un projet concurrent : la Karma. Quant à Shai Agassi, l'ancien enfant prodige de la société de progiciels SAP, il lève 200 millions de dollars pour créer Project Better Place et débarrasser la planète de son addiction au pétrole [1].

Même la légende du rock Neil Young, résident de la Baie, s'y met. Lui qui a un penchant pour les « belles américaines » a fait transformer sa Lincoln Continental 1959 (6 mètres de long, 2,5 tonnes) pour qu'elle puisse rouler exclusivement au gaz et à l'électricité. Enthousiaste, il a aussi créé la société Linc Volt Technology pour promouvoir ce type d'électrification. Un peu plus au sud, non loin de Los Angeles,

---

1. Voir chapitre 5.

Bill Gross, pionnier de l'économie multimédia reconverti dans l'énergie solaire [1], crée Aptera, un trois-roues électrique ultra–aérodynamique, que l'on dirait sorti d'un film de science-fiction.

Linc Volt, comme Aptera et une quarantaine d'autres véhicules bricolés par des rêveurs ou des génies, ont l'intention de participer à la course automobile de la fondation X Prize, qui promet 10 millions de dollars à l'équipe capable de rouler au moins 160 kilomètres avec un seul gallon, soit 3,7 litres d'essence. « Il existe un très gros complexe industriel marié à une solution du passé, explique au magazine *Wired* le fondateur de X Prize, Peter Diamandis. Si nous nous y prenons bien, nous allons tracer une ligne sur le sable, et déclarer que tous les véhicules que nous avons conduits avant cette date sont relégués au musée des antiquités. » L'effervescence est telle que le quotidien de la Vallée, le *San Jose Mercury News*, titre en novembre 2007 : « Comment la Silicon Valley pourrait devenir le Detroit des voitures électriques »...

Fin 2006, le bolide de Tesla Motors apparaît à la une du magazine *Time* recensant les « Meilleures inventions de l'année ». Problème : tandis que la société devient le chouchou du mouvement clean-tech, au siège de San Carlos, les difficultés s'accumulent. « Oui, c'est vrai, on en a bavé, convient Martin Eberhard. Tout était à réinventer. » Et c'était d'autant plus difficile que Tesla n'avait pas les moyens

---

1. Voir chapitre 8.

de débaucher des ingénieurs chevronnés. « En 2006, qui aurait voulu quitter un bon job chez Toyota pour venir travailler pour une obscure PME californienne ? On a recruté ceux qu'on pouvait : beaucoup de jeunes, tout juste sortis de l'école. Ils étaient très enthousiastes, mais faisaient aussi des erreurs. »

L'équipe d'Eberhard a tâtonné. Elle a dû apprendre à la dure une foule de choses sur la sécurité, sur la fabrication des batteries. Il a fallu imaginer un système qui refroidisse en permanence les cellules, pour éviter les risques de surchauffe... Imaginez une voiture qui prend feu en cas d'utilisation prolongée ! Pourtant, d'après le cofondateur de Tesla, les pires difficultés n'étaient pas techniques, mais relevaient de la chaîne d'approvisionnement. « On avait un mal fou à trouver des fournisseurs sérieux, qui acceptent de fabriquer de si petits volumes, à des prix raisonnables. La boîte de vitesses, par exemple, exigeait une fabrication sur mesure. On a commencé avec une société qui n'était pas capable de produire en nombre suffisant. Puis on a changé pour une autre, qui ne voulait pas faire de petites séries... »

Le poids des ego

Dans ce climat, la tension monte entre le financier Musk et le manager Eberhard. Soucieux de respecter les coûts et les délais, Martin plaidait pour sortir le véhicule le plus simple possible, avec une seule vitesse. Quitte à imaginer des améliorations sur des versions ultérieures. Elon, perfectionniste, ne cessait de demander toujours plus. Il faisait souvent référence à l'échec de DeLorean, une petite société automobile américaine créée en 1975 pour inventer une voiture de sport révolutionnaire, mais qui avait fait faillite en 1982. (Son modèle DMC-12, dont les portières s'ouvraient comme les élytres d'un scarabée, a été immortalisé dans la « machine à remonter le temps » du film *Retour vers le futur*.)

« Si vous payez une voiture 100 000 dollars, il faut qu'elle soit parfaite », répétait Elon Musk à longueur d'interviews. Il tenait notamment à ce que la Tesla ait une boîte à deux vitesses, seul moyen de respecter strictement la promesse de monter en quatre secondes de 0 à 100 kilomètres-heure. Cette seule modification se traduira par un surcoût de... 9 millions de dollars. Mais il y aura de nombreux autres changements : les poignées de porte seront remplacées par des interrupteurs tactiles, le seuil des portières surbaissé, afin que les femmes en jupe (dont la sienne) puissent les enjamber sans avoir à rougir, le tableau de bord sera incrusté dans du cuir, et la carcasse allégée par l'introduction de fibre de carbone...

Résultat : initialement annoncé pour début 2007, le démarrage de la production industrielle des Tesla chez Lotus ne sera effectif qu'en mars 2008. Quant au budget, il ne cessera de déraper. Au départ, le modèle d'affaires prévoyait un prix de revient de

65 000 dollars par voiture. En réalité, le coût – pour les 50 premières – atteindra 100 000 dollars. La facture sera alourdie, au fil des mois, par la baisse du dollar. « On avait signé un contrat avec Lotus en livres sterling, et on s'est fait massacrer sur le taux de change », reconnaît Eberhard. Tesla Motors sera ainsi condamné à vendre ses premiers véhicules à perte.

Pour Elon Musk, c'en est trop. Obligé de renflouer périodiquement la société sur ses propres deniers, il exige en contrepartie de plus en plus de pouvoir. En août 2007, il demande à Martin Eberhard de quitter le poste de PDG, mais lui concède un rôle d'ingénieur en chef. L'un des administrateurs, Michael Marks, devient patron intérimaire, en attendant de trouver le manager expérimenté capable de remettre Tesla sur les rails. Quand, en décembre 2007, après des mois de recherche, Elon Musk annonce la nomination d'un nouveau PDG, Eberhard est purement et simplement écarté de « son » entreprise.

De manière assez peu élégante, Elon Musk attribue alors publiquement tous les déboires de Tesla aux erreurs de son fondateur. Eberhard exprime son amertume sur un forum internet. « Je ne vais pas mentir. Je ne suis pas du tout content de la manière dont j'ai été traité, et je ne pense pas que c'était la meilleure manière de gérer la transition – ni pour Tesla Motors, ni pour ses clients (envers lesquels je me sens responsable), ni pour ses investisseurs. La Silicon Valley a donné de nombreux exemples de start-up en forte croissance qui trouvent un rôle pour leurs fondateurs, alors que le management est assuré par des professionnels. » Eberhard explique qu'il était parfaitement d'accord pour céder ses fonctions de PDG : « J'avais moi-même entamé une recherche... » Mais il accepte mal de jouer les boucs émissaires. Et il se sent très frustré d'être, du jour au lendemain, coupé du destin de cette société, qui représente tant pour lui, et dans laquelle il a encore, avec son père, son frère, sa tante, une participation inférieure à 5 %.

Qu'est-ce qui n'a pas bien fonctionné entre les partenaires ? Musk accuse Eberhard d'incompétence : « Je l'ai laissé diriger trop longtemps », affirmera t il plus tard. Il lui reproche en particulier une mauvaise gestion. Ce qui, aujourd'hui encore, scandalise Martin : « Il ne m'a jamais laissé embaucher un directeur financier, ou même un vice-président finances. J'ai présenté des dizaines de gars très quali-fiés pour ce job... Musk les a tous refusés ! »

Après avoir mûrement réfléchi, Martin Eberhard décide d'ailleurs, en juin 2009, de porter plainte pour « diffamation » et « rupture de contrat » contre Elon Musk devant la Cour supérieure de San Mateo. Une procédure judiciaire comportant un ensemble de griefs qui brossent d'Elon Musk un portrait peu flatteur. Parmi les allégations les plus surprenantes d'Eberhard : Musk n'aurait pas « laissé tomber » Stanford, il n'y aurait jamais été inscrit !

Pour Eberhard, le problème se résume tout bête-ment à une question d'ego. « Tout a bien marché entre Elon et moi, jusqu'à ce que la société commence à attirer l'attention des médias. Chaque fois qu'il y avait un article, une émission de radio ou de télévision qui ne le mettait pas en avant, Elon devenait furieux. Il m'appelait, m'engueulait, se plaignait auprès de l'équipe marketing. Il a même viré la société de relations publiques... Il voulait accaparer toute l'attention ! »

Hypothèse corroborée par l'un des premiers financiers de la société : « Elon a un ego énorme : il se satisfait difficilement des seconds rôles. Il est brillantissime, très dynamique et focalisé sur le succès. » Mais son culte de l'efficacité n'en fait pas pour autant un bâtisseur d'équipes : « Quand il veut dégager les gens, il ne prend pas de gants. »

Un PDG éphémère

En décembre 2007, après cinq mois de recherche du « mouton à cinq pattes », Elon Musk recrute un nouveau PDG. Il s'agit de Ze'ev Drori, un entrepreneur d'origine israélienne, qui a successivement créé et revendu deux sociétés, l'une dans les semiconducteurs, l'autre dans la sécurité électronique. Ze'ev a un profil au couteau et une détermination à l'avenant : « J'avais tellement envie du poste, raconte-t-il, que non seulement j'ai accepté de travailler pour un salaire de zéro dollar... mais j'ai aussi investi personnellement dans l'affaire. » Il devient même le deuxième actionnaire individuel de Tesla, après Elon.

A cette date, les sept privilégiés de la « Série des fondateurs » – Elon, Martin, Larry et Sergey de Google... – ont enfin touché leur bolide, et une poignée de prototypes ont été prêtés aux journalistes de la presse spécialisée pour des tests. Allure, conduite, performance : de *Road'n Track* à *Car and Driver*, en passant par *Motor Trend*, l'accueil est enthousiaste. Mais la description la plus colorée est sans doute celle de Dan Neil, qui dans le *Los Angeles Times* décrit ainsi la puissance d'accélération de la Tesla : « Dieu m'a attrapé par le fond du froc et éjecté de son pouce, façon élastique. Wow ! » Et le journaliste de préciser : « Le métabolisme de la Tesla est très proche de celui de la Lotus Elise, dont elle est dérivée : légère (1 247 kilos), agile, sans concession et indécemment amusante à pousser dans les tournants [...]. Autour d'un circuit technique, la Tesla bat à plate couture n'importe quel bolide ordinaire. »

Situé dans une rue tranquille de San Carlos, entre San Francisco et San Jose, le siège social de Tesla Motors ne paie pas de mine. Deux blocs de béton. A l'intérieur, un espace de travail ouvert, rythmé par des demi-cloisons grises. « On a aussi une antenne près de Detroit, explique Colette Niazmand, alors responsable des opérations. Mais le gros de nos 250 employés travaille ici. » Dans l'immense hangar mitoyen, des techniciens s'activent sur une demi-douzaine de prototypes aux couleurs acidulées :

orange mandarine, bleu pervenche, rouge coque-
licot... Sur le capot des voitures, à la place du capu-
chon d'essence, un gros câble noir est branché à
une prise, qui clignote en charge, comme celle d'un
ordinateur portable. L'énorme batterie lithium-ion
(1 mètre de long et presque une demi-tonne),
rechargeable à la maison, procure une autonomie
de 350 kilomètres. Et son coût d'usage est celui
de l'électricité, soit en Californie 2 cents par mile
(1,1 centime d'euro par kilomètre) – six à dix fois
moins cher que l'essence.

La production industrielle des coupés Tesla a
débuté, mi-mars 2008, en Grande-Bretagne. « On
commence par deux véhicules par semaine, puis 3,
puis 4, précise Drori. On est encore dans la phase
de rodage. On règle les problèmes à mesure qu'ils
se présentent. Inutile de se précipiter vers les gros
volumes. » Le modèle a jusqu'ici été commandé à
900 exemplaires, avec un objectif de croisière de
1 500 à 1 800 véhicules par an. « Les clients peuvent
choisir entre 13 couleurs de carrosserie, et une
gamme de 9 tons pour l'habillage intérieur, en cuir
mono ou bicolore », précise Colette Niazmand. Prix
de base : 109 000 dollars.

Au début de l'été 2008, Ze'ev Drori se concentre
sur la livraison des premiers coupés et l'ouverture de
deux boutiques Tesla Motors, à Los Angeles puis à
Menlo Park. A l'été 2009 suivront New York, Chicago, Miami, Seattle, Washington DC... Chaque
grande métropole américaine aura son showroom.

Pas question de franchise : Tesla contrôle tout. « Esthétique, lieu de démonstration, qualité du service : nous essayons d'être à la voiture ce que l'Apple Store est à l'ordinateur personnel ou Starbucks au café », explique alors Ze'ev Drori. La société a aussi entamé la procédure d'homologation de son bolide en Europe. Avec comme premiers points d'ancrage Londres, suivi par Munich et Monaco.

Mais Musk et Drori n'oublient pas que leurs ambitions dépassent − de loin − cette première voiture. « Cela peut sembler présomptueux aujourd'hui, mais nous ferons de notre mieux pour devenir un grand du secteur, explique le PDG. Souvenez-vous : il y a trente ans, Intel aussi était une start-up... » L'étape suivante, pour Tesla Motors, est de produire elle-même, à l'horizon 2010, le modèle S : une berline familiale à cinq places, vendue environ 60 000 dollars. « Ce modèle, dont le nom de code est White Star, sera complètement fabriqué aux États-Unis », explique Ze'ev Drori. Musk évoque aussi, à l'occasion, le véhicule suivant, appelé « Blue Star », qui serait encore plus abordable (autour de 30 000 dollars).

Le choc de la crise

Mais, à cette époque, la berline familiale de Tesla n'est encore qu'un lointain projet. Alors que la PME automobile semblait à peu près remise sur pieds, elle est frappée de plein fouet par la crise économique et financière consécutive au désastre des prêts hypothécaires risqués. La rumeur enfle d'abord sur les blogs confidentiels de la Silicon Valley, puis est confirmée mi-octobre 2008 par la société elle-même : Tesla Motors ferme son bureau du Michigan, licencie une partie de ses employés, et repousse la mise en production de son modèle S de six mois, à 2011. Le marché du crédit bancaire est complètement mort et la société doit, pour se relancer, pouvoir compter avec certitude sur les quelque 465 millions de dollars de prêts sollicités auprès du Département de l'énergie. Une déconvenue symbolique : Musk ne pourra plus se vanter de sortir son modèle familial avant la Chevrolet Volt de General Motors.

La société est « dans une phase critique mais aura un cash-flow positif d'ici neuf mois », écrit alors Elon Musk sur son blog. La nouvelle n'est en soi pas très surprenante. Crise du crédit oblige, cet automne-là, presque toutes les jeunes start-up de la Silicon Valley réduisent la voilure. Les mots d'ordre, psalmodiés par leurs capital-risqueurs, sont : serrez les budgets, éliminez le superflu, économisez le cash.

La surprise, en revanche, est que Ze'ev Drori quitte alors son poste de PDG, remplacé par… Elon Musk ! Ze'ev, qui n'a même pas tenu un an à la tête de Tesla, garde néanmoins son siège au conseil d'administration, et reste dans l'entreprise comme vice-président. « J'ai personnellement beaucoup d'argent en jeu, et l'économie est dans une situation si préoccupante qu'il fallait que je reprenne moi-même les commandes du navire », explique-t-il au site web TheDeal.com. Et il ajoute : « Je n'ai jamais connu d'échec. Je ne vais pas commencer maintenant ! »

Quatre patrons en quatre ans. Aux yeux de certains vétérans de la Silicon Valley, Musk a perdu sa crédibilité. « Il ne peut que détruire son entreprise, juge un chasseur de têtes réputé. Il n'y a rien de pire que les cofondateurs qui s'accrochent aux commandes et ne savent pas s'écarter pour laisser des managers professionnels compétents donner à l'entreprise une dimension industrielle. » Martin Eberhard, lui, n'est pas étonné : « Drori, comme Marks, n'ont jamais été que des marionnettes. Depuis que je suis parti, Tesla est la société d'Elon. C'est lui qui a les pleins pouvoirs. »

Mais dans la presse anglo-saxonne, cet automne-là, Elon Musk fait jaser pour d'autres raisons : son divorce, et sa relation, aussitôt rendue publique, avec l'actrice britannique Talulah Riley, vingt-trois ans, qu'il a conquise, dit-il, grâce à sa voiture (« Dans les soirées de Los Angeles, le gars en Tesla gagne haut la main contre celui qui a une Ferrari », déclare-t-il au *Guardian*), et qu'il compte épouser en 2009.

A voir Elon Musk faire sa présentation devant la Société américaine des analystes automobiles, en janvier 2009, au Salon de Detroit, on pourrait croire que tout va pour le mieux sur la planète Tesla Motors. « Nos carnets de commande sont pleins jusqu'en novembre 2009. Nous ne pouvons pas produire les voitures assez vite pour satisfaire la demande. A chaque fois que nous en vendons une, nous créons un nouveau prescripteur... Nous deviendrons bénéficiaires au milieu de l'année. C'est vrai, nous avons eu un sérieux problème : la voiture nous coûtait plus cher à construire que le prix auquel elle était vendue. Mais nous avons réduit nos coûts, et nous augmentons la production. »

Le lendemain, après une interminable séance photo sur son stand, Elon présente fièrement à la presse une équipe de direction étoffée de noms reconnus : Michael van der Sande (ex-Harley Davidson) au marketing et au service clientèle, Mike Donoughe (ex-Chrysler) à l'ingénierie et à la production, Deepak Ahuja (ex-Ford) aux finances. Et, surtout, Franz von Holzhausen (de Mazda) au design. Ce dernier a une réputation d'enfant prodige de l'industrie : il a joué un rôle important dans la création de la New Beetle de Volkswagen. Il a dessiné la Pontiac Solstice et la Saturn Sky, durant un bref séjour chez General Motors, puis le concept de sport Mazda Kabura.

Enfin, Musk annonce à Detroit que Tesla Motors a conclu un accord avec le géant allemand Daimler : « Nous leur fournirons les batteries pour leurs 1 000 premières Smart électriques. Et, si l'expérience est concluante, les dizaines de milliers qui suivront. C'est un honneur de travailler avec eux, et leur choix est un acte de reconnaissance important pour Tesla. »

Le PDG en profite pour expliquer qu'il est ouvert à toute forme de collaboration avec d'autres constructeurs automobiles. « Il ne s'agit pas d'une bataille entre la Silicon Valley et Detroit, assure-t-il. L'ère de la voiture électrique est arrivée, et nous pouvons la conquérir ensemble. Nous recherchons des collaborations durables. »

En fait, ce que Musk recherche surtout, c'est de l'argent. Son discours résolument positif cache une situation financière critique. Fin 2008, la société avait moins de 10 millions de dollars devant elle. Du coup, juste avant de venir à Detroit, son PDG a bouclé à grand-peine une injection de 40 millions de dollars en dette convertible auprès de ses actionnaires existants. Mais aucun communiqué de presse ne précise qu'il a dû, en contrepartie, accepter de relever le prix total de ses voitures de plus de 20 000 dollars, en faisant désormais payer à part le kit de recharge électrique et autres accessoires. Pour ne pas s'aliéner ses riches et loyaux clients – certains patientent depuis plus d'un an – Elon Musk organise deux rencontres avec eux en Californie, fin janvier 2009. Récit de l'un des participants sur son blog : « Comme avec n'importe quelle mauvaise nouvelle, on a commencé par traverser une phase de choc et de déni, on a évité celle de la douleur et de la culpabilité, on a tenté la colère et la négociation... puis on a sauté directement à l'acceptation et l'espoir. » Elon Musk s'en est bien tiré. Cette fois, sans langue de bois : « Ma priorité est d'assurer la viabilité de Tesla, sans laquelle on ne peut livrer aucun véhicule, explique-t-il à ses clients. Cette révision de prix a été personnellement très dure pour moi. Croyez bien que je ne fais pas cela pour m'amuser... La seule manière de boucler notre nouvelle levée de fonds, fin décembre, était de démontrer que nous gagnions de l'argent sur chaque véhicule. Si je n'obtenais pas ce soutien, nous étions cuits. » Elon promet qu'il n'y aura pas d'autres augmentations. Et que, même si la crise s'aggrave, il a les moyens de garantir que tous les véhicules commandés seront livrés.

Pour sortir de cette situation précaire, Elon Musk se résout à faire ce que lui conseillait depuis des mois son financier principal, Alan Salzman de Vantage Point : une alliance avec un géant du secteur. Le 19 mai 2009, Musk annonce donc à Stuttgart une prise de participation de 10 % du groupe Daimler à son capital. Cet investissement crédibilise énormément le petit Tesla, soudain valorisé à 550 millions de dollars. Il approfondit aussi la relation entre le constructeur allemand, vieux de cent vingt ans, et la jeune « danseuse » de la Vallée. Les 1 000 premières Smart électriques seront fabriquées, à partir de l'automne 2009, dans l'usine française de Hambach. Daimler veut s'appuyer sur le savoir-faire de Tesla pour accélérer son entrée sur le segment des véhicules propres. Mais le géant allemand a aussi, bien sûr, des projets de son cru : il va construire sa propre usine de batteries lithium-ion, qui équiperont ses futures Mercedes électriques.

Difficile, dès lors, de déterminer l'avenir des relations entre le vénérable constructeur allemand et le fougueux entrepreneur américain. Le 26 mars 2009, Elon Musk a dévoilé en grande pompe le premier prototype complet de son futur modèle S, aux lignes élégantes. Et à l'été, il revendique déjà 500 précommandes — alors qu'il n'a pas encore définitivement choisi le site de sa future usine de montage californienne. L'obtention du prêt du Département de l'énergie et l'appui de Daimler permettent en tout cas à Tesla d'aller de l'avant. En août 2009, la société annonce le déménagement de son siège social à Palo Alto, où elle ouvrira aussi une usine de pièces pour moteurs électriques. Mieux : elle annonce avoir enregistré, en juillet, son premier mois de profits.

Succès ? Rachat ? Échec ? Quel que soit son sort ultime, la petite Tesla Motors aura de toute façon contribué à changer la face de l'industrie automobile. « Avec un millier de voitures livrées fin 2009, on aura mis sur les routes américaines davantage de véhicules électriques qu'aucun constructeur jusqu'ici », rappelle Martin Eberhard, qui a du mal à parler de sa société au passé, même s'il est entre-temps devenu conseiller de Volkswagen sur sa stratégie électrique.

Le père de la PME de San Carlos se console de ses déconvenues personnelles en pensant au succès du grand mouvement qu'il a initié. Une révolution revendiquée haut et fort sur le blog de la start-up, le 15 août 2007 : « Nous avons contraint le monde à repenser la voiture électrique. Loin d'être morte, loin d'être punitive, la voiture électrique est maintenant considérée comme l'avenir excitant de l'automobile.

Les conducteurs demandent à l'industrie automobile de repenser sa stratégie au-delà de l'essence, de réviser son engagement derrière l'hydrogène, et de remettre en question le postulat selon lequel conduire vert signifie conduire des compromis. » En réalité, l'industrie automobile va devoir repenser bien plus que sa stratégie dans les voitures propres.

Révolution et agonie chez General Motors

Janvier 2007, électrochoc au Salon de Detroit : Richard Wagoner, le patron de General Motors, dévoile un prototype de sa Chevrolet Volt : une berline électrique familiale, motorisée par une batterie lithium-ion rechargeable. Surprise : alors que tout le monde s'attendait à ce que Volt demeure un simple « concept » pour épater la galerie, General Motors (GM) annonce une commercialisation fin 2010. La voiture sera capable de rouler 64 kilomètres sur une charge, mais elle pourra ensuite couvrir jusqu'à 482 kilomètres, grâce à un petit générateur à essence réalimentant la batterie en route. Une incroyable volte-face : en 2003 encore le vice-président Robert Lutz clamait haut et fort que l'avenir de GM, c'était la Cadillac 16. Le titan américain, champion jusqu'ici des véhicules dévoreurs d'essence – les gros 4 × 4 et autres SUV (Sport Utility Vehicle) de type Hummer – croirait désormais à la voiture électrique !

Quelle mouche l'a piqué ? Lutz, généralement considéré comme le parrain de cette initiative, l'avoue, en novembre 2007, à *US News & World Report* : « L'enjeu est de reconquérir le leadership technologique. Nous voulons redevenir le groupe qui propose les solutions de demain [...]. Quand Tesla a annoncé qu'il construisait une voiture en utilisant des milliers de batteries d'ordinateurs câblées ensemble, ça a été décisif. Je me suis dit : si une petite PME de la côte Ouest peut faire ça, nous ne pouvons plus rester inactifs ! » Il n'y a pas eu que Tesla : le succès – humiliant pour GM – de la Toyota Prius hybride, la montée des préoccupations environnementales, et surtout la hausse brutale du prix du pétrole, poussaient tous dans le même sens.

Pourtant, sur la voiture électrique, General Motors revenait de loin. Le géant automobile avait fait une croix sur ce concept après s'y être brûlé les doigts. En 1996, GM avait proposé la petite EV1 rechargeable en leasing, en Californie et en Arizona, un peu comme un test commercial grandeur nature. C'est que le « Golden State » se préparait alors à voter des normes environnementales ultra-contraignantes. Mais, en 2003, après que l'État eut renoncé à cette loi, GM a brutalement « débranché » l'EV1, qui était déficitaire. Comme l'a bien montré Chris Paine dans son documentaire *Qui a tué la voiture électrique ?*, GM s'évertue à récupérer et à pilonner les quelque 900 véhicules en circulation. Mais cela suscite un tollé : les conducteurs d'EV1, soutenus par les écolos, organisent la rébellion : ils s'enchaînent à leur voiture ; ils simulent des enterrements, avec sermons, fleurs et couronnes...

L'aventure EV1 se solde pour GM par une perte sèche de 1 milliard de dollars, et une image abîmée. Alors que Bob Lutz expliquait jusqu'en 2007 que le réchauffement climatique était un « canular », le groupe passe les années suivantes à investir dans la pile à hydrogène et, surtout, à faire du lobbying pour éviter – avec succès – que Washington ne renforce les normes environnementales dans le domaine de l'automobile. C'est l'ère du SUV triomphant.

Le PDG Rick Wagoner a, depuis, fait son *mea culpa* : « La pire décision de ma carrière a été d'arrêter l'EV1, sans pour autant mettre des ressources adéquates sur les voitures hybrides. » Quant au patron de la recherche, Larry Burns, il expliquait à *Newsweek*, en mars 2007 : si le groupe n'avait pas tué l'EV1, « nous aurions pu avoir la Chevy Volt dix ans plus tôt ! ». Quoi qu'il en soit, ce n'est qu'en mars 2006, dix mois seulement avant le Salon où le groupe dévoilera sa Volt, que Wagoner et Lutz donnent le feu vert à un projet totalement nouveau, alors baptisé « iCar ».

C'est à Tony Posawatz, un ingénieur totalisant vingt-quatre ans de maison, qu'échoit la délicate tâche de définir le produit. Tony a le profil idéal : il a fait partie de l'aventure EV1, il est spécialiste des nouveaux types de propulsion, il a lancé de nombreux modèles, et grâce à un MBA, il est aussi capable d'intégrer les contraintes économiques. Après s'être assuré qu'il ne s'agissait pas d'un énième « concept » mais d'un projet qui déboucherait sur une « vraie voiture », il accepte la mission impossible. « L'idée n'était pas simplement de créer un nouveau modèle mais d'amorcer une révolution automobile », explique-t-il en novembre 2008, alors qu'il revient du Salon de Los Angeles. « La Prius est en fait motorisée par deux systèmes : l'un électrique, l'autre à essence. Avec Volt, la propulsion est exclusivement électrique. L'essence ne sert qu'à allonger la distance parcourue sur une charge : elle n'entraîne jamais directement les roues. » GM parle d'ailleurs de cette voiture non comme d'une hybride rechargeable, mais comme d'une voiture électrique « à portée augmentée » (*extended range*). L'idée est évidemment de supprimer ce module à essence le jour où les batteries lithium-ion couvriront une distance suffisante sur une seule charge.

Avec une douzaine de collaborateurs de divers départements, Posawatz commence par faire la liste des « plus » et des « moins » de l'opération EV1. Deux sièges ? Cela restreint trop la clientèle. Une recharge sur du 220 volts ? Non, cela suppose de rééquiper les garages, puisqu'aux États-Unis, la prise normale est en 110 volts. Un coffre ? Oui, indispensable. Chaque idée est débattue à fond, à la lumière des évolutions technologiques. La question de la portée de la voiture est cruciale : il faut trouver un bon compromis entre le kilométrage assuré en une charge et le prix de la batterie. Pourquoi avoir opté pour 64 kilomètres sur une charge ? « Parce que 78 % des Américains conduisent en moyenne moins de 64 kilomètres par jour », dit Posawatz. Mais pour supprimer l'« angoisse de la portée » – l'un des blocages psychologiques majeurs des acheteurs éventuels –, l'équipe imagine d'ajouter ce petit moteur à essence anti-panne sèche.

« On brûlera le mobilier avant de retarder Volt ! »

Le travail de l'équipe Volt est si convaincant qu'en novembre 2006, General Motors donne le feu vert aux travaux d'ingénierie qui précèdent la production. « *The Volt is on !* » annonce Rick Wagoner à l'assemblée générale des actionnaires de mai 2008. Frank Weber, de GM Europe, prend alors le relais du projet. Dès lors, le groupe mobilise plus de 700 employés et consacre près d'un milliard de dollars pour accélérer la sortie de la Chevy Volt. « On a mis nos meilleurs ingénieurs sur le coup », dit Tony Posawatz.

Jamais, chez GM, un modèle n'aura été décidé, conçu et approuvé si vite : « On s'est débarrassé de la routine habituelle, des divers points de passage obligés, de la paperasserie… On prend des décisions immédiatement, puis l'équipe les applique », explique Bob Lutz à *US News & World Report*. GM choisit ses équipementiers : pour les batteries en T, qui pèsent 181 kilos, le coréen LG Chem est préféré à l'américain A123. Une usine de batteries sera construite aux États-Unis. GM compte mettre 10 000 voitures sur le marché en 2010, puis ambitionne de monter à 60 000 en quelques années. Le prix ? Autour de 40 000 dollars, ce qui en fait un véhicule assez haut de gamme. Comparable aux Cadillac ou aux Toyota Lexus les plus abordables. Mais les conducteurs percevront automatiquement un crédit d'impôt de 7 500 dollars à l'achat, et de nombreux États proposeront des incitations supplémentaires. Enfin, « le coût d'usage du véhicule sera modéré, souligne Tony Posawatz, surtout si le propriétaire recharge la nuit, où l'électricité revient moins cher ».

En 2007 et 2008, General Motors fait tellement de battage autour de la Volt que nombre de critiques crient au *greenwashing*. Est-ce que le géant de Detroit n'en rajoute pas sur son engagement vert pour faire oublier son passé de pollueur ? Mais, au fur et à mesure des annonces, même les sceptiques en conviennent : loin de n'être qu'une entreprise de communication, la Volt est vraiment un projet sérieux. « GM n'est pas une entité monolithique. Il y a beaucoup de gens avec beaucoup d'objectifs différents : il y a un empire de l'hydrogène, un empire du SUV, un empire social, explique Martin Eberhard, qui en a discuté personnellement avec Lutz. Mais maintenant, le groupe met énormément d'argent et ses meilleurs cerveaux sur la Volt. Et ils

la considèrent vraiment comme l'avenir du groupe. »
Au Salon de l'automobile de 2008, en effet, GM
confirme que sa technologie « Voltec » motorisera
d'autres modèles.

Problème : la crise financière et économique s'accélère tellement, courant 2008, qu'elle abat le géant
General Motors. Le marché automobile baisse de 30 à
40 % tous les mois ; les véhicules s'entassent sur les
parkings des concessionnaires, et GM n'a même plus
assez de cash pour payer ses salariés et ses fournisseurs.
Début juin 2009, l'administration Obama, qui a déjà
vidé quelques mois plus tôt le PDG Rick Wagoner,
annonce qu'elle met GM en procédure de faillite
contrôlée. Le constructeur, qui a bénéficié d'une
bouée de sauvetage publique de 50 milliards de dollars, doit céder temporairement à l'Etat 60 % de son
capital. Il amorce alors un plan de restructuration
drastique : il ferme Pontiac, vend Saab, Saturn,
Hummer et Opel, ne conservant que Chevrolet,
Cadillac, Buick et GMC. Il se sépare de la moitié de
ses concessionnaires américains, renégocie sa dette
obligataire à la baisse, et établit avec le syndicat
UAW de nouveaux contrats qui le mettront à parité
avec ses concurrents japonais, notamment en ce qui
concerne les retraites et l'assurance-santé. Chrysler
de son côté est mis en faillite, et l'italien Fiat
acquiert 20 % du capital pour zéro dollar. Ford, qui
avait anticipé la crise en levant de l'argent au
moment où c'était encore possible, a les moyens de
faire le gros dos sans tendre la sébile à Washington.

Detroit traverse cependant un séisme d'ampleur historique, dont personne ne sait dans quel état les constructeurs américains – et leurs milliers d'équipementiers – émergeront.

Dans cette période de tous les dangers, General Motors aura-t-il les moyens de continuer à développer sa Chevrolet Volt, sur laquelle, forcément, il commencera par perdre de l'argent ? « La Volt est tout à fait prioritaire au sein du groupe. On brûlera le mobilier avant de la retarder ! » assure Jon Lauckner, vice-président du Global Program Management. Un projet qui symbolise d'autant plus l'avenir du nouveau GM qu'en mai 2009, Barack Obama annonce le renforcement des normes environnementales de l'industrie automobile.

Entre-temps, Nissan a lui aussi annoncé un projet mondial de voiture électrique : le modèle Leaf. Reste à savoir combien de clients cette nouvelle génération de voitures électriques parviendra à séduire. Le président Obama ira-t-il, pour favoriser ce concept, jusqu'à taxer plus fortement l'essence elle-même, en lui fixant un prix plancher ? Universellement appliquée en Europe, ce type de fiscalité semble improbable en temps de crise. Mais elle n'est plus philosophiquement taboue. Même à Detroit.

Mi-janvier 2009, à ce même Salon de l'automobile où Elon Musk vante l'avenir radieux de Tesla Motors, Bob Lutz multiplie les interviews. Visage hâlé, costume gris anthracite et crinière blanche, le vice-président pose pour les caméras de télévision sur l'immense stand GM, où la Volt et la Cadillac Converj sont mises en vedette. « Taxer l'essence est la seule manière de décourager sa surconsommation. Le marché des grosses voitures s'est effondré quand le gallon a dépassé les 4 dollars », martèle-t-il. A contrario, les ventes d'hybrides ont nettement fléchi, au deuxième semestre 2008, avec la rechute du pétrole. « C'est comme la lutte contre le tabac, insiste Lutz : les gens se sont arrêtés de fumer quand la cartouche est devenue hors de prix. » Le champion mondial des « dévoreurs d'essence » réclamant une politique anti-SUV... Inouï ! Quelques mois plus tard, Robert Lutz, soixante-dix-sept ans, annoncera son départ de General Motors. La fin d'une ère.

5.

Le « meilleur des mondes » automobiles

Ce 26 janvier 2007, il neige sur Davos. Comme chaque année, le Gotha mondial des affaires et de la politique est réuni dans la petite station de ski suisse pour le World Economic Forum. Dans la suite de son hôtel, le président israélien Shimon Peres discute avec un jeune homme brun de petite taille, au regard souriant. Shai Agassi, trente-huit ans, est l'un des managers stars du géant allemand des prologiciels SAP. Mais les deux hommes ne parlent pas de progiciels : ils attendent le PDG de Renault-Nissan, Carlos Ghosn. Car Shai Agassi et Shimon Peres ont une idée pour accélérer l'adoption des voitures électriques en Israël et réduire drastiquement les importations de pétrole du pays. Shai, un Israélo-Américain basé dans la Silicon Valley, a écrit une ambitieuse note blanche intitulée « L'avenir du transport », qui envisage la généralisation de voitures 100 % électriques, alimentées par de l'électricité propre (solaire ou éolienne). Shimon Peres, désireux de ne plus dépendre du pétrole arabe, est prêt à créer une fiscalité qui encourage ce scénario. Ils veulent donc savoir si Renault-Nissan pourrait fabriquer les voitures.

Les deux hommes attendent, attendent… Mais Carlos Ghosn, retardé par les intempéries, n'arrive pas. Et leur rendez-vous suivant – le vice-président d'un constructeur automobile japonais – patiente déjà dans l'antichambre. « Shimon Peres avait envoyé des invitations à cinq grands constructeurs automobiles mondiaux ; deux d'entre eux avaient accepté », raconte Shai. Du coup, Peres fait entrer l'industriel nippon et lui présente l'idée. « Au bout de cinq minutes, poursuit Agassi, l'homme interrompt Peres. Il lui explique qu'il a lu mon papier… et que je suis fou : que la voiture dont je parle n'existe pas ! Et il passe les vingt-cinq minutes suivantes à essayer de lui vendre une autre solution. » Bien que Shai Agassi se refuse à le confirmer, il s'agissait sans doute de Toyota, essayant de placer ses Prius hybrides.

Quand Carlos Ghosn entre enfin, Shai Agassi est dans ses petits souliers. « Peres n'avait pas vu jusqu'alors un seul représentant de l'industrie automobile, pour valider mon concept. Il y avait juste moi : un jeune gars du logiciel qui lui expliquait que l'ère de la voiture sans pétrole était pour demain. N'importe qui d'autre aurait fait marche arrière, me laissant me défendre seul. Pas Peres : il a au contraire tenté de

convaincre Ghosn avec deux fois plus d'énergie ! »
C'était inutile : au bout de cinq minutes, le patron de
Renault-Nissan dit en substance à Peres : « J'ai lu la
note d'Agassi. Il a raison, son idée est la bonne. Vous
devriez engager Israël dans cette voie. On vous fournira les voitures. » Et les trois hommes passent les
vingt-cinq minutes suivantes à approfondir le sujet.

« Quand Carlos Ghosn est sorti, on s'est regardés
avec Shimon Peres. On était sous le choc : quelle percée ! Tout le reste de la journée, on a rencontré des
chefs d'État d'autres pays. C'était incroyable... » Un
an et demi plus tard, par un chaud après-midi de
juin 2008, Shai Agassi est assis sur la terrasse de sa belle
résidence, sur les hauteurs de Los Gatos, au cœur de la
Silicon Valley. Il a créé la petite société Better Place,
pour mettre en œuvre son grand projet. A la fois
décontracté et intense, l'homme raconte, avec une
émotion intacte, ces quelques minutes d'entretien qui
ont changé le cours de sa vie – et par la même occasion, espère-t-il, le sort de la planète. Car Agassi voit
grand. Très grand. Israël n'est qu'un début : une sorte
de vitrine pour démontrer à la terre entière la validité
de son modèle. Shai Agassi a l'ambition démesurée
d'ébranler deux des piliers de l'économie mondiale :
le marché automobile (1 500 milliards de dollars) et le
marché de l'essence à la pompe (1 500 milliards de
dollars). « Si j'ai raison, ne cesse-t-il de répéter, cette
révolution va provoquer la plus grande rupture de
l'histoire du capitalisme. » Il veut être l'homme qui
aura guéri l'humanité de son addiction au pétrole.

« Voiture 2.0 », voiture à 1 euro ?

La percée conceptuelle de Shai Agassi n'est évidemment pas la voiture électrique, qui est depuis des décennies l'avenir – jusqu'ici chimérique – de l'automobile, mais un modèle d'affaires tout à fait inédit, à travers lequel il compte en faire un véritable produit de masse. Les principaux obstacles à l'adoption de la voiture électrique sont bien identifiés. Premièrement, le coût dissuasif de la batterie lithium-ion, qui renchérit le véhicule d'environ 10 000 dollars. On comprend la réticence des consommateurs à débourser cette somme pour essuyer les plâtres d'une technologie en pleine évolution. Deuxièmement, l'angoisse de la portée de la voiture sur une seule charge. Non seulement un gros conducteur risque une panne d'électrons, due à l'absence de stations de « carburant électrique », mais la recharge des batteries, sous tension normale, prend plusieurs heures.

Agassi compte résoudre ce casse-tête de manière simple : les clients achèteront les véhicules électriques dépourvus de batterie. C'est-à-dire au même prix, voire moins cher, qu'une voiture normale. Ils prendront ensuite un abonnement forfaitaire auprès d'un opérateur de réseau à créer, une espèce d'Orange ou de SFR de la voiture électrique. Pour un coût mensuel équivalent à leur consommation moyenne d'essence (400 euros par mois, en Europe), ils auront alors accès au carburant : la batterie et son alimentation. « Cela revient, au fond, à acheter des kilomètres de transport automobile, comme on achète aujourd'hui des minutes de conversation sur mobile », explique Shai Agassi.

Si Israël garantit une fiscalité qui rende ce type de véhicules attractifs, tandis que Renault-Nissan fournit les voitures, le jeune entrepreneur, lui, veut aider à créer le maillon manquant : l'opérateur, qui vendra non pas le véhicule, mais un « service de mobilité », sous forme d'accès à son « carburant électrique ». Avant même que les premières voitures soient proposées au public, il faudra que cette société d'un genre nouveau ait acheté les batteries et construit un maillage dense de points de recharge dans les villes. Pour les trajets plus longs, elle installera des stations où le conducteur pourra procéder, en quelques minutes, à l'échange standard de sa batterie vide contre une batterie chargée.

Agassi, qui vient de l'informatique, parle de son idée comme de la « Voiture 2.0 », par analogie à la nouvelle vague de services internet de deuxième génération, le « Web 2.0 ». Il utilise aussi l'image du courrier. C'est un peu comme si on numérisait l'énergie, affirme-t-il : la voiture à essence est le courrier postal, le véhicule hybride est le fax, et l'électrique pur correspond au courrier électronique. On ne fait plus circuler des atomes, mais seulement des électrons. « C'est en allant voir Tesla Motors, à San Carlos, que j'ai eu le déclic », raconte Agassi.

Au beau milieu de cette visite, il a griffonné sur un calepin : « La batterie ne fait PAS partie de la voiture. La batterie est un consommable… » Eurêka !

Cette manière de voir les choses est alors tout à fait inédite. Jusque-là, les constructeurs automobiles, qui pensent « de l'intérieur du véhicule », n'avaient pas envisagé que la batterie puisse faire partie d'un réseau de recharge et être louée comme un service. Agassi, lui, a tout de suite fait l'analogie avec le modèle de la téléphonie mobile. Il espère même arriver à pousser cette logique économique aussi loin : « Si le client est prêt à signer un contrat de mobilité pour cinq ou six ans, de même que les téléphones sont fournis à 1 dollar pour fidéliser le client, nous pourrions proposer la voiture presque gratuitement ! On aurait ainsi une solution, non seulement pour les gens qui veulent acheter une voiture, mais pour tous les conducteurs, quelle que soit l'ancienneté de leur véhicule ! »

Le génie de cette idée, c'est qu'elle ne requiert aucune percée technologique, aucune invention. Tous les ingrédients sont là : il suffit de les intégrer dans un service attractif, et de le vendre intelligemment. Sur le papier, tout le monde y gagne : le pays diminue sa dépendance au pétrole, réduit drastiquement sa contribution à l'effet de serre, et crée des emplois pour bâtir son réseau. Le constructeur automobile relance ses ventes. Quant au consommateur, à budget égal ou inférieur, il dispose d'une voiture neuve, et sauve la planète…

Agassi pense avoir résolu la quadrature du cercle. « Notre modèle est infiniment plus attractif que celui de la Volt de General Motors, affirme-t-il. Si le client a le choix entre acheter une voiture électrique à 40 000 dollars et son électricité à un prix variable, ou bien verser par mois ce qu'il aurait dépensé en essence et avoir une voiture électrique quasi gratuite et chargée en permanence, que choisira-t-il à votre avis ? »

A entendre le discours quasi messianique de Shai Agassi, on pourrait le prendre pour un « illuminé ». Son projet génère d'ailleurs beaucoup de scepticisme. Certains pensent qu'il n'est pas réaliste de limiter le conducteur à un seul réseau : imaginez que votre voiture ne soit compatible qu'avec une seule enseigne de stations d'essence ! Par ailleurs, son système de gestion du kilométrage suppose de recharger exclusivement là où c'est prévu. Better Place doit notamment installer un compteur dans votre propre garage, et si vous êtes en « panne » chez un ami ou parent, vous ne pourrez pas y faire le plein d'électrons... D'autres constatent que l'arrogance d'Agassi – et sa volonté de contrôler le réseau – a dissuadé des partenaires potentiels, constructeurs automobiles ou compagnies d'électricité. D'autres encore tiennent les stations d'échange pour une fausse bonne idée : tout ce capital investi pour faire un plein à quelques cents ? Enfin, certains estiment que ce modèle ne peut marcher que dans de petits pays comme Israël, mais pas aux États-Unis.

Mais Agassi a aussi ses fans : sa vision a notamment été crédibilisée, très tôt, par une note positive de la Deutsche Bank : « Nous avons rencontré le PDG de Better Place au siège de la société à Palo Alto. Notre conclusion : le concept de cette société pourrait provoquer une rupture de modèle massive dans l'industrie automobile telle qu'elle existe aujourd'hui, écrivent en mars 2008 les analystes automobiles de cet établissement. Le véhicule électrique pur ne devrait pas être plus cher qu'une voiture à essence ou diesel, parce que des sociétés comme Better Place émergeront, qui détiendront les batteries et chargeront les clients au kilomètre parcouru. » Mieux : la Deutsche Bank valide la « supériorité du concept Better Place sur celui de la Chevrolet Volt ou de la Toyota Prius », parce que « ce système apparaît convaincant, y compris aux États-Unis, où le coût de l'essence est relativement bas ».

A l'été 2009, il est bien sûr trop tôt pour affirmer que Shai Agassi a réussi. Mais il a, en tout cas, amplement démontré la puissance d'entraînement de sa vision et largement commencé à la concrétiser. Sa société Better Place a entamé le déploiement de ses bornes de recharge et de ses stations d'échange de batteries en Israël, où un accord avec le gouvernement et Renault a été signé en décembre 2008, mais aussi au Danemark, qui a signé un partenariat similaire quelques mois plus tard.

Better Place est dans les temps pour une commercialisation à grande échelle dans ces deux pays, dès que la version électrique de la Renault Mégane sera disponible, en 2011. Elle a par ailleurs conclu des partenariats pour étendre son offre à cinq autres régions : la Bay Area de San Francisco, l'État de Hawaï, l'Australie, et la province canadienne de l'Ontario. Pour faire taire les critiques, elle a aussi démontré la faisabilité de l'échange standard de sa batterie sur un prototype maison de véhicule Nissan électrifié, dans une station construite à Yokohama, au Japon. Résultat : 80 secondes, montre en main. Pour la petite histoire, la technologie des crochets retenant et libérant sur commande cette énorme masse sont les mêmes que ceux arrimant les bombes sous les avions ! De nombreux autres pays ou régions du monde – notamment le Japon – s'intéressent aujourd'hui au modèle Better Place. Pas mal, pour une société qui a tout juste soufflé sa deuxième bougie !

Un enfant prodige du software

« Shai Agassi est si convaincant qu'il pourrait vendre des glaçons à des Esquimaux ou du sable aux Bédouins du désert », dit Martin Eberhard, le cofondateur de Tesla Motors. Ce charisme hors norme est l'un des secrets de son étonnante carrière dans l'industrie du logiciel. Un parcours sans faute, à la fois fulgurant et riche en rebondissements. Shai est né à Tel-Aviv en 1968, d'un père colonel à la retraite et informaticien et d'une mère travaillant dans la mode. Ses parents sont tous les deux des immigrés : la famille de son père, Reuven, a fui l'Irak, tandis que sa mère est originaire du Maroc. Après quelques années passées en Argentine, où Reuven représente un gros groupe informatique israélien, le jeune Shai suit sa trace, en entrant dès quinze ans au prestigieux Technion d'Haïfa, l'équivalent israélien du MIT. « Le software, c'est le bac à sable idéal, dit Agassi. On manipule des bits, et on crée des choses à partir de rien. C'est magique ! »

L'année de ses dix-huit ans, le jeune homme doit cependant interrompre ses études : il passe près de douze mois à l'hôpital, après s'être fait renverser par une voiture. Puis, diplôme en poche, il met les bouchées doubles, débauchant son père pour créer avec lui quatre start-up informatiques. Shai n'a pas fait de MBA. Pas besoin : « A la maison, on mangeait du *business model* pour le petit déjeuner, le déjeuner et le dîner, plaisante-t-il. Les affaires de ma mère étaient toujours bénéficiaires, et les nôtres avaient constamment besoin d'argent... On s'asseyait à la table de la cuisine pour des *board meetings* familiaux, et on allouait les budgets. » Shai aime travailler en famille : aujourd'hui, sa sœur Dafna et son frère Tal l'ont suivi dans sa croisade antipétrole, chez Better Place Israël.

En 1995, pourtant, le jeune informaticien quitte le cocon familial pour répondre à l'irrésistible appel de la Silicon Valley. « Une de nos sociétés faisait du *ghostwriting* : on concevait des logiciels à façon pour le compte de grosses entreprises, un peu comme les "nègres" dans l'édition, raconte Shai. Et Apple nous a demandé de venir travailler avec eux sur un gros projet de logiciel éducatif, pour connecter les écoles, les professeurs et les élèves. » Travailler avec Apple ? L'occasion était inespérée. A vingt-sept ans, le jeune Israélien débarque dans la mythique Vallée californienne, avec la petite équipe de Top Tier Software, tandis que Reuven gère le reste des affaires en Israël.

Mais au lieu du nirvana rêvé, il se trouve bientôt face à un gouffre. « Début 1996, quelqu'un chez Apple annule le projet. C'était avant le retour de Steve Jobs : le groupe de Cupertino ne croyait pas à une toute nouvelle technologie, sur laquelle on s'était appuyé pour développer nos produits : ça s'appelait... un navigateur internet ! » Reuven appelle, inquiet : « Bon, alors tu reviens à la maison ? » Mais Shai n'en a aucune intention : « Si Apple est si bête et est allé si loin, nous qui sommes si malins ne pouvons que réussir dans cette Vallée ! », répond-il à son père.

Hélas, quelque temps plus tard, les cinq contrats qu'il avait pu décrocher auprès d'autres groupes sont eux aussi annulés, en l'espace de vingt-quatre heures. « On avait 40 employés, et tout juste 50 000 dollars en caisse pour payer leurs salaires, se souvient Agassi. J'étais désespéré. Pourtant, rétrospectivement, ça a été la chance de ma vie... » Cette fois encore, Reuven lui demande de payer l'équipe et de fermer boutique. Mais Shai refuse de laisser tomber : « J'ai moi-même 50 000 dollars en banque. Laisse-moi les mettre dans la société, pour m'acheter deux semaines supplémentaires », supplie-t-il. Le jeune entrepreneur, dont le premier enfant allait naître une semaine plus tard, croyait tellement en sa bonne étoile qu'il était prêt à risquer toutes ses économies.

Le père cède devant la détermination de son fils : « Garde ton argent et fais ce que tu as à faire : tu as deux semaines », lui dit-il. Dans les quinze jours qui suivent, Shai parvient à lever 800 000 dollars auprès d'une douzaine de *business angels*. C'est la magie de la Vallée, s'émerveille-t-il : « J'ai appelé un gars de chez Apple, qui avait un copain qui venait de vendre sa société à Cisco. Il a contacté deux autres amis. En quelques jours, on était à nouveau en piste, avec en prime un nouveau PDG expérimenté. »

Un an et demi plus tard, le lendemain de son trentième anniversaire, Shai Agassi et son équipe vendent Top Tier Software pour 110 millions de dollars au groupe néerlandais de progiciels Baan. Les frères Baan demandent aux Israéliens de développer l'affaire en interne. Ce qu'ils font. Un an plus tard, en 2001, Baan revend cette filiale – dans laquelle l'équipe a gardé une participation significative – au groupe allemand SAP, pour 400 millions de dollars. Une fois encore, Agassi accepte de travailler pour l'acquéreur. Il restera six ans chez le leader mondial des progiciels, gravissant tous les échelons du groupe, jusqu'à en devenir le patron du développement mondial. Il dirige alors 10 000 ingénieurs, gère un budget recherche de 1,5 milliard de dollars, sort 60 nouveaux produits par an, et siège au conseil de direction du groupe de Walldorf. En 2005, le président Hasso Plattner en fait même son dauphin, désigné pour prendre les commandes en 2007.

Ainsi, à trente-trois ans, le jeune entrepreneur prodige a-t-il fait deux fois la culbute. Mais Shai dit apprécier l'argent surtout pour la liberté qu'il procure. « En tant qu'entrepreneur, cela donne la capacité d'échouer avec grâce, dit-il. Chez SAP, cette cagnotte était un excellent bouclier. Je ne cessais de répéter aux dirigeants : "Vous savez, je suis libre. Ma femme garde une bouteille de champagne au frais pour le jour de mon départ !" » Les Allemands ne l'ont sans doute pas cru... jusqu'à ce que Shai passe à l'acte.

Rendre le monde meilleur ?

La vie de Shai Agassi a commencé à basculer à l'été 2005, à Zermatt, où se tenait un séminaire des Young Global Leaders, un sous-groupe du Forum de Davos composé des étoiles montantes au firmament du business planétaire. « Klaus Schwab nous a posé une question simple et dérangeante, se souvient Shai Agassi : "Qu'aurez-vous fait, d'ici quinze ans, pour rendre le monde meilleur ?" » Beaucoup de participants ont réfléchi quelques jours, puis sont retournés à leurs affaires. Agassi, lui, est comme frappé par la foudre. Rentré chez lui, il explique à sa famille que sa vie a changé. « Je ne pouvais pas exactement expliquer en quoi, mais je savais qu'après ces trois jours, j'étais une personne différente. » C'était comme si le manager suroccupé avait, tout à coup, levé les yeux de son guidon et changé de focale.

Dans le cadre de ce séminaire, Shai Agassi accepte de former un binôme avec Andrej Zarur, pour réfléchir à la question lancinante du changement climatique. Zarur, un Mexicain d'ascendance libanaise diplômé du MIT et docteur en sciences environnementales, dirige une start-up de biotechnologie qui invente des remèdes contre le cancer. Ne connaissant rien à l'énergie ni à l'environnement, Shai passe dès lors ses rares moments libres à étudier et à rencontrer des experts de ces sujets.

« J'avais à cette époque des idées stupides, avoue-t-il : j'étais un fan de la pile à hydrogène et de l'éthanol… J'ai vite compris que l'un comme l'autre menaient à une impasse. Mais dès que je me suis penché sur la problématique de la voiture électrique, tout a commencé à faire sens. » Fin 2006, dans le bar d'un hôtel islandais où se tient un nouveau séminaire des Young Global Leaders, Agassi demande à Zarur : « Et si on remplaçait chaque voiture sur la planète par une voiture électrique… Est-ce que l'idée est dingue, ou est-ce que c'est faisable ? » Et

Zarur lui répond : « C'est dingue… Mais on peut le faire ! » Les deux hommes passent ensuite la moitié de la nuit à mettre au point leur intervention du lendemain : « Scénarios − la fin du pétrole. » Une idée qu'ils présenteront ensuite dans tous les cénacles possibles.

En décembre 2006, en entendant Shai Agassi défendre sa vision au Ritz-Carlton de Washington, où se tient une rencontre du Centre Saban pour la politique au Moyen-Orient, Shimon Peres sursaute. Débarrasser Israël du pétrole : le président Peres en rêve depuis des années ! Il pense que l'or noir est le plus grand problème de tous les temps : le principal facteur de pollution, et le sponsor numéro un du terrorisme. Agassi est l'homme de la situation ; il ne le lâchera plus.

« J'ai progressivement nourri mon idée en répondant aux questions des géants de ce monde : celles de Klaus Schwab, celles de Shimon Peres, celles d'Al Gore sur le changement climatique, mais aussi celles de Bill Clinton. » Après sa présentation au Centre Saban, ce jour-là, l'ancien président américain vient voir Agassi : « OK. Maintenant, comment fais-tu pour mettre Joe dans ta voiture propre, sans qu'il paie un sou ? Ne me parle pas de Jane, qui peut s'offrir une Prius… La question, c'est Joe : tu sais, les autres 90 %, ceux qui ne mettent jamais les pieds chez un concessionnaire automobile… » Déstabilisé, Agassi lui demande : « Comment vous y prendriez-vous ? » Et Clinton de lui répondre, avant de tourner les talons : « Je ne sais pas, moi... C'est toi le *smart guy* ! »

Hanté par cette question, Shai Agassi revoit sans cesse son projet, affine son modèle. Qu'est-ce qui pousse ce manager débordé à mener cette croisade si éloignée de ses progiciels ? Même s'il conduit depuis quelques années deux Toyota RAV électriques, Shai Agassi n'est pas spécialement mû par un sentiment écologique. Mais, à l'instar du Texan T. Boone Pickens [1], il est farouchement opposé aux importations pétrolières.

Pour lui, pas de doute : le pétrole est une mauvaise drogue. Bien plus addictif que cette autre « taxe globale » que Hollywood prélève sur les spectateurs : « Même si le pop-corn est très bon, qui continuerait à aller voir *Indiana Jones* si le billet de cinéma passait de 10 à 135 dollars ? demande Agassi. Il existe un seul autre produit au monde dont le prix a été multiplié par 13, et dont nous utilisons la même quantité, voire davantage : l'héroïne. » Et nos seringues à nous, ce sont... les voitures ! Contrairement aux militants verts, Agassi ne condamne pas les majors du pétrole. « Le problème, ce n'est pas elles... c'est nous ! Si ces compagnies nous disaient demain qu'elles arrêtaient de produire parce que ça détruit la planète, on leur enverrait nos chefs d'État pour les supplier de continuer ! » Agassi juge néanmoins urgent d'« arrêter cet énorme transfert de

---

1. Voir chapitre 7.

richesses vers les pays producteurs qui ne partagent pas nos valeurs ».

Fin 2006, il passe ses congés de fin d'année en Israël, où il rencontre à nouveau Shimon Peres, puis le Premier ministre Ehud Olmert, maître du levier fiscal. « Votre idée est excellente, lui dit en substance Olmert : si vous convainquez un constructeur auto-mobile et si vous trouvez des financements, vous aurez vos incitations fiscales. » Quelques semaines plus tard, Shimon Peres l'aidera à décrocher l'appui de Renault-Nissan, quatrième constructeur automo-bile mondial. Et Olmert tiendra parole : la taxe sur les achats est de 80 % sur les voitures à essence, contre 10 % seulement pour les véhicules électriques...

« Goodbye SAP, hello Better Place »

Même après Davos 2007, cependant, Shai Agassi n'envisage pas de changer de métier : « J'avais un tra-vail très prenant, et la perspective séduisante de codiri-ger SAP, à partir de 2007, quand Henning Kagermann prendrait sa retraite. » A ce stade, il était prévu que « son » projet de voitures électriques soit piloté par une agence gouvernementale israélienne. Shai avait même suggéré trois noms pour en prendre la tête. Mais Shimon Peres, lui, ne l'entend pas de cette oreille. Début janvier, déjà, après le séminaire du Centre Saban, le président israélien avait appelé Shai à Palo Alto : « Et maintenant ? Ta présentation était formidable, mais c'est à toi de la concrétiser. Sinon, ça restera seulement un beau discours. » Après Davos, Peres revient à la charge : « Mais enfin, qu'as-tu de mieux à faire de ta vie ? » Et il joue sur la fibre patriotique : « Tu as une dette envers Israël ; il faut la payer. Tu dois ça à ton pays ! »

Ébranlé, Shai Agassi promet d'y réfléchir. Coïncidence inouïe : quelques jours plus tard, Hasso Plattner explique à son poulain que le conseil d'administration a finalement décidé de prolonger de deux années supplémentaires le mandat de Kagermann à la tête de SAP. « Plattner venait de décider pour moi, raconte Shai. Je lui ai expliqué que, dans ce cas, je reprenais ma liberté. Et que je démissionnais, parce que j'avais quelque chose de plus important à faire de ma vie. »

Son départ est effectif le 1er avril 2007. « J'ai l'impression que je viens de sauter d'un immeuble, écrit alors Agassi sur son blog. C'est comme si j'avais été porté pendant très longtemps sur le dos d'un gros oiseau. Je me demandais si je saurais déployer mes propres ailes. » Il ne se pose pas longtemps la question : dans les vingt-quatre heures suivant sa démission, Shai est assailli d'offres plus prestigieuses les unes que les autres. L'une d'elles − pendre la tête d'une grosse organisation philanthropique − est intéressante. « Mais le problème avec les ONG, juge Shai, est qu'elles n'ont pas de moteur financier. Leurs dirigeants gaspillent leur temps et leur énergie à lever des fonds au lieu de se concentrer sur la cause qui les passionne. » A contrario, son projet à lui possède à la fois une dimension morale et une « poche profonde », qui peut contenir de quoi sauver la planète et son pays natal : les 1 500 milliards de dollars par an que les conducteurs dépensent à la pompe.

En coach de sa propre existence, Shai Agassi se donne un délai pour réfléchir. « Je voulais être sûr que mon choix ne soit pas exclusivement émotionnel. Je venais de passer dix-sept ans dans un tunnel, en ne vivant que pour l'industrie du logiciel. Avant de rempiler pour les dix-sept années suivantes, je devais examiner toutes les options. » Ce qu'il fait. Mais il a bientôt l'impression de perdre son temps : rien n'arrive à la cheville de ce qu'Agassi baptisera « Project Better Place », en hommage à la question de Klaus Schwab : comment rendre le monde meilleur (*make the world a better place*).

Visiblement, Agassi n'est pas animé par l'idée de faire grossir sa fortune. « Si Better Place fait des profits, dit-il, ma part sera versée à une fondation familiale, qui s'occupera d'œuvres sociales. » Il est vrai que Shai et sa famille vivent très bien. Ils ont une spacieuse maison dans les hauteurs de Los Gatos, avec une belle vue sur les collines. Et cela leur suffit. A cet égard, Shai Agassi est un peu l'anti-Elon Musk : « Je ne veux pas d'avion, je ne veux pas de yacht, dit-il. Je ne veux pas d'autre maison, ni une plus grosse maison... Tous ces jouets de milliardaire ne m'intéressent pas. »

Ce qui l'excite particulièrement, c'est que son idée pour rendre le « Monde Meilleur » se trouve à l'intersection exacte entre ce qu'il sait faire mieux que quiconque – prendre des problèmes complexes, les couper en morceaux, résoudre chaque partie et les réintégrer dans un ensemble économique qui fasse sens – et ses passions. Car, à l'approche de la quarantaine, Shai a à cœur de payer ses deux dettes : celle de l'avenir, celui de ses enfants et des États-Unis, « pour laisser une planète en meilleur état qu'on ne l'a trouvée », et celle du passé, envers Israël, « en promouvant la paix au Moyen-Orient ».

Le rapport entre Better Place et le conflit israélo-arabe ? Shai Agassi tient, sur ce sujet, un raisonnement très personnel : « Quels sont les pays arabes en paix avec Israël ? Ce sont les Émirats. Parce que, sachant que le pétrole n'est pas éternel, ils ont diversifié leur économie dans les médias, le tourisme, l'éducation, les services financiers. Or, avec ces nouvelles industries viennent la liberté d'expression, la transparence, une nouvelle classe moyenne, l'ouverture sur l'étranger. C'est-à-dire la modernité. Et les pays modernes ne veulent pas la guerre. » L'idée sans doute un peu naïve d'Agassi est que la généralisation du carburant électrique fera tellement baisser le cours du brut qu'elle imposera ce type d'évolution à toutes les « pétrocraties ».

Au printemps 2007, l'entrepreneur finalise son *business model*, puis se lance dans la recherche d'actionnaires. Pour réaliser le projet israélien, il lui

faut 200 millions de dollars. « J'ai bien dû solliciter
200 personnes, raconte Agassi. 190 d'entre elles doivent encore penser que je suis fou, et dix que je suis
fou... mais sympathique ! » La percée est venue d'une
rencontre en Israël, à l'été 2007. Le rendez-vous
avait été arrangé par Michael Granoff. Cet investisseur, originaire du New Jersey, réfléchissait comme
Agassi au double problème du réchauffement climatique et de l'indépendance énergétique. « En étudiant
la question énergétique, j'ai compris que c'était un
sujet dépassant largement le simple financement du
terrorisme par l'argent du pétrole, dit Granoff. J'ai
compris que les avancées économiques et les progrès
de notre niveau de vie, depuis trente ans, avaient été
conquis de manière non durable. Et qu'il s'agissait
de la question cruciale de la fin du XXIe siècle. »

Michael Granoff lève alors des fonds pour investir
dans les technologies propres, aux États-Unis et en
Israël. Comme Agassi, il tient la voiture électrique
pour la solution centrale. Alors, quand en février 2007
il lit dans la presse israélienne un récit du Forum de
Davos, il voit tout de suite en Better Place le terme
manquant de l'équation. Il prend contact avec
Agassi et lui propose de lui servir de guide auprès de
la communauté financière.

Ce 12 juin au matin, Agassi et Granoff ont rendez-
vous à Tel-Aviv avec Idan Ofer, le patron d'Israel
Corp, un riche conglomérat ayant d'importants
intérêts dans les forages pétroliers, le raffinage et le
fret maritime. « On n'avait pas grand espoir, raconte

Mike Granoff. Moi, je pensais surtout à mes amis investisseurs dans les technologies propres, que nous devions rencontrer ensuite pour déjeuner. » Agassi, lui, se dit : « Si ce Monsieur Big Oil, qui est de l'autre côté de la barrière, met un sou dans l'affaire, ce sera un miracle. » Et le miracle fut : après une bonne heure de discussion, Idan Ofer descend avec ses invités par l'ascenseur. « Au rez-de-chaussée, se souvient Agassi, il nous regarde dans les yeux et nous dit : "OK, vous pouvez compter sur 100 millions de dollars." On était abasourdis ! »

Idan Ofer est devenu président du conseil de Better Place, le reste du tour de table se répartissant entre la banque Morgan Stanley, la firme californienne de capital-risque Vantage Point d'Alan Salzman et le fonds Maniv de Michael Granoff. Ce dernier regroupe 18 investisseurs, dont James Wolfensohn, ancien président de la Banque mondiale et ex-membre du Quartet, qui a supervisé le désengagement israélien de Gaza. Quand on demande à Alan Salzman pourquoi il croit au modèle Better Place, il répond par une question : « Est-ce que les voitures électriques sont l'avenir ? Oui, c'est inévitable. La question n'est plus si... mais quand. A Vantage Point, notre philosophie est simple : nous investissons dans l'inévitable ! Nous utilisons le pouvoir de l'innovation et de la technologie pour raccourcir le temps vers l'inévitable. Accélérer le calendrier : c'est exactement ce que font Shai Agassi et Elon Musk. »

En octobre 2007, Shai Agassi crée officiellement sa société Project Better Place – qui deviendra Better Place –, dotée du capital hallucinant de 200 millions de dollars. Jamais une start-up n'avait levé autant d'argent pour démarrer. Séduit par le charisme de Shai et la justesse de sa cause, Michael Granoff décide alors d'y travailler à plein temps. Sa mission : promouvoir les politiques favorables à la cause, notamment à Washington.

« Les hybrides sont comme des sirènes... »

Carlos Ghosn, lui, ne s'embarque dans l'aventure Better Place ni pour sauver la planète, ni pour faire plaisir à Shimon Peres ou à Shai Agassi. Il se trouve simplement que la proposition israélienne tombe à point nommé. Toyota triomphait sur les hybrides avec sa Prius ; General Motors venait de dévoiler à Detroit son projet de véhicule électrique rechargeable Chevrolet Volt. L'Alliance Renault-Nissan, elle, était alors en pleine gamberge stratégique sur le front naissant des voitures propres.

Carlos Ghosn ne croit pas à l'hybride. Quand Shimon Peres lui pose la question, à Davos, il aurait eu selon Agassi cette réponse merveilleuse : « Les hybrides, c'est comme les sirènes. Vous voulez une femme, vous avez un poisson... Vous voulez un poisson, vous avez une femme ! » Comprenez : la technologie d'un véhicule comme la Toyota Prius entraîne les roues de deux façons : avec un moteur à essence conventionnel, et avec un moteur électrique, qui prend le relais au démarrage. « C'est vrai que cela donne un meilleur rendement au kilomètre que le moteur thermique. Mais en réalité l'essentiel de l'énergie transmise aux roues vient du carburant... Du coup, c'est plus cher que l'électrique pur, et beaucoup moins efficace sur la réduction des émissions de CO_2 », résume Jean-Louis Ricaud, alors vice-président exécutif de Renault, depuis parti chez Alstom.

Le groupe semble d'ailleurs agacé par la popularité de la Prius, qu'il juge imméritée : « Il faut démythifier l'hybride, dit Ricaud : une Prius équipée d'un moteur diesel Renault consomme moins que le modèle vendu par Toyota ! » Ce que les concurrents de Toyota ont compris trop tard, c'est qu'il existait une niche significative de clients souhaitant acheter ce modèle non pas pour conduire une voiture plus respectueuse de l'environnement, ni pour faire des économies... mais pour changer leur propre image. « Acheter une Prius, c'est essentiellement un geste d'affichage écologique. Ce n'est pas forcément plus utile, mais c'est plus visible que de mettre des ampoules à économie d'énergie dans sa maison », s'amuse Shai Agassi.

D'un point de vue industriel, l'Alliance Renault-Nissan croit donc plutôt à l'avenir du véhicule 100 % électrique. Nissan travaille sur les technologies de batteries électriques depuis 1992, et il a créé une joint-venture avec NEC, en avril 2007, pour

fabriquer des batteries lithium-ion à l'échelle industrielle. A mesure que l'automobile basculera vers
l'électrique, la batterie deviendra en effet la pièce
stratégique.

Pour l'instant, le seul fabricant américain existant
de batteries lithium-ion est la petite société A123,
une excroissance du MIT créée en 2001. Mais de
grands groupes comme Johnson Controls lorgnent
aussi sur ce secteur. Le gouvernement Obama a
prévu, dans son plan de relance, 2 milliards de dollars d'aide aux industriels américains de la batterie
électrique, en plus des 25 milliards destinés à la
reconfiguration de leurs sites de production pour
usiner des voitures propres. A l'instar des semi-
conducteurs, les batteries ont l'équivalent d'une « loi
de Moore » : elles améliorent leur performance
d'environ 8 % par an. « Jusqu'ici, on n'a pas tellement progressé sur la densité énergétique, afin
d'assurer une sécurité maximale, dit Agassi. Mais on
est passé de 700 à 7 000 cycles de chargement. » Et,
déjà, de nombreuses start-up travaillent sur des
matériaux inédits pour dépasser le lithium. Tous les
capital-risqueurs du monde sont à l'affût de projets
de ce genre.

Selon le consultant McKinsey, les investissements
dans les technologies de batterie ont été multipliés
par dix – de 153 millions à 1,15 milliard de dollars –
entre 2003 et 2007. Et les coûts d'usage ne cessent
de s'améliorer. « Les packs de batterie coûtent à
présent 700 à 1 500 dollars par kilowattheure, mais

un scénario de baisse agressive des coûts pourrait l'amener à 420 dollars par kilowattheure d'ici 2015 », selon une récente étude McKinsey.

La grande bataille mondiale de la batterie électrique ne fait donc que commencer. Andrew Grove, le mythique cofondateur d'Intel, dont la devise est « seuls les paranoïaques survivent », a une conviction. Selon lui le seul moyen d'éviter une domination asiatique de cette industrie par les BYD, NEC, Panasonic et autres Sanyo, est qu'Intel se lance lui-même sur ce créneau, comme il le fit jadis pour les puces informatiques. « Pour que les voitures électriques deviennent une réalité, on aura besoin de dix à cent fois plus de capacité industrielle que pour les batteries d'ordinateurs portables », explique Grove.

Jusqu'en 2007, en tout cas, Carlos Ghosn ne voyait pas très bien comment le marché pourrait devenir grand public, compte tenu des coûts de fabrication. Il considérait la propulsion électrique comme une niche. Jusqu'à l'année précédente, Renault-Nissan envisageait surtout d'électrifier certains de ses modèles pour les flottes professionnelles, qui roulent moins de 50 kilomètres par jour en milieu urbain. Et voilà que, tout à coup, Agassi et Peres lui ouvrent une perspective beaucoup plus vaste. « Les constructeurs ne pensaient pas que quelqu'un serait assez fou pour dépenser 200 millions de dollars sur un réseau électrique de recharge pour des véhicules qui n'existaient pas encore, commente Shai Agassi. C'était trop radical. »

Le patron de l'Alliance comprend alors qu'il peut décrocher la quasi-exclusivité du marché israélien de la voiture électrique, avec une fiscalité qui en garantisse le décollage, et que le *business model* imaginé par Agassi − louer la batterie indépendamment du véhicule − pourra ensuite s'appliquer à d'autres pays. En sortant de la réunion de Davos, Ghosn appelle son bras droit, Patrick Pélata, et lui demande de rencontrer les gens de Better Place. Entre la start-up de Palo Alto et le géant industriel commence alors une série de réunions, virtuelles et réelles, aux quatre coins de la planète.

Better Place et Renault-Nissan, c'est un peu le mariage de la carpe et du lapin. D'un côté, une start-up de quelques dizaines d'allumés du soft, qui passe son temps à inventer l'avenir mais n'a encore ni produit ni client. Et pas grande idée de ce qu'est une automobile. De l'autre, un paquebot industriel franco-japonais, qui emploie 349 000 personnes et vend 6 millions de véhicules par an à travers toute la planète. Un choc des cultures que chacun apprend à gérer. « J'étais un peu le Pélata de SAP, dit Agassi. Je sais que ce n'est pas facile pour ces énormes groupes de prendre ce genre de décisions et de miser quelques centaines de millions de dollars pour que ça marche. Chez SAP, on ne l'aurait jamais fait ! On a construit la confiance, la compréhension, le savoir-faire… et, au bout du compte, c'est devenu un vrai partenariat. »

Même son de cloche au siège de Renault, à Boulogne : « On a parfois des différences d'appréciation sur le rythme auquel les choses sont faisables, dit Serge Yoccoz, directeur du "Projet stratégique véhicule électrique" de Renault à l'été 2008. Mais on est d'accord sur l'objectif. Et il est souvent utile qu'Agassi pousse la vision à son extrême, même si la réalité est souvent faite de compromis. En tout cas, les équipes avancent bien. » Chez Renault, l'interface entre les deux partenaires est assurée par Matthieu Tenenbaum, un ingénieur jeune et motivé, culturellement en phase avec les gars de la Silicon Valley. Des groupes de travail ont été créés sur tous les sujets : la conception du véhicule ; le système informatique permettant de dialoguer avec le réseau ; les points de recharge et les stations d'échange de batteries ; la commercialisation et le modèle d'affaires... « Agassi a mis en lumière le fait que le réseau était au moins aussi important que le véhicule, explique Serge Yoccoz. On partage avec lui la conviction que les points de recharge et d'échange doivent être en place avant même de commencer à commercialiser les véhicules. »

Une vraie gamme électrique

A l'automne 2007, chez Renault-Nissan, le développement de l'électrique prend un caractère stratégique. Avec la voiture à bas coût Logan, c'est l'« autre priorité » que Carlos Ghosn souhaite voir diffuser dans tout le groupe. « Notre partenariat avec Better Place a cristallisé et accéléré notre réflexion, analyse Serge Yoccoz. On a révisé les enjeux, aussi bien en termes de volumes que de besoins d'investissement. » Dans les mois qui suivent, l'Alliance met en place un ambitieux programme de développement d'une gamme complète de véhicules électriques, qui mobilise plus de 500 personnes et 200 millions d'euros d'investissement par an sur la seule recherche et développement. Il compte désormais faire la course à la voiture électrique dans le peloton de tête.

Pour démarrer en 2011, le constructeur n'a pas le temps de développer un véhicule entièrement nouveau. Le projet électrique sera lancé en Israël, et sur plusieurs marchés européens, avec une Mégane électrique, puis la sortie d'une version électrifiée de la berline familiale qui lui succédera. Pour les flottes commerciales, il y aura une version électrifiée de la Kangoo. « Cela correspondait à une demande de nos grands clients professionnels, qui commencent à travailler sur leur bilan carbone ou redoutent que les centres urbains ne soient un jour fermés aux véhicules polluants », explique Serge Yoccoz. Enfin, Renault prévoit, pour 2012, la sortie de son premier véhicule pensé dès le départ pour la traction électrique : une voiture urbaine, dédiée aux trajets entre résidence et travail et ciblée sur la clientèle européenne : « Elle aura la taille d'une Clio ou d'une Modus, précise Yoccoz, mais avec un design très spécifique, très identifiable. » Un modèle qui devrait plaire, notamment au Danemark, où Renault devrait aussi être l'un des fournisseurs de Better Place, même si, à l'été 2009, le contrat n'est pas encore formellement signé.

Côté Nissan, Carlos Ghosn crée la surprise, en mai 2008, en annonçant la sortie d'une voiture 100 % électrique sur le marché américain dès 2010 (ce sera la Leaf), et d'une gamme complète, sur tous les marchés, en 2012. « Nous ne sommes pas intéressés par un prototype à la *Star Wars*, mais par la production d'une voiture grand public, que tout le monde peut s'offrir. Il s'agit vraiment d'un nouveau chapitre dans la vie de cette industrie », explique alors Ghosn au *Wall Street Journal*. En juillet 2008, les cadres de l'Alliance confirment : « On fera avec Nissan en Californie ce qu'on fait avec Renault en Israël. »

Avec Better Place ? Probablement pas : Nissan a d'ailleurs signé un partenariat dans le Tennessee, État de son siège social, avec la Tennessee Valley Authority et en Californie avec la San Diego Gas & Electric pour « faire progresser la mobilité zéro émission ». Mais rien, pour l'instant, avec Better Place. Si Renault semble avoir en tous points adopté le modèle d'affaires promu par Shai Agassi (voiture vendue nue, batterie louée, stations d'échange…), elle ne compte évidemment pas placer tous ses œufs dans le même panier. « Nous avons avec Better Place une relation privilégiée, ouverte, mais pas exclusive. Nous formulons notre stratégie par pays, au cas par cas », résume Thierry Koskas, qui à l'été 2009 a remplacé Serge Yoccoz comme patron des véhicules électriques chez Renault.

L'ensemble du programme véhicule électrique de l'Alliance a été placé sous la responsabilité de Hideaki Watanabe de Nissan. Et ni le constructeur français ni le constructeur japonais n'entendent se laisser dicter leur stratégie – ni dérober une partie de leur plus-value potentielle – par une start-up californienne. Il est donc probable que Renault et Nissan se lancent seuls – ou plutôt avec des partenaires locaux de leur choix – sur les marchés où il sont respectivement en position de force. L'Alliance a d'ailleurs annoncé, à l'été 2008, un accord avec le gouvernement du Portugal, pour y commercialiser des voitures électriques dès 2011. Better Place, à ce stade, ne fait pas partie du projet lusitanien.

Et la France ? « La France est le pays idéal : vous avez de grandes métropoles, l'essence à la pompe la plus chère du monde, une électricité nucléaire à zéro émission, et une fiscalité favorable aux voitures propre ! » dit un Agassi trépignant d'impatience. Il insiste sur le paradoxe énergétique hexagonal : « En France, vous exportez des électrons propres en Belgique, et vous vous ruinez en importations de pétrole sale, pour le brûler. C'est dingue ! »

Oui mais voilà : le groupe Renault, lui, ne semble pas pressé d'introduire son minuscule partenaire américain dans l'Hexagone. Dès juillet 2008, le constructeur français n'exclut pas de gérer lui-même le leasing des batteries : « Notre filiale RCI, qui vend des voitures à crédit, pourrait tout aussi bien louer des batteries, souligne Jean-Louis Ricaud. 50 000 véhicules par an à 10 000 dollars la batterie. Ça fait 500 millions de dollars d'investissement par an. On sait faire… » Renault croit en tout cas, pour les longs trajets, à l'idée si décriée par certains ingénieurs d'échanger les batteries vides contre des pleines. En France, ces postes d'échange pourraient, par exemple, être placés chez les concessionnaires Renault, ou dans les stations d'essence. « Nous avons travaillé sur l'ingénierie de ce type de stations avec Better Place. Et nos véhicules seront conçus pour avoir des batteries détachables, précise Thierry Koskas. Outre la fonction de recharge, ces échanges ont aussi l'avantage de mutualiser les batteries entre les petits et les gros conducteurs. »

Côté bornes électriques de recharge, Renault a signé en octobre 2008 avec EDF un protocole d'accord visant à créer, « d'abord en France, un système de transport individuel à zéro émission et à grande échelle ». Un autre groupe de travail, réunissant tous les professionnels français concernés sous l'égide du gouvernement, a été mis sur pied. Et un modèle est envisagé, où la propriété des réseaux serait distincte de leur exploitation : « Les infrastructures pourraient appartenir à des villes, des collectivités locales ou des gérants de parking, tandis qu'un opérateur de mobilité les exploiterait », explique Thierry Koskas.

Une telle approche aurait le mérite de créer un réseau de recharge ouvert à tous types de véhicule. A contrario, elle aurait l'inconvénient de multiplier les intervenants, ce qui ne faciliterait pas la mise en place rapide d'une solution. La mayonnaise de l'infrastructure aura-t-elle pris dès 2011 ? Patrick Pélata l'a réaffirmé au *Journal des finances* en mai 2009 : « Dans un monde de plus en plus tourné vers l'écologie, Renault va innover avec la commercialisation de masse d'un véhicule 100 % électrique, que nous lancerons à partir de 2011. »

Renault ne sera évidemment pas seul en France sur le créneau : Peugeot a aussi un projet électrique, et le petit outsider Vincent Bolloré, lui, lancera la location de ses Blue Cars urbaines courant 2010, pour 330 euros par mois. Sa batterie conçue par Batscap, filiale de Bolloré et d'EDF, promet 250 kilomètres d'autonomie. Sans oublier Bertrand Delanoë, le maire de Paris, qui après le succès de ses Vélib', songe à une solution Carlib' ; ou les constructeurs étrangers qui lanceront leurs propres modèles : Daimler compte notamment sur sa Smart électrique pour séduire les citadins.

Shai Agassi, de son côté, se démène pour rallier tous les autres constructeurs de la planète. Pourquoi se montreraient-ils intéressés ? Parce que cela rend leur voiture plus attractive. « Avec mon modèle, explique Agassi, tout se passe comme si, d'entrée, je faisais un chèque au constructeur de voiture qui entre dans mon réseau. Imaginez que Total fasse un chèque à Renault parce que chaque voiture rend le conducteur accro au pétrole ! » Le patron de Better Place dialogue, naturellement, avec les ex-« Big Three » de Detroit. « Nous ne pourrons faire une vraie différence aux États-Unis qu'en ayant un constructeur avec nous », concède Michael Granoff. Mais GM semble concentrer ses efforts sur sa procédure de faillite et le lancement de sa Chevrolet Volt. Du coup, Better Place fait une cour assidue à Ford et à Chrysler. En juin 2009, son président Idan Ofer a rencontré Lapo Elkann, l'héritier de la dynastie Agnelli, actionnaire principal de Fiat, mais aussi désormais de Chrysler.

« Vous avez vu le magazine *Time* de la semaine ? interroge Alan Salzman, le patron de Vantage Point, à la mi-mai 2009. On y voit Alan Mullaly [le patron de Ford] et Shai Agassi en train de se serrer la main ! » Ford, qui était en retard sur sa stratégie électrique, a passé une alliance avec le sous-traitant canadien Magna. Et Salzman laisse entendre qu'il est tenté par la piste Better Place. « Aujourd'hui, les constructeurs vendent un bout de hardware à faible marge et les compagnies pétrolières font de l'argent sur l'essence, explique Salzman. Elles réalisent des profits records, alors que les constructeurs font faillite… Les fabricants de voitures vendent les rasoirs, les compagnies pétrolières vendent les lames. Ce modèle n'est plus viable. »

Pour un nombre croissant d'analystes, il faudrait que l'automobile bascule d'un modèle d'achat de produits

à un modèle de fourniture de service. « Le consommateur achètera un service de mobilité, avec un service
d'assistance, résume Alan Salzman. Better Place invite
les constructeurs à venir les rejoindre dans ce nouveau
type d'écosystème. Avec Shai, on a dit à Bill Ford :
"Les temps sont durs. Est-ce que vous aimeriez rece-
voir un centime par kilomètre pour chaque Ford électrique sur la route ? Si vous vendez 3 millions de
voitures, ça vous ferait 300 millions de dollars." » En
Israël, Renault ne touchera pas d'argent sur les futurs
forfaits kilométriques proposés par Better Place. Elle
vendra simplement ses voitures et ses batteries. Mais
Shai Agassi semble prêt à partager ses profits potentiels
pour « signer » un constructeur américain.

Il parle même aux Chinois, notamment au petit
constructeur Cherry, dans lequel son actionnaire
Israel Corp a une participation. Car le moteur électrique constitue une rupture technologique, que les
outsiders des pays émergents vont essayer de mettre
à profit. C'est ainsi que le fabricant chinois de batteries pour gadgets électroniques BYD (Build Your
Dream) s'est lancé dans la construction de batteries
pour voitures électriques, puis de véhicules à part
entière. Cette société cotée a été crédibilisée par un
investissement de 230 millions de dollars du milliardaire américain Warren Buffet, puis, plus récemment,
par un partenariat avec Volkswagen pour le développement d'un hybride électrique.

Hors batterie, en effet, les voitures électriques
sont moins chères et moins compliquées à fabriquer

que leurs cousines à essence. En décembre 2008, BYD a lancé en Chine un modèle hybride rechargeable : l'équivalent chinois d'une Volt à seulement 22 000 dollars, capable de faire 96 kilomètres sur une charge. Le fondateur de BYD, Wang Chuanfu, venu présenter son « bébé » début 2009 au Salon de Detroit, compte se lancer à la conquête des marchés occidentaux. « Sur le moteur à essence, nous n'avions pas notre chance contre les constructeurs traditionnels, a-t-il expliqué au *Wall Street Journal*. Mais avec les voitures électriques, nous sommes tous sur la même ligne de départ. » De fait, la Chine, qui s'est fixé pour objectif de produire un demi-million de voitures électriques par an en 2011, a annoncé qu'elle investirait 1,4 milliard de dollars en recherche et développement à cet effet.

Une start-up globale

Better Place n'occupe que quelques pièces dans un immeuble de bureaux anonyme sur Arastradero Road, à Palo Alto. Pourquoi cette PME, dont les premiers marchés se trouvent au Moyen-Orient et en Europe, a-t-elle décidé d'installer son siège dans la Silicon Valley ? Question de ressources humaines : « On cherche à résoudre un problème mondial, répond Agassi. Et on voulait trouver des gens avec le bon état d'esprit, capables d'une approche interdisciplinaire, ayant la capacité de se projeter d'une industrie à une autre. » Et puis, la vallée est à la fois la Mecque de l'entreprise et le temple du risque. « Quand Al Gore arrive en Californie, les gars de Berkeley écrivent des pièces de théâtre sur le changement climatique, nous on écrit des business plans ! » plaisante Agassi.

Surtout, Better Place est aussi une société de software : elle installera dans chaque voiture de son réseau un système logiciel capable de centraliser le niveau de consommation énergétique de la voiture et de suggérer au conducteur un itinéraire intelligent s'il a besoin de « jus ». Un service central de contrôle fournira au client des solutions en temps réel. Shai Agassi a ainsi pu lancer sa nouvelle start-up avec un noyau de collaborateurs dont beaucoup sont de vieux compagnons de route.

« Better Place compte une bonne dizaine d'anciens de SAP. Et beaucoup d'autres frappent à la porte », confie Aliza Peleg, vice-présidente en charge du planning et des opérations de la PME. Elle-même mathématicienne et ingénieure informatique, elle faisait partie de l'équipe originelle de Top Tier, qui a suivi Agassi chez Baan, puis chez SAP. Auparavant, cette femme au sourire éclatant et à l'allure volontaire dirigeait l'ensemble des laboratoires de recherche du groupe allemand.

Aliza dit avoir rejoint Better Place par conviction, mais aussi pour le plaisir de suivre Shai dans cette nouvelle aventure. L'homme semble en effet exercer sur ses équipes un charme au moins aussi puissant que sur ses investisseurs ou les grands de ce monde. « Shai allie des qualités rares, explique sa collaboratrice. Il est à la fois expert en technologie et avisé en affaires. Il a la vision mais aussi les tripes nécessaires pour la mettre en œuvre. Tout cela avec une amabilité et une intégrité personnelle hors pair. »

A l'été 2008, Agassi et Peleg ont recruté une quarantaine de collaborateurs, répartis à égalité entre Palo Alto et Tel-Aviv. « Si nous n'essayons pas de faire le job des autres, nous n'avons pas besoin de beaucoup de monde, explique Agassi. Better Place conçoit le système et assurera les ventes et le service. Mais elle ne construit pas la voiture ; Renault le fait. Elle ne fabrique pas la borne de recharge ou le robot qui changera les batteries ; ce sont des sous-traitants qui le font. Nous, on se contente d'écrire les spécifications et de guider leur travail. »

Better Place a constitué son staff en sélectionnant les candidats non pas sur leurs diplômes ou leurs compétences techniques, mais sur leur degré de motivation. « Quand les gens sont en mission, il n'y a pas d'ego, pas de guerre de territoire, explique Aliza. Il y a seulement un intérêt supérieur. C'est simple : tout le monde est sur la même longueur d'onde. On est là pour changer le monde... »

Le paradoxe de Better Place est que, contrairement aux autres start-up, elle affirme ne pas essayer de maximiser sa part de marché ou ses profits, mais de construire, le plus vite possible, une nouvelle industrie. Y compris en encourageant la concurrence à se lancer sur le créneau. C'est en tout cas le discours officiel, même si certains observateurs dénoncent la manière dont Agassi essaie de « verrouiller » le marché. « Certes, il faut qu'on fasse de l'argent, plaisante Agassi. Sinon, je renierais une de mes plus anciennes habitudes, qui est de rendre à mes investisseurs beaucoup plus de capitaux que ce qu'ils m'ont confié... » Mais il répète sans cesse à ses interlocuteurs qu'il n'est pas là pour bâtir un monopole, vendre un maximum de voitures ou faire fortune, mais pour éliminer le carburant pétrole. Un peu comme une ONG qui serait condamnée aux profits.

Aliza décrit la répartition des rôles : « Shai définit la vision ; nous sommes là pour l'exécuter. Je gère la maison pendant qu'il parcourt le globe et essaie de convaincre les responsables politiques et les grands industriels. » Depuis le début de cette aventure, Agassi, en réalité, ne touche plus terre : « Il y a eu des semaines où je dormais trois jours dans des pays différents, et les quatre autres dans l'avion. » Rejoindre Better Place, c'est s'engager 24 heures sur 24. « Shai a cette capacité de tirer des gens le maximum, dit Aliza Peleg. Il place la barre tellement haut qu'on n'arrive jamais à la passer... mais on atteint des niveaux qu'on n'aurait jamais crus possibles avant. Si on apprécie d'être poussé à ses limites, cela apporte beaucoup de satisfaction. »

Concrètement, Better Place est organisé en deux entités. La « TopCo » est responsable des relations stratégiques, des alliances, du management, du développement des produits et du business ainsi que de l'évangélisation. La plupart de ces fonctions centrales sont gérées de Palo Alto. Seul le laboratoire d'ingénierie, qui conçoit les bornes de recharge et les stations d'échange, et écrit les logiciels du cœur du système, est implanté en Israël. Et puis, sur le terrain, il y a les entités opérationnelles – ou « OpCo » – chargées de la mise en place de l'offre dans chaque pays.

Israël, évidemment, est la vitrine de démonstration idéale : le territoire est petit, avec des centres urbains distants de moins de 150 kilomètres. 90 % des propriétaires de voiture parcourent moins de 70 kilomètres par jour. Comme en Europe, il y a des taxes lourdes sur l'essence, couplées avec une politique incitant à acheter des voitures propres. Mieux : le gouvernement, qui espère s'être débarrassé du pétrole d'ici 2020, veut basculer massivement sur l'électricité solaire et rêve de transformer le désert du Néguev en « champ de pétrole virtuel »…

Car rien ne servirait de rouler électrique si les électrons provenaient de centrales « sales » au charbon. Better Place s'engage donc à utiliser exclusivement de l'électricité propre. « Pour chaque voiture mise sur la route, on achètera l'électricité propre qui l'alimente, dit Agassi. En Israël, ce sera du solaire. Au Danemark, de l'éolien, dont beaucoup se perd la nuit. Les batteries électriques deviendront ainsi autant d'unités de stockage. » Better Place ne compte évidemment pas produire elle-même ces énergies renouvelables : elle s'alliera avec des opérateurs locaux, auxquels elle garantira des volumes d'achat sur douze ans. « Si nos volumes sont significatifs, cela constituera un appel d'air permettant de financer de nouveaux projets de fermes solaires et éoliennes », espère Agassi.

Better Place, en tout cas, a déjà mis la carte israélienne en équation. « Tout se passe comme si on construisait une énorme rallonge électrique, explique Agassi. Elle desservira les maisons de nos clients, mais aussi une place de parking sur cinq dans tous les endroits où ils sont susceptibles de stationner une heure ou plus : au bureau, en centre-ville, dans les centres commerciaux... » Pour l'EDF local, Israel Electric Company, c'est une aubaine : une formidable occasion de pénétrer les 50 % du marché énergétique qui leur étaient jusque-là inaccessibles.

Pour couvrir le pays, Better Place compte ainsi construire 500 000 bornes de recharge et 150 stations d'échange avant même de commencer la commercialisation à grande échelle des voitures. « On met 200 millions de dollars sur la table, dit Agassi, moitié capitaux, moitié emprunt. Et on espère un retour sur investissement rapide. » Son point mort serait aux environs de 20 000 voitures. 2009 sera consacré aux tests et à la campagne de communication, avec une première série de 50 Mégane EV. Le 8 décembre 2008, le général Moshe Kaplinsky, patron de Better Place Israël, démontre pour la première fois le chargement électrique d'un véhicule sur le parking

Cinema City de Pi-Glilot. Les premières stations d'échange suivront : « On discute avec les stations à essence, dit Agassi. Le gars qui vend des bonbons peut aussi superviser les échanges de batteries. »

D'Israël... à la planète

A l'origine, Shai et Aliza pensaient mettre leur projet en œuvre en Israël, et voir ensuite si le modèle était exportable à d'autres pays. Mais, dès les premiers articles de presse en 2007, Better Place est assailli de sollicitations de villes, de régions, de pays qui souhaitent en savoir davantage. Du coup, la start-up essaie d'inventer une méthodologie pour exporter son modèle le plus rapidement possible. « On construit ce qu'on appelle "Better in the Box", explique Aliza Peleg. On invente la recette d'évolutivité : on détermine ce qu'on rend obligatoire, ce qu'on adapte au contexte local. C'est un peu comme faire un gâteau : vous allez plus vite si on vous fournit la recette et les ingrédients ! » Muni d'une telle boîte à outils, un « missionnaire » de Better Place peut ainsi bâtir rapidement une organisation locale, puis passer à autre chose. En février 2009, Better Place a nommé des patrons opérationnels en Israël, au Danemark, en Australie et en Amérique du Nord.

Dans chaque pays, la start-up fait alliance avec des partenaires locaux : au Danemark elle travaille avec

DONG (Danish Oil and Natural Gas), qui est engagé dans le pétrole, l'électricité et les énergies renouvelables ; en Australie, c'est AGL Energy et le financier Macquarie. « Le modèle peut être décliné partout sur la planète, affirme Shai Agassi. Chaque territoire a ses avantages propres ; la question est de savoir s'il a envie de les faire jouer. L'Europe a une politique fiscale en place : il lui suffirait d'en faire un levier pour déclencher une adoption immédiate. Aux USA, nous avons une "extension de portée préconstruite", qui est la deuxième voiture. En outre, une grande partie du pays a été conçue autour d'îlots urbains de transport de cent ou cent soixante kilomètres de diamètre, interconnectés par des autoroutes. C'est facile à couvrir. »

Quand on lui demande si la construction d'une infrastructure de recharge sur tout le territoire américain ne serait pas dissuasive, Shai Agassi a une réponse imparable : « Un milliard de dollars, c'est une somme importante en soi. Mais cela ne représente que la facture de deux mois d'importations pétrolières ! »

Le problème, aux États-Unis, reste l'absence de fiscalité incitative. L'administration Obama a bien prévu une réduction de 7 500 dollars sur l'achat de voitures propres, mais la retombée du prix de l'essence sous l'effet de la récession − de 4 dollars le gallon (1,05 dollar le litre) en 2007 à environ 3 dollars mi-2009 − a freiné l'enthousiasme des conducteurs pour les technologies alternatives. « Nous sommes compétitifs si l'essence ne baisse pas au-dessous de 1,50 dollar le gallon », affirme Mike Granoff. Mais les objectifs nationaux restent mesurés : le candidat Obama avait promis 1 million de voitures électriques d'ici 2015 sur un marché où il se vend 12 millions de véhicules légers par an, et où 250 millions sont déjà en circulation.

La révolution électrique restera-t-elle un rêve dans l'esprit des « croisés » de Better Place, ou changera-t-elle l'histoire de l'automobile ? Même si cela ne demande pas de percée technologique, il faut que beaucoup de facteurs s'ajustent harmonieusement pour que la sauce électrique prenne et que les volumes deviennent exponentiels. Shai Agassi est persuadé que son modèle fera rapidement des émules : « Ça ira plus vite qu'on ne croit. Si les vitrines israéliennes et danoises prouvent la validité du modèle, il n'y a pas de raison pour que d'autres entrepreneurs ne se lancent pas dans le métier d'opérateur de réseau. » Pourquoi pas les compagnies pétrolières, qui croulent sous le cash et qui doivent préparer l'« après-pétrole » ? British Petroleum commence bien à investir sérieusement dans les biocarburants… « Notre vision est qu'en 2020, il se vendra dans le monde davantage de voitures électriques que de voitures classiques », proclame le messie de la « voiture 2.0 ». Et il identifie trois points de bascule, dont il pense qu'ils peuvent se concrétiser d'ici 2015 : « Premièrement, le déploiement de 1 000 voitures par mois dans un pays. Deuxièmement, l'adoption du modèle par une ville chinoise. Troisièmement, la possibilité de faire 640 kilomètres sur une charge et de changer la batterie en quelques minutes. »

Son partenaire automobile, et la plupart des experts, eux, sont plus mesurés. « Pendant une longue période, il n'y aura pas une seule technologie dominante, a déclaré Carlos Ghosn à l'émission "Questions pour le futur" de CNBC. Tout en développant des véhicules électriques, nous travaillons aussi sur des hybrides, des diesels propres, sur des moteurs à essence plus compacts. » Mais le patron de l'Alliance franco-niponne pronostique tout de même qu'à moyen terme, « sur les 65 millions de véhicules produits chaque année sur la planète, 10 millions seront électriques ».

Aliza Peleg, elle, semble animée d'une foi encore plus forte que celle de Shai Agassi. « Au moment de créer Better Place, on parlait tous les deux une nuit, et Shai m'a dit : "C'est énorme, et c'est risqué…" Moi je lui ai répondu : "On ne peut pas échouer. Parce que si on n'y arrive pas, nous, quelqu'un d'autre y arrivera. Et, en tant que pionniers, on aura quand même gagné. On a déjà gagné !" »

6.

Essence de paille et diesel d'algues

A l'est de l'île hawaïenne de Kawaï s'étend la plantation de canne à sucre de 9 000 hectares de la Grove Farm Company, appartenant à Steve Case, le milliardaire qui avait créé le fournisseur d'accès internet America Online (AOL). Un vestige du passé, ces cannes à sucre ? Oui, mais aussi un avant-goût de l'avenir. Ou plutôt de ce que Steve Case appelle « Hawaï 3.0 [troisième génération] ». Historiquement, cet État américain du Pacifique, situé à 359 kilomètres au sud-ouest de San Francisco, s'est développé grâce à son activité agricole, puis à son tourisme. Son troisième acte pourrait bien être le décollage des énergies propres. Steve Case a fondé la nouvelle société Hawaii Bio-Energy avec deux autres très gros propriétaires terriens, le réseau d'écoles privées Kamehameha Schools et le holding immobilier Maui Land and Pineapple Company. A eux trois, il contrôlent 10 %

du sol arable du 50ᵉ État américain, soit quelque 182 000 hectares.

Financée par le capital-risqueur de la Silicon Valley Vinod Khosla, mais aussi par le millionnaire Pierre Omidyar, le Français qui a fondé le site d'enchères eBay et réside désormais à Hawaï, Hawaii BioEnergy a l'ambition de replanter ces terres, pour produire de l'éthanol de canne à sucre à des coûts comparables à ceux du Brésil. Deux concurrents déjà producteurs de sucre – Gay & Robinson à Kawaï et Hawaiian Commercial and Sugar à Maui – ont des projets similaires d'usines d'éthanol. Après tout, avec son climat tropical et son soleil, l'État est l'un des mieux placés pour produire une biomasse abondante et prouver la compétitivité des biocarburants.

Il faut dire que Hawaï importe 90 % de ses besoins en énergie. Et que Madame la Gouverneure, Linda Lingle, mène une politique résolument verte : non seulement elle a fait voter, en mai 2006, une loi exigeant que 20 % de tous les carburants commerciaux soient renouvelables à l'horizon 2020, mais elle a aussi lancé un plan pour qu'en 2030, l'État tire 70 % de ses besoins en énergie de sources alternatives (solaire, éolien, énergie des vagues, biocarburants, voitures électriques…).

« D'une certaine manière, on assiste avec le développement des biofiouls à un retour à la terre pour l'énergie », constate Philippe Lavielle, vice-président exécutif en charge du développement chez Genencor, une filiale du group danois Danisco, basée à Palo

Alto et très active en matière de biocarburants de nouvelle génération. On peut y voir une continuité avec l'histoire de l'agriculture, souligne cet ancien HEC. « Jadis, les fermes consacraient 30 % de la surface cultivée au foin et autres aliments pour nourrir bœufs et chevaux de trait. Aujourd'hui, beaucoup de ces surfaces ont été mises en jachère : on cherche à nouveau à y produire de l'énergie, ainsi que sur des terres actuellement impropres à la production. »

La « folie éthanol »

Le regain d'engouement pour les biocarburants est dû à l'impasse dans laquelle on se trouve sur les énergies fossiles. D'une part, les États-Unis comme l'Europe souhaitent, pour des raisons géostratégiques, devenir moins dépendants des pays producteurs de pétrole. D'autre part, nos réserves de pétrole et de gaz naturel s'épuisant, leur prix va augmenter très fortement dans les années qui viennent. Enfin, les carburants fossiles brûlés pour le transport sont responsables d'un tiers des émissions de gaz à effet de serre de la planète et contribuent donc fortement au phénomène du réchauffement climatique.

Malgré les espoirs de Shai Agassi[1], il est peu probable que la voiture électrique conquière du

---

1. Voir chapitre 5.

jour au lendemain un marché de masse. Et, de toute façon, aucune batterie n'est capable de faire tourner les moteurs des poids lourds, des locomotives diesel ou des avions. Du coup, un nombre croissant d'experts misent à nouveau sur un concept hérité du premier choc pétrolier : les carburants issus de végétaux. Ils ont l'avantage de provenir de cultures que l'on peut produire sur nos territoires, et puisqu'en brûlant ils ne libèrent que le gaz carbonique emmagasiné au cours de leur vie par les plantes dont ils sont issus, ils sont moins nocifs pour le climat que les énergies fossiles qui, elles, relâchent un CO_2 jusque-là séquestré sous terre. Les biocarburants ont en outre l'avantage d'être aussi renouvelables que les cultures dont ils sont issus. Et ils sont compatibles avec les moteurs existants (en mélange pour l'éthanol ou le butanol, ou en substitution complète pour les biocarburants à base d'hydrocarbures). Aussi, dans les années 1990 et 2000, de nombreuses études ont affirmé que le monde pouvait subvenir à la moitié de ses besoins énergétiques et nourrir ses populations en consacrant une bonne partie de ses terres agricoles à la production de bioénergie.

Le Brésil, qui s'est engouffré dans cette politique il y a plus de soixante ans, a produit 24 milliards de litres d'éthanol de canne à sucre en 2008, et l'Union européenne 2,7 milliards de litres à partir de betterave et de céréales. Mais c'est le Midwest américain qui, avec la récente flambée du baril de brut et une

politique fiscale favorable, a été pris d'une véritable
« folie éthanol ». Le nombre de raffineries est passé
de 54 en 2000 à plus de 170 en 2009, sans compter
une trentaine d'autres en construction. Dans le même
temps, la production de *corn ethanol* a bondi de 6,4 à
34 milliards de litres. 25 % de la production américaine de maïs est déjà consacrée à l'éthanol, qui
compte pour 9 à 10 % de son carburant automobile.
Et ce n'est qu'un début : l'*Energy Independence and
Security Act*, voté au Congrès en 2007, a fixé un
objectif annuel de 56 milliards de litres d'éthanol de
maïs à l'horizon 2015.

Mais l'éthanol de maïs est-il une si bonne solution ? Voilà qu'en 2007 et surtout 2008, la hausse
brutale et généralisée du prix des denrées alimentaires de base provoque des « émeutes de la faim ».
Du Mexique à la Thaïlande, du Sénégal au Pakistan,
le peuple descend dans la rue pour protester contre
la hausse de la tortilla, du manioc ou du riz. Dès lors,
la production d'éthanol, qui a accru la demande en
maïs, se voit montrée du doigt comme principale
responsable de la flambée des cours du grain. Tout
n'est évidemment pas si simple : l'« arbre » éthanol
cache une « forêt » d'autres causes de l'inflation des
produits alimentaires : la hausse du pétrole, la forte
croissance de la demande de grain en Chine et en
Inde, et une sécheresse historique en Australie...
Pour les promoteurs de l'éthanol, cette polémique
a été en grande partie fabriquée par le lobby des
industriels de l'agro-alimentaire, trop contents de

se saisir de cet alibi pour augmenter les prix à la distribution.

N'empêche. Du jour au lendemain, le « sauveur éthanol » devient l'« affameur du peuple ». Et pas seulement dans la presse : pas moins de dix organismes officiels mettent en cause le rôle des biocarburants, leur attribuant, selon les cas, de 2 %... à 30 % de la hausse des prix alimentaires mondiaux. « Du point de vue de la sécurité énergétique, de l'environnement et de l'économie, les bénéfices de la production de biofiouls à partir de cultures alimentaires sont au mieux modestes, au pire négatifs », avertit un rapport de la FAO. Attention, prévient aussi Lester Brown, de l'Earth Policy Institute : les biofiouls génèrent une rivalité entre les 800 millions de propriétaires de voitures... et les 800 millions d'humains connaissant des problèmes de nutrition !

Food versus Fuel

Ce débat « Nourriture ou carburant » n'est pas près de s'éteindre. « Remplir le réservoir d'un SUV de 95 litres d'éthanol pur requiert plus de 204 kilos de maïs — soit assez de calories pour nourrir une personne pendant un an », affirment Ford Runge et Benjamin Senauer, deux économistes de l'université du Minnesota. Intitulé « Comment les biofiouls pourraient affamer les pauvres », leur article, publié dans *Foreign Affairs*, avertissait dès mai 2007 : « Les biofiouls ont lié les prix du pétrole et les prix des aliments d'une manière qui pourrait altérer profondément les relations entre les agriculteurs, les consommateurs et les nations dans les années à venir, avec des conséquences potentiellement dévastatrices, à la fois pour la pauvreté dans le monde et la sécurité alimentaire. »

Face à cette attaque en règle, l'industrie de l'éthanol riposte : l'éthanol de maïs, c'est plus de 494 000 emplois, une contribution de 65,6 milliards de dollars au produit intérieur brut et une économie de 20 milliards de dollars pour les ménages américains, explique la Renewable Fuels Association. Cela représente 321 millions de barils de pétrole déplacés en 2008, soit dix mois d'importations du Venezuela. Dans ce combat pour convaincre l'opinion publique et les hommes politiques, le lobby de l'éthanol a reçu des renforts inattendus : celui d'entrepreneurs et de financiers de la Silicon Valley, qui ont investi dans les start up de biocarburants de seconde génération, dits « cellulosiques ». Le célèbre capital-risqueur Vinod Khosla est de ceux-là. Convaincu que seuls les biocarburants ont le potentiel économique nécessaire pour réduire de manière significative nos émissions de carbone et notre dépendance vis-à-vis des énergies fossiles, il a notamment investi dans neuf sociétés aux approches diverses (Mascoma, Range Fuels, Verenium, LS9, Amyris, Lanza, Gevo, Coskata et Kior). Devenu l'un des militants les plus ardents des fiouls verts, il a mis en ligne, sur son site web, un argumentaire réfutant point par point les critiques de Runge et Senauer.

Ses détracteurs reprochent à l'éthanol de maïs une économie subventionnée ? Selon eux, les 51 cents le gallon (13,47 cents le litre) versés par le gouvernement américain auraient artificiellement fait des États-Unis le premier producteur mondial d'éthanol devant le Brésil, plus compétitif, mais dont l'éthanol de canne à sucre est lourdement taxé à la frontière. Un phénomène spéculatif qui profite surtout aux lobbies du maïs et aux grands producteurs comme le groupe Archer Daniels Midland. C'est oublier un peu vite les multiples plans d'aide que la filière éthanol a reçus au Brésil depuis la Seconde Guerre mondiale...

Certes, reconnaît Vinod Khosla, il est toujours mauvais que le gouvernement choisisse les gagnants. Mais il souligne que ces quelque 8 milliards de dollars de subventions à l'éthanol américain pâlissent en comparaison des nombreux avantages accordés depuis des décennies à son industrie pétrolière. Entre les règles comptables favorables, les lois sur les plus-values et la sous-évaluation des licences d'exploitation pétrolière, Big Oil disposerait de subventions directes de plus de 0,25 cent par gallon (0,06 cent par litre). Un chiffre qui atteindrait 3 dollars le gallon (0,79 dollar par litre), si l'on prenait en compte les coûts indirects : les dépenses induites concernant la santé, l'environnement, et même la sécurité nationale... Selon le General Accounting Office du gouvernement américain, le secteur pétrolier aurait bénéficié de quelque 130 milliards de dollars d'aides au cours des 30 dernières années, et continuerait au rythme de 35 milliards de dollars par an. Notons d'ailleurs que le plus gros consommateur de carburants aux États-Unis est... le Pentagone, avec 300 000 barils par jour.

Deuxième grief contre l'éthanol : la hausse des prix du maïs fait grimper les grains de substitution et renchérit les produits transformés : céréales, viandes de bœuf, de volaille et de porc... Il est vrai que le dossier éthanol divise les lobbies agricoles américains : avec d'un côté les planteurs de maïs et de l'autre les producteurs de viande et de lait, qui voient avec angoisse s'envoler les prix de l'alimentation animale. Plus préoccupant : les États-Unis étant exportateurs de grain, cette hausse se serait répercutée sur toutes les denrées de base des pays en développement. Or, selon l'International Food Policy Research Institute de Washington, « le nombre des gens en état d'insécurité alimentaire augmente de 16 millions pour chaque point de hausse du prix réel des denrées de base ». Ce qui signifie que 1,2 milliard de gens pourraient souffrir chroniquement de la faim en 2025 – 600 millions de plus que ce qui était jusque-là envisagé.

Mais la part de responsabilité des biocarburants dans la hausse mondiale des prix alimentaires est difficile à déterminer. Pour Vinod Khosla, attribuer l'inflation des prix des produits transformés à la hausse du maïs est malhonnête, car « la hausse du pétrole affecte les prix alimentaires au moins deux fois plus que l'augmentation du prix du maïs ». De fait, un rapport du Congressional Budget Office d'avril 2009 estime que l'éthanol est responsable pour 10 à 15 % de la hausse des prix alimentaires aux États-Unis, entre avril 2007 et avril 2008. Un effet non négligeable, mais beaucoup plus ténu que celui dû à l'envolée du pétrole.

Khosla souligne par ailleurs que 70 % de la production de maïs et de soja américaine est destinée à nourrir le bétail. L'élevage des animaux à viande – en particulier le bœuf – absorbe bien plus de grain que l'industrie de l'éthanol. Or les Américains se gavent de viande rouge, deux fois plus que les Européens. Les enfants américains de sept à treize ans mangent, en moyenne, 6,2 hamburgers par semaine ! « Il faut à peu près 11 kilos de maïs pour mettre 450 grammes de steak sur votre table ; devrions-nous bannir le steak julienne ? demande Khosla. Si le remplacement de l'essence n'est pas un usage acceptable du maïs, est-ce que manger un steak (mauvais pour votre santé) l'est ? Qu'est-ce qui est plus important pour la société : un gallon d'éthanol ou une livre de steak ? » Pour lui, le débat devrait plutôt se situer entre production végétale et production animale. Une nouvelle polémique, surnommée en anglais *Fat vs. Fuel* (Graisse ou carburant). Pour l'anecdote, un chirurgien esthétique de Berverly Hills, le docteur Alan Bittner, a fait scandale en 2008, en se félicitant d'utiliser la graisse prélevée sur ses patientes par liposuccion... pour faire le plein de son 4 × 4 et celui de sa petite amie. Vive le « lipodiesel » !

Plus sérieusement, le rapport Khosla juge malhonnêtes et manipulatrices les images des enfants affamés du Sud, présentés comme des « dommages collatéraux » de l'éthanol de maïs. Les États-Unis n'exportent que 17 % de leur production de maïs, essentiellement comme aliment pour le bétail, rappelle-t-il. Pour lui, les vrais coupables de la faim dans le monde sont plutôt les politiques de subvention des agricultures européennes et américaines, qui rendent la compétition impossible pour les pays du Sud, ainsi que la faiblesse des revenus, des infrastructures et des réseaux de distribution dans les pays en développement. « Regardez ce qui se passe en 2009, souligne de son côté Philippe Lavielle de Genencor. On n'a jamais produit autant d'éthanol de maïs aux États-Unis... et les prix des denrées de base sont retombés avec la chute du prix du baril et la récession. »

L'éthanol est également critiqué pour son faible ratio énergétique net : le rapport entre l'énergie qu'il fournit et celle nécessaire à sa production. Il ne serait que de 1,25 à 1,35, selon le Laboratoire national des énergies renouvelables. Mais celui de l'électricité est quatre fois pire. Et celui de l'essence, lui, est négatif...

Enfin, l'éthanol de maïs est mis en cause pour son bilan environnemental mitigé. Il y a les effets directs : sa culture absorbe beaucoup d'eau, favorise l'érosion des sols, et nécessite l'utilisation de fertilisants, de pesticides et de pétrole. De ce fait, le *corn ethanol* ne diminuerait les émissions de gaz à effet de serre que de 12 à 26 % par rapport à l'essence selon Ford Runge et Benjamin Senauer (contre 41 à 78 % pour les biodiesels par rapport aux diesels conventionnels). Et, comme il est utilisé en mélange, l'effet est encore plus ténu : seulement 2 % de CO_2 en moins pour un carburant à 10 % d'éthanol, qui est actuellement la norme.

Si l'éthanol de maïs était mauvais pour la planète, rétorque Vinod Khosla, pourquoi serait-il soutenu à la fois par le Natural Resources Defense Council (NRDC) et le Sierra Club, deux grandes ONG environnementales ? Selon le NRDC, « en moyenne, l'éthanol produit aujourd'hui aux États-Unis réduit les émissions responsables du réchauffement climatique de 18 % pour chaque gallon d'essence [3,78 litres] déplacé. Mais tous les gallons ne se valent pas. La plupart des usines d'éthanol les plus récentes utilisent des systèmes plus efficients et du chauffage au gaz naturel, ce qui réduit les émissions de 35 % ».

Dernier grief et circonstance aggravante : l'éthanolmania, selon ses critiques, aurait de graves effets environnementaux indirects. Une assertion, là encore, difficile à quantifier. Car les dégâts émaneraient d'une série de réactions en chaîne : un grand nombre de

fermiers américains ayant remplacé leur récolte de soja
par la culture du maïs pour l'éthanol, les producteurs
brésiliens de soja répondent à une demande mondiale
accrue en gagnant sur les terres à pâturage. Si bien que
les éleveurs brésiliens de bétail, eux, s'étendent sur la
forêt amazonienne. De même, en Malaisie et en
Indonésie, la forêt tropicale est progressivement gri-
gnotée par des cultures de palmiers à huile pour la
production de biodiesels. Or, à l'échelle mondiale,
la déforestation compte pour 20 % des émissions de
gaz à effet de serre. Pourtant, ce carbone-là n'est pas
comptabilisé au passif des agrofiouls... De toute évi-
dence, la question de la déforestation dépasse largement la problématique de l'éthanol, et mérite d'être
traitée en tant que telle. Vu la fonction précieuse
d'aspirateur à CO_2 que joue la forêt, il conviendrait
sûrement de mettre au point un système global rému-
nérant sa préservation. Même difficile à mesurer, cet
« effet papillon » – mis en scène notamment par une
cover spectaculaire du magazine *Time* – a largement
contribué à ternir l'image de l'éthanol de maïs.

Un avenir cellulosique

Le *corn ethanol* ne mérite probablement ni les
louanges excessives du passé, ni les accusations outran-
cières d'aujourd'hui. Il serait en tout cas contre-
productif de jeter le « bébé biofiouls » avec l'eau du

bain éthanol ! Car l'éthanol de maïs est à présent
considéré comme une première étape – plus ou
moins réussie, mais indispensable. Les biocarburants
dits « de deuxième génération » devraient éviter la
plupart de ses écueils. La loi américaine de 2007
prévoit ainsi un plafonnement annuel de la production d'éthanol de maïs à 56 milliards de litres, avec
une production complémentaire d'« éthanol cellulosique » montant progressivement en puissance, pour
atteindre 79 milliards de litres par an à l'horizon
2022. « Nous n'aurions pas investi dans les éthanols
cellulosiques si l'éthanol de maïs n'avait pas créé le
marché et encouru le gros des risques initiaux,
plaide le financier Vinod Khosla. Le plus grand
mérite de l'éthanol de maïs est peut-être de servir de
marchepied pour accéder aux éthanols cellulosiques,
au butanol et aux carburants cellulosiques plus
attractifs. »

De quoi s'agit-il ? On regroupe sous le terme de
« biofiouls cellulosiques » toute une gamme de carburants, produits à partir de matières végétales, qui
ne font pas concurrence aux cultures alimentaires. Il
peut s'agir de résidus végétaux ou forestiers – sciures
et copeaux de l'industrie du bois, pailles de céréales
ou de riz, trognons d'épis de maïs, bagasses de canne
à sucre – ou bien de cultures dédiées, capables de
pousser avec de forts rendements sur des terres pauvres. C'est le cas de certains sorghos, ou de grami-
nées herbacées vivaces tels le panic érigé ou le
miscanthus.

Selon certaines études, aux États-Unis, 30 millions d'hectares de terres pourraient être dédiées à des cultures énergétiques sans incidence sur les cultures alimentaires. Et le Département américain de l'énergie a calculé qu'avec des changements minimes dans les pratiques culturales, on pourrait aujourd'hui récolter 1,3 milliard de tonnes de biomasse sur le territoire américain sans perturber le marché de l'alimentation. Vinod Khosla, lui, affirme que « 7,6 millions d'hectares pourraient produire 147 milliards de litres de biofiouls en 2017. Et qu'avec l'amélioration des rendements, on produirait 526 milliards de litres sur 19,8 millions d'hectares en 2027 ».

Alors que le maïs ou la canne donnent directement des sucres qui peuvent être fermentés en éthanols, la substance exploitable de ces plantes moins nobles est la cellulose, qui leur donne leur structure fibreuse. Matière organique la plus répandue sur terre, la cellulose représente, à elle seule, plus de la moitié de la biomasse planétaire : les végétaux en fabriquent 50 à 100 milliards de tonnes par an ! Or elle est composée de chaînes linéaires de milliers de molécules de glucose, qui peuvent être « cassées » en sucres, eux-mêmes transformables en alcools ou hydrocarbures...

Seulement voilà : la cellulose − associée à l'hémicellulose et à la lignine − forme une espèce de « béton végétal » très résistant. Des dizaines de laboratoires de par le monde travaillent donc à « déconstruire » ce complexe protecteur en sucres simples.

Certains misent sur des procédés thermiques ou chimiques ; d'autres sur des procédés biologiques de gazification ou de fermentation, mettant en jeu des micro-organismes – bactéries, enzymes, levures – déjà naturellement impliqués dans la dégradation des végétaux. Songez au méthane, émis à la surface des marais des climats équatoriaux, ou bien au processus digestif à l'œuvre dans l'estomac des termites, les seuls animaux de la planète capables de manger du bois, parce qu'ils abritent dans leurs tripes des colonies de microbes capables de digérer cellulose et lignine.

Les chercheurs travaillent à présent à « améliorer » artificiellement les potentialités naturelles de ces bestioles. Leurs recherches vont de la simple manipulation d'un ou deux gènes à l'ingénierie plus poussée de nouveaux micro-organismes, dont l'ADN et le métabolisme sont redessinés pour les transformer en micro-usines. Les cellules sont alors « designées » comme des réacteurs chimiques dont le chercheur a modifié les systèmes de contrôle. Cette nouvelle forme d'industrialisation de la biotechnologie est appelée « biologie synthétique ».

Ministre de l'Energie de l'administration Obama, Steven Chu est l'un des plus fervents promoteurs de ce type de recherche. Fils d'immigrants chinois, prix Nobel de physique en 1997, ancien ponte des facultés de Stanford puis de Berkeley, il a développé la vision d'une « économie du glucose » capable de se substituer progressivement à notre économie pétrolière. En ce mois de décembre 2008, Steven Chu, soixante ans, m'accorde l'un de ses derniers entretiens, en tant que patron du Lawrence Berkeley National Laboratory. « Le réchauffement climatique est le problème le plus important que la science et la technologie aient à résoudre aujourd'hui, affirme-t-il. Nous devons garder à l'esprit le sens de l'urgence. Et nous n'avons pas droit à l'échec. Parce que si nous n'y arrivons pas, le monde pourrait être affecté de manière dramatique. »

Entre 2004 et 2008, le professeur Chu a orienté plus du quart des 650 millions de dollars de budget annuel du Berkeley National Laboratory vers les technologies économes en carbone et les énergies renouvelables. « Sous l'ombrelle du projet Helios, détaille-t-il, nous travaillons sur les biocarburants de deuxième génération, les panneaux solaires avancés, les matériaux de construction écologiques, la capture et la séquestration du carbone. » Chu est notamment le parrain de deux grandes initiatives dédiées à la recherche sur les biocarburants avancés. Premièrement, l'Energy Biosciences Institute. Financé par British Petroleum, qui y consacre 500 millions de dollars sur dix ans, il s'agit du plus gros partenariat public-privé du genre ; il réunit des chercheurs de BP, d'UC Berkeley, du Lawrence Berkeley National Lab et de l'université d'Illinois à Urbana Champain. Deuxièmement, le Joint BioEnergy Institute (JBEI), qui regroupe trois grands laboratoires nationaux (Lawrence Berkeley, Lawrence Livermore et Sandia), ainsi que deux universités (UC Berkeley et UC Davis) et le Carnegie Institution for Science. Situé dans un magnifique bâtiment d'Emeryville, au pied des collines de Berkeley, il compte environ 150 chercheurs, avec une dotation initiale de 135 millions de dollars sur cinq ans du Département de l'énergie. « L'idée est de développer des cultures et des procédés qui fassent sens économiquement. C'est-à-dire capables d'être compétitifs avec un baril de pétrole entre 80 à 100 dollars, niveau auquel il ne devrait pas tarder à remonter », souligne Steven Chu.

Bactéries-usines et champignons à diesel

A Emeryville, Blake Simmons, un ancien du Sandia Lab devenu vice-président du Joint BioEnergy Institute, fait faire le tour du propriétaire : il présente l'équipe qui travaille sur diverses plantes : riz, tabac... Les chercheurs essaient, par hybridation ou manipulation génétique, de développer les végétaux les mieux adaptés à une production énergétique, c'est-à-dire capables de pousser avec de gros rendements (10 à 62 tonnes sèches par hectare et par an) sur des terrains pauvres, secs ou dégradés. « Notre laboratoire dispose d'une serre dédiée à UC Davis », précise Simmons. Dans l'unité de « déconstruction » qu'il dirige personnellement, les blouses blanches tentent d'optimiser les pré-traitements de la lignocellulose pour la rendre plus facile à décomposer en monomères : « On cherche notamment à identifier les enzymes présentes dans les communautés microbiennes des sols de la forêt vierge de Porto Rico, jusqu'ici inexploitées. » L'idée est ensuite de « fabriquer » des enzymes améliorées, qui auront les mêmes qualités mais n'émettront pas de sous-produits indésirables.

D'autres microbiologistes américains mènent des recherches similaires, sillonnant la planète pour découvrir les organismes les plus aptes à être transformés en fabriques à biocarburants. Ainsi le professeur Gary Strobel, du département de microbiologie de l'université d'État du Montana, espère avoir découvert un champignon miraculeux dans la forêt vierge de Patagonie. Le *Gliocladium roseum*, qui colonise les branches de certains arbres, exhalerait naturellement une vapeur contenant les mêmes chaînes d'hydrocarbones que celles des diesels.

Blake Simmons poursuit sa visite guidée par le laboratoire de robotique du JBEI, où de coûteuses machines ont la capacité d'analyser automatiquement les chemins métaboliques au sein de dizaines de milliers de variations génétiques d'une même enzyme ! Enfin, il y a le laboratoire de synthèse des fiouls : « Sa vocation est d'usiner de nouvelles levures capables – mieux que les organismes existants – de fermenter directement les sucres complexes de la cellulose, en biocarburants avancés, ou autres molécules chimiques intéressantes »...

Certaines entreprises visent la production d'éthanol cellulosique. Mais le JBEI, lui, travaille sur l'élaboration de carburants plus avancés : butanol, biodiesels ou bioessence. « L'éthanol, c'est pour boire… pas pour conduire ! » aime à plaisanter le patron du JBEI, Jay Keasling. Plus spécifiquement, l'éthanol a trois gros inconvénients, détaille Aindrila Mukhopadhyay, l'une des jeunes chercheuses de son laboratoire. « Un, il est constitué d'un petit nombre de molécules, donc il libère moins d'énergie en brûlant que les carburants plus avancés. » Autrement dit, le même volume de diesel ou d'essence vous fera parcourir beaucoup plus de kilomètres. « Deux, contrairement aux carburants fossiles, il est soluble dans l'eau. D'une part, cela rend sa transformation en fioul plus difficile, donc plus coûteuse. D'autre part, il est de ce fait corrosif pour les infrastructures classiques. » Aussi l'éthanol − de cellulose ou de maïs − nécessite-t-il des pipelines, des réservoirs de stockage et des stations de pompage spéciaux. Bref, il n'est pas compatible avec les milliards de dollars d'infrastructures pétrolières existantes. En outre, il n'est supporté par les moteurs conventionnels qu'en mélange inférieur à 15 %, alors que les biodiesels ou la bioessence, eux, sont substituables tels quels.

Du coup, l'afflux de financement des gouvernements, des spécialistes du capital-risque, mais aussi, de manière croissante, d'une poignée de géants industriels, a généré une course planétaire aux carburants végétaux de demain. Aux États-Unis, elle prend des allures de quête du Graal. Un total d'environ 3 milliards de dollars a déjà été investi sur tous les maillons de cette chaîne de production complexe, sur laquelle s'activent les laboratoires des grandes universités, les filiales spécialisées de grands groupes comme Genencor, et une myriade de start-up, qui ont poussé comme des champignons. Elles s'appellent Ceres, Codexis, Amyris, LS9, Solazyme, Live Fuels, Sapphire Energy... La seule Californie en compte une bonne douzaine, souvent financées par du capital-risque, et parfois alliées à des géants de l'énergie ou de la chimie, soucieux d'avoir un pied dans le secteur. Et, début mai 2009, le ministre Chu a annoncé que le Département de l'énergie allait investir presque 800 millions de dollars du plan de relance économique dans la recherche sur les biocarburants avancés et la construction de bio-raffineries pour tester ces nouveaux procédés. « Nous avons l'incroyable capacité de faire pousser non seulement la nourriture dont nous avons besoin, mais aussi une partie significative de l'énergie que nous utilisons », a-t-il déclaré.

« D'une certaine manière, on assiste à la troisième grande vague d'évolution de la biotechnologie moderne », décode Philippe Lavielle de Genencor. Les premiers outils de transformation du vivant sont nés au milieu des années 70, avec la création des Amgen et autres Genentech, dont les débouchés se trouvaient en pharmacie. 30 à 50 % du pipeline pharmaceutique est aujourd'hui issu des biotech.

Dans les années 80 s'est formée une deuxième vague, symbolisée par Monsanto, autour des OGM pour améliorer les rendements et les performances des plantes cultivées... « La prochaine frontière, c'est celle des technologies propres ou cleantech, constate Lavielle. Son champ est énorme puisqu'elle touche toutes les industries qui utilisent le carbone fossile : celle des carburants, mais aussi celles des matériaux et de la chimie. Il ne s'agit pas d'une mode, mais d'une transformation lourde, fondamentale, qui va demander des efforts d'adaptation considérables. »

Médicaments et fiouls verts

D'abord les médicaments... ensuite les carburants. S'il est une jeune pousse technologique qui suit parfaitement cette trajectoire, c'est Amyris, créée par Jay Keasling et trois de ses étudiants. A quarante-cinq ans, Jay Keasling est l'une des grandes figures américaines de la « biologie synthétique ». L'homme a de multiples casquettes : il dirige le département d'ingénierie chimique et de bio-ingénierie d'UC Berkeley, ainsi que la division des biosciences physiques au Lawrence Berkeley National Lab, il est patron du nouveau Joint BioEnergy Institute sur les biofiouls avancés. Et, depuis que son ancien boss, Steven Chu, a été appelé par Barack Obama à Washington, Keasling est aussi vice-président du Berkeley Lab.

« En général, nous raconte Jay Keasling, mes étudiants du Berkeley Lab travaillent à produire des réactions chimiques à l'intérieur des microbes unicellulaires. Il y a plusieurs années, on a commencé à travailler sur la biochimie des isoprénoïdes. » Isoprénoïdes ? Il s'agit d'une large famille de produits, qui peuvent être des saveurs (le menthol), des parfums ou des médicaments (comme le Taxol anticancéreux), pour la plupart naturellement fabriqués par les plantes. « On a décidé d'essayer de réoutiller un micro-organisme pour qu'il devienne un producteur performant de ces substances, poursuit Jay Keasling. On cherchait une bonne "cible", quand un de mes étudiants m'a apporté un article relatant que le premier gène dans le processus métabolique responsable de la synthèse de l'artémisinine avait été cloné. » L'artémisinine est un principe actif efficace contre le paludisme ou la malaria. C'est aussi un isoprénoïde, naturellement produit par l'armoise annuelle, une plante qui ne pousse qu'en Chine, au Vietnam et aujourd'hui au Kenya, utilisée en médecine traditionnelle chinoise depuis plus de deux mille ans. Dans les années 60, les médecins militaires chinois s'en sont même servis pour traiter les soldats de l'armée nord-vietnamienne, décimés par le « palu » à cause des moustiques qui infestaient l'eau stagnante de leurs tranchées...

Récoltée à partir de l'armoise, l'artémisinine a un prix de revient d'environ 2,40 dollars le traitement, ce qui la rend difficile à financer pour des malades

des pays du Sud. Surtout, sa récolte naturelle est soumise aux aléas climatiques et à la spéculation, d'où un prix variant de 200 à 1 000 euros le kilo. Or la malaria atteint, chaque année, 300 à 500 millions de personnes, dont plus de 1,5 million meurent. 80 % des cas sont enregistrés en Afrique subsaharienne, où ils concernent majoritairement les enfants de moins de cinq ans et les femmes enceintes. Cette recherche était donc porteuse d'énormes enjeux humanitaires. « On a commencé à y travailler en 2001-2002 », raconte Jay Keasling. Le professeur et ses étudiants trouvent le moyen d'introduire des gènes de plantes et de levure dans une bactérie pour la transformer en « usine vivante » et lui faire sécréter de l'acide artémisinique, précurseur du principe actif antipaludisme. Une technologie susceptible d'abaisser le coût du traitement, mais surtout de le stabiliser, en lissant les approvisionnements. Pour mieux se concentrer sur cette mission, Jay Keasling a créé en 2003 la start-up Amyris Biotechnologies avec trois étudiants en post-doctorat, Neil Renninger, Kinkead Reiling et Jack Newman.

Cette année-là, un article décrivant leur recherche attire justement l'attention de la fondation Bill & Melinda Gates, le bras philanthropique du roi du logiciel et de sa femme. Le laboratoire de Keasling, Amyris et l'ONG pharmaceutique One World Health soumettent alors, ensemble, une demande de financement. Un an et demi plus tard, la fondation Gates octroie 42,6 millions de dollars au projet

Artémisinine. « Les étudiants en post-doctorat fondateurs d'Amyris ont pu quitter mon laboratoire et embaucher du personnel pour travailler à plein temps là-dessus, raconte Keasling. Nous nous sommes réparti la tâche : mon labo a développé la science basique, identifié les gènes et les processus métaboliques, et posé les premiers jalons pour la construction du microbe. Un travail terminé en décembre 2007. Amyris, de son côté, s'est efforcé d'optimiser ce microbe, et de développer le processus de fermentation et la chimie nécessaire à la production du médicament. »

La malaria étant une « maladie de pauvres », les cofondateurs d'Amyris savaient bien qu'ils ne pourraient pas gagner de l'argent en produisant l'artémisinine. Ils ont donc décidé de faire don de la technologie : « Mon laboratoire a déposé les brevets sur sa recherche, mais il a licencié cette propriété intellectuelle gratuitement à Amyris, qui s'est engagé à ne pas réaliser de profits dessus. » De leur côté, Amyris et OneWorld Health ont conclu un partenariat avec le groupe pharmaceutique français Sanofi-Aventis, qui se charge des tests de fermentation et de production chimique sur de gros volumes, puis de la fabrication industrielle du médicament. « Notre souci est de mener cette opération à bien sans pour autant déstabiliser l'indispensable filière agricole de la molécule, explique Robert Sebbag, responsable de ce programme chez Sanofi. Nous devrions atteindre un prix de revient de 350 euros le kilo, et être en mesure de livrer fin 2011 ou début 2012. » Le groupe français utilisera une partie de sa production d'artémisinine de synthèse, et vendra le reste — à prix coûtant — à d'autres transformateurs. Afin de diminuer la résistance des parasites au traitement, l'artémisinine est administrée en « duo-thérapie » avec une autre molécule active.

Jay Keasling et ses élèves ont créé la société Amyris dans le but immédiat de produire de l'artémisinine. Mais leur idée, dès le départ, était que cette même plate-forme biotechnologique pourrait générer d'autres substances, créatrices de revenus. En janvier 2006, une présentation de Jay Keasling au Forum de Davos attire l'œil de deux vedettes du capital-risque : Vinod Khosla, de Khosla Ventures, et John Doerr, de Kleiner Perkins. Dès lors, les financiers cogitent avec les entrepreneurs sur leur prochain produit-cible, et tombent d'accord pour viser les biocarburants. « Quand on a été voir les milieux financiers pour lever de l'argent au-delà de celui de la fondation Gates, au début, ils ne savaient pas trop quoi faire avec nous, dit Keasling. Mais Khosla et Doerr sont ensuite devenus très intéressés par le potentiel de notre société. » Au point d'investir conjointement, ce que ces « frères ennemis » de la Vallée font rarement. Amyris, qui a trouvé un troisième investisseur avec Texas Pacific Group, lève alors 20 millions de dollars supplémentaires.

Amyris utilise à présent son savoir-faire en génie métabolique pour « usiner » des bestioles capables de cracher des fiouls avancés : biodiesel et kérosène pour les avions. Pour obtenir le sucre le moins cher du monde et muscler sa compétence industrielle, la start-up a formé un partenariat avec la société Crystalsev du groupe Santelisa Vale, deuxième producteur brésilien de sucre de canne. « L'idée est de concevoir des organismes qui peuvent directement fermenter ce sucre en biodiesels ou en *jet fuels* », dit Jay Keasling, conseiller scientifique de la start-up aujourd'hui dirigée par John Melo, l'ancien président de British Petroleum aux États-Unis. La PME discute aussi avec plusieurs États américains, dont l'Alabama, de la possibilité d'y redévelopper des champs de canne à sucre.

Fin avril 2009, Amyris annonce que son biodiesel, baptisé « No Compromise », a été certifié par l'Agence fédérale de protection de l'environnement. Utilisé en mélange, il réduit même les émissions de gaz carbonique du véhicule. Gageons qu'à l'avenir, Amyris sera aussi l'une des premières sociétés à profiter des trouvailles du JBEI sur la « déconstruction » de la cellulose : la start-up occupe des bureaux au rez-de-chaussée du building de l'institut à Emeryville...

Des fioles aux cuves

Certains procédés de transformation étant désormais assez avancés pour passer des fioles de laboratoires aux cuves de production, les projets d'usines-tests de carburants cellulosiques se multiplient. Le rapport 2009 de la Renewable Fuels Association répertorie pas moins de 26 sites industriels – de différentes tailles et à divers degrés d'avancement – dans une vingtaine d'États américains, dont trois en Californie. Selon Vinod Khosla, l'éthanol cellulosique n'est pas loin d'être compétitif. « Il peut être produit à 2 dollars le gallon (53 cents le litre), en utilisant les technologies d'aujourd'hui, affirme sa note. Range Fuels a obtenu un permis pour construire une usine commerciale en Géorgie, d'une capacité de 75 millions de litres par an. Et la société prévoit une demi-douzaine de sites de production en 2011, avec un prix de revient d'environ 1,25 dollar le gallon (33 cents le litre). » Il souligne que non seulement l'éthanol utilisant le procédé de Range Fuels – une dégradation thermochimique de résidus de bois de l'industrie papetière – réduit les émissions de gaz carbonique de 75 % par rapport à l'essence, mais qu'il utilise aussi 75 % moins d'eau que l'éthanol de maïs ; et, d'ici une dizaine d'années, 75 % moins de terres... En outre, il présenterait un bilan énergétique presque irréprochable : « L'éthanol fait entièrement à partir de cellulose a un ratio énergétique compris entre 5 et 6, et émet 82 à 85 % moins de gaz à effet de serre que l'essence conventionnelle », écrivent même les opposants les plus féroces à l'éthanol de maïs, Ford Runge et Benjamin Senauer.

Mais ces biocarburants de nouvelle génération sont-ils pour autant prêts, à court terme, à remplacer en masse l'essence et le diesel des stations-service américaines ? Nombre d'experts sont beaucoup plus

prudents que Khosla sur le calendrier de déploiement de ces technologies. Surtout quand on parle,
au-delà de l'éthanol, des biocarburants avancés. « Il
faudra compter cinq à dix ans pour une commercialisation à grande échelle », a estimé Steven Chu lors
de la cérémonie officielle d'inauguration du laboratoire JBEI d'Emeryville en décembre 2008, juste
avant son départ pour le Département de l'énergie.

Même discours mesuré chez Genencor. La filiale
de Danisco a breveté, fin 2008, l'Accellerase 1000,
premier complexe enzymatique commercial spécialisé
dans l'hydrolyse de la biomasse ligno-cellulosique.
Elle a aussi créé le partenariat Dupont-Danisco avec
le géant américain de la chimie. « Nous croyons à ces
techniques, puisque nous développons plusieurs projets de sites de production d'éthanol cellulosique aux
États-Unis et en Europe », précise Philippe Lavielle.
Il lui semble cependant important de réfuter trois
mythes répandus parmi les « technoptimistes » de la
Silicon Valley : « Un, les biocarburants cellulosiques
ne seront pas moins chers que les carburants fossiles.
Deux, ils ne se substitueront pas à l'éthanol de maïs
ou à l'essence du jour au lendemain. Trois, la technologie n'est pas tout : la mise en place de toute la
chaîne de production et de distribution est une opération industrielle et économique lourde ! »

En effet, il ne suffit pas que quelques chercheurs
arrivent à produire un résultat en labo pour que
s'accomplisse une telle révolution. Encore faut-il prouver que les bestioles trafiquées sont aussi efficaces dans

des cuves géantes que dans des éprouvettes. Et surtout, organiser les cultures dédiées de la biomasse, sa récolte, sa transformation, sa distribution... « Cela revient presque à recréer une nouvelle industrie pétrolière mondiale parallèle ! » résume Philippe Lavielle. Selon un rapport du Sandia Lab de février 2009, la production et la mise sur le marché de ces biofiouls de deuxième génération, à l'échelle des États-Unis, supposeraient d'investir un total de 400 milliards de dollars dans l'ensemble de la chaîne de production d'ici 2030, pour déplacer... 30 % de la consommation d'essence.

Pas étonnant, donc, s'il y a de fortes chances pour que les gagnants de ces nouvelles industries des carburants verts soient, à terme, les grands groupes : majors du pétrole et multinationales des produits de grande consommation et de la chimie. N'assiste-t-on pas déjà à une amorce de concentration dans l'industrie de l'éthanol de maïs ? En 2009, une partie des usines du producteur failli VeraSun ont été rachetées par le groupe pétrolier Valero Energy.

En outre, la crise devrait faire assez vite le ménage parmi les dizaines de start-up américaines du secteur. « On a assisté à la formation d'une bulle, générée par l'argent du capital-risque », déclarait à *Business Week* au printemps 2009 Alan Shaw, le PDG de Codexis, une PME de Redwood City qui fabrique des enzymes facilitant la production de médicaments, de produits chimiques et de biocarburants. Et les jeunes entreprises qui survivront se vendront, ou licencieront leur technologie aux géants qui, seuls, ont les moyens d'organiser une production à grande échelle de la biomasse, d'investir dans des usines à 500 millions de dollars pièce, et de distribuer les produits. LS9 a ainsi signé, en mai 2009, un partenariat pluriannuel avec Procter & Gamble.

Alors, en attendant qu'émerge la technologie gagnante, les compagnies pétrolières répartissent prudemment leurs œufs dans différents paniers. Ensemble, les cinq principales majors auraient dépensé un total de 5 milliards de dollars dans les énergies renouvelables au cours des dernières années, selon l'American Council on Renewable Energy. Un petit 10 % de la somme totale investie par les groupes privés et les capital-risqueurs. Le groupe anglo-néerlandais Shell a par exemple ralenti en 2008 ses investissements dans le solaire et l'éolien, pour se focaliser sur les biocarburants de nouvelle génération. Il a misé sur les PME de carburant cellulosique Iogen, Codexis et Virent, ainsi que sur la société d'algues HR BioPetroleum. La major British Petroleum, dont le nouveau slogan est depuis quelques années déjà « Beyond Petroleum » (« au-delà du pétrole »), fait de l'éthanol de canne à sucre à l'ancienne, au Brésil. Outre son partenariat de recherche avec le Berkeley Lab sur les fiouls cellulosiques, elle a également des projets d'usines de biobutanol à Hull (Angleterre), d'éthanol cellulosique en Floride, et de biodiesel en Inde, à partir de l'arbre à graines huileuses Jatropha. Même l'américain Exxon, jusqu'ici rétif aux énergies alternatives, vient d'annoncer un investissement de 600 millions de dollars dans la production de carburant d'algues...

Gardons-nous cependant d'accorder trop de crédit aux publicités télévisées qui présentent les majors du pétrole comme des « géants verts » ! En 2009, l'ensemble cumulé de ces dépenses en carburants alternatifs ne représente encore qu'une goutte d'eau – 1 à 2 % – dans l'océan de leurs investissements sur les énergies fossiles. Y compris les plus dévastatrices pour l'environnement, comme les schistes bitumineux de la province canadienne de l'Alberta.

Reste que ces nouvelles cultures énergétiques, si elles se multipliaient, auraient la capacité de redessiner significativement le paysage rural au Nord, mais peut-être aussi au Sud. Vu la quantité importante de biomasse nécessaire à cette production (il faut compter une tonne de végétal pour 359 litres de carburant) et le fait que la photosynthèse est plus forte en zone tropicale, il y aurait une vraie logique à ce qu'une bonne partie des cultures énergétiques, et leur transformation, soient situées en Asie, en Amérique latine et en Afrique. « Les cultures énergétiques peuvent augmenter les rendements de l'agriculture traditionnelle, tout en réduisant les besoins en fertilisants et pesticides chimiques dans les pays en développement. Avec les rotations appropriées, elles peuvent aider à remettre en production des terres dégradées, tout en augmentant les revenus des fermiers », souligne Vinod Khosla. Le fait que la « ceinture » de la pauvreté soit aussi celle de la biomasse peut constituer une

chance pour les pays en développement : « L'avènement des biocarburants cellulosiques représente une
opportunité historique de rééquilibrer les flux commerciaux entre le Nord et le Sud », estime pour sa
part Philippe Lavielle de Genencor.

Le plein d'algues ?

Dans un hangar anonyme d'un building de South
San Francisco sont stockés une quinzaine de gros
bidons bleus en plastique. « Il s'agit de la plus grosse
réserve au monde de biodiesel produit par des
micro-algues, triomphe Harrison Dillon, cofondateur
avec Jonathan Wolfson de la start-up Solazyme. On
a déjà produit des milliers de gallons, et ce carburant
– qui réduit les émissions de CO_2 de 85 à 93 % par
rapport au diesel conventionnel – est parfaitement
opérationnel et certifié : il fait déjà rouler notre 4 × 4
diesel de fonction depuis plus d'un an ! »

Eh oui, à la grande loterie des biofiouls de
deuxième génération, un nombre croissant de jeunes sociétés biotechnologiques misent non pas sur
les plantes terrestres, mais sur les micro-algues et autre
phytoplancton. Ces organismes ont, en effet, l'avantage de produire très vite par photosynthèse une biomasse importante, et de stocker naturellement leur
énergie sous forme de lipides. Ces « huiles » peuvent
ensuite être extraites et transformées en carburants

verts avancés, compatibles tels quels avec les infrastructures et les moteurs existants.

L'idée n'est pas nouvelle : après tout, le pétrole lui-même est déjà fabriqué, sur des millions d'années, par la sédimentation de matière organique végétale – dont des algues – enfouie au sein de la matière minérale, et sa lente maturation en hydrocarbures. Le gouvernement américain avait même mis sur pied, à la fin des années 70, un Aquatic Species Program, afin d'explorer la possibilité de produire de l'essence d'algues. Mais ces efforts ont été abandonnés en 1996, après l'effondrement des cours du brut. Ces dernières années, la course aux énergies renouvelables a amené une poignée d'entrepreneurs à ressusciter l'idée. D'où la création d'Aurora Fuel, Green Fuel, Live Fuel, Solix Biofuels, Sapphire Energy, Solazyme…

« En 1995, quand je faisais mon PhD en génétique, la pharmacie était un secteur assez mûr, alors que la biotechnologie appliquée aux énergies renouvelables constituait un champ d'innovation beaucoup plus excitant, parce qu'encore à l'âge de pierre », raconte Harrison Dillon. Il se passionne, dès cette époque, pour le potentiel énergétique des algues. En 2003, après un diplôme de droit et un détour comme spécialiste de la propriété intellectuelle dans les biotechnologies, Dillon crée Solazyme « dans son garage », avec Jonathan Wolfson, son ami depuis leur première année à l'Emory University d'Atlanta.

« C'était bien avant que les greentech ne soient à la mode, bien avant qu'Al Gore ne popularise le

sujet, raconte-t-il. A l'époque, le baril de pétrole
était à... 18 dollars ! Comme on avait une grande
longueur d'avance sur les autres, on a découvert très
tôt que faire pousser des algues au soleil n'était pas
la bonne technique. Cela revient beaucoup trop
cher. » Alors que la plupart de leurs concurrents mettent à profit la photosynthèse pour élever leurs
algues dans des bassins ouverts ou dans des photo-
bioréacteurs transparents, Dillon et Wolfson, eux,
pratiquent la « fermentation sombre » : les algues
sont enfermées dans des cuves stériles en acier et
sont « nourries » au sucre de canne.

Harrison Dillon se lève et dessine un diagramme :
la production d'algues, en grammes par litre, en fonction du temps. « Si on met les micro-algues dans un
bassin ouvert ou un bioréacteur transparent, les cellules
commencent par se développer de manière exponen-
tielle. Mais, dès qu'elles atteignent une bonne densité,
elles se font mutuellement de l'ombre. Alors, on bute
sur un plateau : au bout de deux mois, on a seulement 5 grammes par litre et une teneur de 10 %
d'huile. Avec notre méthode, les cellules d'algues bai-
gnent dans leur sauce énergétique de sucre. En trois
ou cinq jours, on atteint des centaines de grammes
par litres, avec une teneur en huile de 75 %. »

Mais si les algues de Solazyme doivent « manger »
du sucre de canne, ne retombera-t-on pas dans la
polémique « Nourriture ou carburant » ? « Se demander, dans l'absolu, si les biocarburants sont bons ou
mauvais, c'est un peu comme se demander si les

objets en métal sont dangereux, répond Harrison Dillon. Tout dépend de l'usage qu'on en fait ! Couper la forêt vierge pour planter des palmiers à huile et produire du bioéthanol, ce n'est pas bon... Mais restaurer des cultures de canne, là où elles existaient depuis deux cents ans, pour en faire du biodiesel à bas coût dans un cycle de carbone neutre, oui, c'est bon pour l'environnement ! » Selon lui, il existe à court terme une grande marge de manœuvre pour remettre en production d'anciennes terres à canne aux États-Unis sans perturber les cultures alimentaires : à Hawaï, en Alabama, en Louisiane, mais aussi dans l'Imperial Valley californienne. A moyen ou long terme, quand les techniques de la dégradation de la cellulose seront compétitives, Solazyme prévoit d'utiliser les sucres provenant des plantes cellulosiques.

Très optimiste sur les éthanols cellulosiques, Vinod Khosla, lui, ne croit pas à l'économie des carburants d'algues : « Nous avons étudié deux dizaines de projets, mais nous n'avons pas trouvé de schéma économique convaincant. Nous pensons qu'il y a encore une grande marge pour l'innovation, et nous continuerons à regarder », déclarait-il fin 2008 lors d'un sommet professionnel.

Le savoir-faire propre de Solazyme, explique Dillon, réside dans l'ingénierie génétique des cellules algales : « On modifie leur patrimoine ADN pour changer l'*input* et l'*output* : ce que les algues peuvent manger – par exemple du sucre de canne au lieu du maïs – mais aussi leur apparence physique. Ces manipulations génétiques se pratiquent déjà depuis trente ans dans la fermentation en cuve. Ce serait plus difficile à faire accepter en bassin ouvert ! »

L'autre problème des bassins ouverts est qu'ils sont contaminés au fil du temps par des races d'algues parasites. La technologie originale de Solazyme intéresse en tout cas la major américaine Chevron, qui a signé avec la start-up de South San Francisco un partenariat confidentiel. En juin 2009, Solazyme emploie une soixantaine de personnes et dispose d'un total de plus de 76 millions de dollars, fournis par quatre firmes de capital-risque, dont Vantage Point Venture Partners. Surtout, son cofondateur affirme avoir réussi à produire un biodiesel d'algues dans des quantités et à des prix qui rendent probable une commercialisation pas trop lointaine : « Nous serons dans la fourchette des 2 à 3 dollars le gallon (0,52 à 0,80 dollar par litre) dans vingt-quatre à trente-six mois. Dans deux à trois ans, nous serons pleinement compétitifs avec les carburants fossiles. »

Pétrochimie verte

Quelques centaines de kilomètres plus au sud, à San Diego, une autre PME de biocarburant d'algues affiche de gros progrès. Mi-avril 2009, Sapphire

Energy affirme qu'elle « produira 3,78 millions de litres de diesel et de fioul pour le transport aérien dès 2011 ». Et la PME annonce des plans extrêmement ambitieux : 378 millions de litres par an en 2018, 3,78 milliards de litres en 2025. Ce qui signifie que « Sapphire fournira à elle seule assez de fioul pour représenter 3 % des 136 milliards de litres de carburant renouvelable prévus à cette date » ! Une assertion qui fait sourire beaucoup de concurrents et nombre de chercheurs dans les grands labos spécialisés.

Il faut dire que la PME de San Diego ne révèle pas ses secrets de production. Elle affirme simplement avoir breveté « une plate-forme révolutionnaire – basée sur la lumière du soleil, le CO_2, des micro-organismes photosynthétiques (algues), de l'eau non potable et du terrain non cultivable », et être capable de produire à l'échelle industrielle un *Green Crude* (brut vert) pouvant ensuite être raffiné en diesel, carburant pour avion, essence ou divers produits pétrochimiques. Financé par des investisseurs de renom – notamment Bill Gates, via sa société Cascades Investments, et la famille Rockefeller, via Venrock Capital –, Sapphire Energy a déjà testé son *jet fuel* avec succès auprès de deux compagnies aériennes, Continental et Japan Airlines.

Les process industriels à base d'algues présentent de nombreux avantages : une biomasse qui croît très vite, la possibilité d'utiliser des eaux usées et d'occuper des terrains impropres à toute culture, et, comme avec toutes les autres plantes, l'absorption de gaz carbonique comme nutriment. Mieux : les algues sont capables de produire directement des molécules qui − contrairement à l'éthanol − sont compatibles avec les infrastructures d'aujourd'hui. « Nos huiles peuvent être traitées dans des usines de fermentation déjà en activité, puis être raffinées pour produire du diesel, du *jet fuel*, du plastique, du savon, des cosmétiques ou de l'huile alimentaire, souligne Harrison Dillon de Solazyme. Notre carburant peut être distribué via le réseau existant de pipelines, dans les stations-service conventionnelles. Et il est utilisable pur, dans les moteurs diesel classiques, alors que l'éthanol à haute dose requiert des moteurs *flex-fuel*. »

Pour l'instant, Solazyme − comme Sapphire, qui a un projet d'usine au Nouveau-Mexique − vise surtout le marché des diesels et du kérosène pour avions. « J'ai eu des réunions avec Exxon, Chevron, BP et Shell... Les majors veulent toutes du diesel, explique Harrison Dillon. Pas pour les voitures, peu nombreuses à rouler au diesel aux États-Unis, mais pour les camions, les bateaux, les locomotives... »

En 2008 et 2009, le bruit médiatique autour de la biotechnologie est concentré sur les biocarburants. Pourtant, qu'elles travaillent sur les plantes cellulosiques ou les algues, beaucoup de ces start-up visent des débouchés diversifiés. « Quand on a créé la société, l'objectif était les biofiouls, dit Harrison Dillon. Puis on a compris, en cours de route, que la technologie s'appliquait aussi aux cosmétiques ou aux huiles alimentaires. Pour ces marchés, évidemment, on utilise des races naturelles d'algues, sans manipulation génétique. » L'entrepreneur boit, d'un trait, le contenu d'une de ses fioles huileuses et tend une coupelle au visiteur : « Goûtez : le profil de notre huile comestible est proche de celui de l'huile d'olive. C'est plus facile de gagner de l'argent à 68 dollars le litre d'huile alimentaire qu'à 11 dollars le litre de fioul... » Solazyme parle à plusieurs compagnies agro-alimentaires et chimiques, et devrait commercialiser des produits cosmétiques, des huiles alimentaires et des « neutraceuticals » dans les douze prochains mois.

Plus généralement, l'ensemble des marchés de la pétrochimie devraient, à terme, être transformés par la « biotechno verte » : des nettoyants ménagers aux fibres de moquette, des peintures aux plastiques, des colles aux pneus de voiture. C'est en tout cas le pari de sociétés comme DuPont ou Goodyear, devenues partenaires de Genencor.

Mais, avant même que les produits de cette nouvelle vague biotechnologique n'atteignent les marchés, certains « visionnaires » préparent déjà la révolution suivante : la fabrication de cellules–usines entièrement synthétiques. Ainsi le généticien Craig Venter a-t-il créé la PME Synthetic Genomics, dont la mission est de construire de façon entièrement artificielle le matériel génétique de « micro-robots » sécrétant les molécules désirées. « Nous avons la "modeste" ambition de remplacer tous les produits issus de l'industrie pétrochimique », a expliqué Craig Venter lors de la conférence TED sur l'innovation en février 2008... On le prendrait pour un fou, s'il n'avait déjà accompli en un temps record, au début des années 2000, ce que d'aucuns considéraient alors comme impossible : la première cartographie complète du génome humain. Le pétrolier Exxon a pour sa part accepté de miser sur lui...

7.

Autant en apporte le vent...

T. Boone Pickens se tient bien droit, à la tribune installée sur la pelouse de l'hôtel Renaissance Esmeralda de Palm Springs. Malgré ses quatre-vingts ans, il a l'œil malicieux d'un jeune homme et la verve d'un bonimenteur de foire. Costume sombre, chemise blanche, cravate orange, il harangue les quelque 500 participants du Clean Tech Summit qui, du 20 au 22 janvier 2009, rassemble créateurs de start-up vertes, capital-risqueurs, avocats et consultants spécialisés dans les énergies alternatives.

Étrange spectacle... T. Boone Pickens est une célébrité du monde américain des affaires : ex-roi du pétrole, milliardaire, pionnier du raid boursier dans les années 80, ce Texan au parler populaire est aussi l'un des grands mécènes du parti républicain. Pickens au pays des cleantech, c'est Borgia faisant vœu d'abstinence...

Pourquoi le pétrolier s'adresse-t-il aux verts ? Que vient faire cet apôtre du libre marché chez les militants d'une politique environnementale interventionniste ? Il vient défendre son nouveau cheval de bataille : l'indépendance énergétique américaine. « C'est incroyable, commence T. Boone Pickens : nous nous comportons depuis quarante ans comme si nous avions du pétrole, alors que notre production a culminé en 1970 ! Les États-Unis importent à présent 65 % de leur consommation de brut. Et plus de la moitié vient de pays qui nous sont hostiles, voire nous haïssent. »

Et le milliardaire d'expliquer, dans un discours débité avec son accent traînant du Sud, émaillé de « *what the hell !* » (que diable) et de « *my ass !* » (mon cul), que « cela ne peut plus continuer. D'autant que nous avons les moyens de faire autrement : nous avons des ressources... ». Comme aucun président américain n'a été capable d'élaborer un plan énergétique digne de ce nom, affirme-t-il, cela a poussé « ce vieux gars, surgi de nulle part », à mettre au point son propre projet : le « Plan Pickens », à base d'éolien et de gaz naturel.

L'orateur défend ses idées patriotiques, en lâchant les « boonismes » qui l'ont rendu célèbre. Du style : « Un imbécile avec un plan est meilleur qu'un génie sans plan. Et là, on a franchement l'air d'imbéciles sans plan... La planète entière se moque de nous ! » Ou encore : « Vous vous rendez compte : même les Français ont compris. Alors qu'on était les champions du nucléaire, leur électricité est maintenant à 80 % nucléaire, et la nôtre à 20 % seulement. Comment a-t-on pu se faire dépasser par les Français ? » Rires. Applaudissements.

A cette conférence de Palm Springs, dont les participants ne jurent que par Barack Obama, le vieux républicain texan fait un tabac. T. Boone Pickens, pourtant, n'a rien d'un écolo. Ce jour-là, il ne prononcera pas un mot sur le réchauffement climatique... Quand on lui pose la question, il se contente de répondre : « Oh, *what the hell*, ce ne serait pas si mal de réduire notre empreinte carbone [1]... » Lui n'essaie même pas. Doté d'une fortune évaluée à 4 milliards de dollars avant la crise financière, le couple Pickens possède des résidences palatiales partout : un ranch de 1 000 mètres carrés dans le Panhandle texan, une grosse propriété à Dallas. Sa quatrième femme, Madeleine, dispose aussi d'un domaine à 35 millions de dollars sur les côtes de Californie, non loin de San Diego. Et le couple ne semble pas vraiment préoccupé par les économies d'énergie : il sillonne la planète dans son jet privé G 550. Et pour fêter le quatre-vingtième anniversaire de Boone, en mai 2008, Madeleine a loué la totalité du Dallas Country Club, et fait venir spécialement d'Europe le ténor italien Andrea Bocelli, la soprano anglaise Sarah Brightman, et la chanteuse belge Lara Fabian...

---

1. *In* Skip Hollandsworth, « There Will Be Boone », *Texas Monthly,* septembre 2008.

Pickens a certes acheté récemment les droits sur l'eau d'un périmètre de 161 000 hectares dans le Panhandle texan, mais il s'agit davantage d'un pari financier que d'un geste écologique. Il compte en tirer des dizaines de millions de dollars de profit, en les revendant aux bassins d'agglomération de Dallas et de Fort Worth. Et si T. Boone Pickens a pris l'habitude de finir ses canettes de Coca même devenues chaudes, éteint toujours la lumière avant de sortir d'une pièce, et rapporte couramment des *doggy bags* de steak des restaurants huppés qu'il fréquente, ce n'est pas tant par souci de la planète que par un réflexe hérité de débuts difficiles.

Le seul côté vert de T. Boone, c'est le soutien qu'il apporte à la cause de sa femme Madeleine. Cette élégante blonde, qui incarne à merveille la formule de l'écrivain Tom Wolfe « *never too thin, never too rich* » (jamais trop mince, jamais trop riche), a acheté 400 000 hectares de terrain dans l'Ouest américain, afin de créer un refuge pour que les chevaux sauvages, en surpopulation, ne finissent pas euthanasiés par le gouvernement...

Non, la croisade de T. Boone pour les énergies alternatives est, avant tout, une question de sécurité nationale : « C'est une guerre sans armes, s'inquiète-t-il. En 1970, les États-Unis importaient 34 % de leur pétrole, en 1990 on a atteint 42 %. Aujourd'hui, c'est presque 70 %, et cela augmente à chaque minute ! » Cette facture pétrolière, qui se montait en 2008 à 475 milliards de dollars, pourrait atteindre

10 000 milliards, sur les dix prochaines années, avec la remontée des prix sous l'effet de la demande chinoise et indienne : « Ce sera le plus gros transfert de richesse de l'histoire de l'humanité, insiste Pickens. J'aimerais diablement mieux voir cet argent circuler dans notre économie, plutôt qu'au Venezuela ou en Arabie Saoudite ! »

Selon lui, cette dépendance croissante finira par menacer l'avenir même des Américains. « Quand le prix du pétrole remontera, je peux vous garantir que ça résoudra beaucoup de nos problèmes, plaisante-t-il devant son auditoire de Palm Springs. Pas la peine de s'en faire pour la santé ou l'éducation : on n'aura plus d'argent pour s'en occuper ! »

Un pétrolier... contre le pétrole

« En tant que pétrolier, je peux vous dire qu'on ne va pas s'en tirer en forant davantage », affirme T. Boone Pickens, s'inscrivant ainsi en faux contre le credo habituel des républicains, notamment Sarah Palin et John McCain : *« Drill, baby, drill ! »* (« Fore, bébé, fore »). Pickens a certes fait fortune dans le pétrole, mais il a toujours été un franc-tireur parmi les magnats du brut. Jeune géologue chez Phillips Petroleum, il est rapidement dégoûté par la bureaucratie. Il démissionne en 1954, au bout de trois ans, pour se mettre à son compte. A vingt-six ans, le *boy geologist* emprunte 2 500 dollars aux parents et amis pour créer sa première société, qui deviendra Mesa Petroleum. Ayant installé sa première femme, sa petite amie de lycée Lynn, et leurs trois enfants à Amarillo (Texas), il se déplace de puits en puits dans sa fourgonnette Ford bleu et blanc, et doit parfois tirer des écureuils à la carabine pour faire manger sa famille.

Mais le jeune entrepreneur est ambitieux et futé. Au début des années 80, il explique à son conseil d'administration qu'il revient beaucoup moins cher de « forer à Wall Street ». Les compagnies pétrolières américaines, qui avaient mené grand train lors de la hausse des prix consécutive au second choc pétrolier, en 1979, sont massacrées en bourse avec la rechute des cours. Assises sur des réserves alléchantes, ces sociétés – mal gérées et en sureffectif – sont cotées à New York à 40 %, voire 30 % de la valeur de leurs actifs. Pickens a toujours méprisé les membres de cet *Old Boys Club* des géants du pétrole, seulement préoccupés par leurs parties de chasse en Espagne et l'installation de salles de bain et de pianos dans leurs jets privés. « Ces PDG, qui possèdent peu d'actions de leurs entreprises, n'ont pas davantage de considération pour leurs actionnaires que pour les babouins d'Afrique ! » aime-t-il à répéter.

Avant même Jimmy Goldsmith et Carl Icahn, T. Boone Pickens entame alors une carrière de raider contre Big Oil. Le jeu des OPA sauvages enflamme les champs de derricks. Il consiste à accumuler 10 % des actions d'une société sous-évaluée à Wall Street, et à lancer ensuite un raid boursier hostile, financé à coups d'emprunts et de *junk bonds*, ces obligations dites « pourries » parce qu'à haut risque et haut rendement. Gulf Oil, Phillips Petroleum, Cities Services, Unocal... L'intrépide raider part à l'assaut de cibles parfois dix ou vingt fois plus grosses que lui. Il veut montrer à ces patrons arrogants « comment faire danser leur action ».

Boone, pourtant, n'a pas toujours été intrépide. Petit garçon, à l'école, il est tellement timide que c'est son copain de classe qui doit lire ses devoirs à haute voix. Mais le gamin se révèle ingénieux : à douze ans, il pédale tellement vite pour distribuer les journaux qu'il étend de plus en plus son rayon d'action... et il se fait déjà davantage d'argent de poche qu'il n'aurait pu en rêver. Il en parlera plus tard comme d'une initiation précoce à « la croissance rapide par acquisition ».

T. Boone Jr. est né à Holdenville (Oklahoma), une région d'élevage et de puits de pétrole : « Une poignée d'églises en briques, deux blocs de bureaux, trois drugstores et un magasin de matériel », décrit-il dans son autobiographie, *Boone*. Son père, Thomas Boone Sr., était un avocat reconverti en chercheur de pétrole et de minerai, qui tentait sa chance en prenant des concessions. Sa mère, par contraste, était une sage employée du cadastre. « L'instinct de parieur dont j'ai hérité de mon père était compensé par le don de ma mère pour l'analyse », expliquera-t-il. Adolescent,

Boone déménage avec ses parents à Amarillo, capitale informelle du Panhandle texan, qui deviendra sa patrie.

Pickens le raider n'a réussi l'acquisition d'aucune de ses cibles, mais il les a poussées dans les bras de « chevaliers blancs », ou les a contraintes à lui racheter ses actions à bon prix. De la même façon qu'au XIXe siècle Jay Gould a forcé les lignes de chemin de fer à fusionner, Pickens a, dans les années 80, déclenché la concentration des opérateurs pétroliers. Ce faisant, il a enrichi les actionnaires – à commencer par sa propre société : entre 1982 et 1985, ses batailles boursières ont rapporté à Mesa Petroleum pas moins de 800 millions de dollars. Devenu le fléau de l'industrie pétrolière, T. Boone Pickens fait à cette époque la une des magazines *Time* et *Fortune*.

L'Arabie Saoudite du vent ?

Le « Plan Pickens » est présenté le 8 juillet 2008 lors d'un blitz médiatique sans précédent. En une seule journée, T. Boone enchaîne conférence de presse et interviews sur toutes les grandes chaînes de télévision, à la radio publique NPR, avec l'agence AP et le *Wall Street Journal*… Il entame ainsi sa conférence de presse, dans son inimitable argot texan : « Écoutez, on est dans l'impasse […]. J'ai une idée pour résoudre notre problème d'énergie. Elle n'est peut-être pas parfaite, mais – *what the hell* – aucune de mes meilleures idées n'a jamais été parfaite. »

Son idée ? « Même un enfant la comprendrait », affirme Pickens. Il l'expose en quelques minutes, dans une vidéo diffusée sur son site PickensPlan.com. Actuellement, 22 % de l'électricité américaine est produite par des centrales au gaz naturel (50 % au charbon, 20 % au nucléaire, 8 % au reste). L'idée de Boone est de remplacer la tranche « gaz » de ce camembert par de l'éolien. Il se trouve en effet que l'immense corridor central américain, qui s'étend sur 2 500 kilomètres – de l'ouest du Texas à la frontière canadienne, en passant par l'Oklahoma, le Kansas, le Nebraska, les Dakota et le Minnesota –, est l'une des régions les plus venteuses du monde. Elle pourrait, selon la formule du texan, devenir l'« Arabie Saoudite du vent ». Il y aurait même théoriquement assez de potentiel éolien dans cette *Wind Belt* pour couvrir tous les besoins en électricité des États-Unis ! Mais comme le vent n'est pas constant, une turbine tourne en moyenne 60 à 80 % du temps. Et l'électricité ne pouvant pas être stockée de manière économique et fiable, il est imprudent d'intégrer plus de 20 % d'éolien dans un réseau électrique donné.

Une substitution de cette ampleur libérerait cependant assez de gaz naturel américain pour faire rouler camions et voitures. « Le gaz comprimé ou liquéfié, c'est deux fois moins cher que l'essence, c'est abondant, c'est 60 % plus propre que le diesel, et c'est à nous ! argumente T. Boone Pickens à Palm Springs. Tous les pays qui en ont s'y sont mis... même les Iraniens. Mais pas nous : sur plus de 9,8 millions de véhicules qui roulent au gaz naturel dans le monde, seulement 150 000 se trouvent aux USA. Cela n'a aucun sens ! »

Pickens ne présente pas son plan comme « la » solution définitive à la difficile équation énergétique, mais comme un pont vers les prochaines générations d'énergies propres : « Centrales nucléaires modernes, biocarburants cellulosiques, voitures électriques ou à hydrogène... Je suis pour tout ce qui est américain ! » Celui qui se décrit comme un *lone ranger* a consacré 58 millions de dollars de sa propre fortune à monter cette gigantesque campagne multimédia. Il a conçu et tourné lui-même des spots télévisés, commandés à des agences de communication des deux camps politiques. Il a créé un site web dernier cri, avec blog quotidien, « The Daily Pickens », petits programmes graphiques animés à télécharger, et même un coin « Boone-Cam ». « The Man with a Plan » est mis en scène, feutre à la main devant un tableau blanc, mèche au vent dans les champs d'éoliennes, ou tiré à quatre épingles dans des réunions politiques. Ce site web affiche 17 millions de visites, pour ses six premiers mois, et le plan est décliné sur tous les réseaux sociaux branchés, de Facebook à MySpace, en passant par Twitter ou YouTube.

Aussi, fin janvier 2009, PickensPlan.com a-t-il déjà recruté plus de 1,4 million de supporters. Une « New

Energy Army », que le gourou octogénaire exhorte à se regrouper par districts et à faire du lobbying local, à coups d'apostrophes électroniques comminatoires : « *Army !…* » Mais si sa campagne utilise les moyens de communication du web de deuxième génération, elle n'a pas grand-chose d'interactif. Le « bureau de T. Boone Pickens » donne régulièrement des ordres de route à ses fantassins. Comme ce message, daté du 27 janvier 2009 : « Armée : le Congrès américain s'apprête à voter le plan de relance de l'économie, qui inclut une bonne partie de ce que nous avons demandé – surtout concernant l'éolien et les énergies renouvelables. Il nous faut davantage de travail sur le versant gaz naturel, mais ceci est un bon début et nous devrions le soutenir [...]. J'ai besoin que vous appeliez votre député aujourd'hui, pour lui dire que même si ce programme n'est pas parfait, il contient des mesures qui sont importantes pour ceux qui se sont engagés afin de réduire notre dépendance vis-à-vis du pétrole étranger. »

Les politiques n'y connaissent rien !

Depuis l'été 2008, l'homme consacre jusqu'à cinq jours par semaine à la promotion de son plan. Infatigable, ce travailleur acharné sillonne le continent pour convaincre. Aujourd'hui, il travaille autant – si ce n'est plus – que pendant ses années de raider. Il est au bureau à huit heures après quarante-cinq minutes de gymnastique avec son entraîneur personnel, convoqué dès six heures trente dans sa résidence de Preston Hollow, au nord de Dallas. Sauf les week-ends dans son ranch, il ne prend jamais de vacances. A sa femme Madeleine qui essayait de le convaincre d'aller faire un safari en Afrique, il a un jour répondu : « *Honey*, allons plutôt au zoo voir les animaux… Et on pourra être rentrés dans une heure. »

« *It's fun !* » dit-il à propos de sa nouvelle aventure de gourou de l'éolien. Sans doute cette croisade personnelle lui rappelle-t-elle le bon vieux temps où il parcourait les États-Unis pour dénoncer l'incurie des patrons de Big Oil et la nécessité d'une révolte des petits actionnaires contre les mauvais managers. « Les Noirs ont appris à utiliser leur droit de vote ; aujourd'hui c'est au tour des petits porteurs ! » disait-il alors pour électriser la plèbe actionnariale.

Ses harangues sur les méfaits du pétrole importé sont de la même veine. « Chaque président, depuis Richard Nixon, a dit : "Votez pour moi et nous assoirons notre indépendance énergétique." Mais aucun n'a fait quoi que ce soit ! Eh bien, cela va enfin changer. Croyez-moi : on va tous s'y mettre, et on va y arriver ! » proclamait-il au Clean Tech Summit. T. Boone Pickens a, à un moment, flirté avec l'idée de faire de la politique. Mais il s'est finalement contenté d'être un fidèle militant et sponsor du parti républicain. Il a notamment financé les campagnes de George W. Bush, au Texas et sur le plan national. En 2005, Pickens faisait partie des 53 organisations ou particuliers qui avaient donné 250 000 dollars – la somme maximum – pour payer la seconde cérémonie d'investiture de George W. Bush. Lors de la campagne présidentielle de 2004, il a octroyé plus de 5 millions de dollars à des groupes conservateurs, qui ont diffusé des spots publicitaires attaquant bassement le candidat démocrate John Kerry sur son passé de soldat au Vietnam. Il a même, en 2007, proposé d'offrir 1 million de dollars à qui prouverait que les affirmations de cette campagne dite du *Swift Boat* étaient mensongères… Ce qui lui a attiré de franches inimitiés dans le camp démocrate.

Aujourd'hui pourtant, Pickens dit avoir renoncé à la politique partisane, parce qu'il n'a réussi à convaincre aucun de ses amis politiques du caractère stratégique de la question pétrolière. « Si je porte moi-même ce plan, s'agace-t-il, c'est que les hommes politiques américains ne comprennent rien à l'énergie ! » T. Boone adore raconter comment, en 1996, alors qu'il présidait, au Texas, la campagne présidentielle de Bob Dole (contre Bill Clinton), il a essayé de lui vendre son idée d'indépendance énergétique. « Dole m'a expliqué que l'énergie était un gros chien en train de dormir, et qu'en politique, on ne réveille pas un chien qui dort ! » Si par mégarde je trébuche dessus, lui aurait dit Dole, alors je vous appellerai pour savoir comment m'en sortir…

Lors des primaires 2008, à nouveau, le milliardaire texan fait partie du comité exécutif du candidat républicain Rudolph Giuliani. « Il ne m'a accordé que cinq minutes sur le sujet... », se souvient Boone, dégoûté. De toute façon, c'était la mauvaise pioche. Problème : le vainqueur des primaires républicaines, John McCain, lui, n'était intéressé que par... le nucléaire. « Il voulait construire 45 réacteurs en trente ans, précise T. Boone. Je lui ai dit : "John, trente ans, mon Dieu... on sera morts, vous et moi, longtemps avant d'avoir commencé !" »

En désespoir de cause, Pickens est même allé voir George W. Bush au printemps 2008, en lui expliquant qu'il avait une occasion rêvée de redorer son blason avant de quitter la Maison-Blanche. « Je lui ai dit que, dans la mesure où la production globale de pétrole ne dépassait pas 85 millions de barils par jour, alors que la demande mondiale atteignait 87 millions, l'ère des énergies alternatives devait commencer tout de suite... Mais il n'a pas réagi. » Environ six semaines plus tard, raconte T. Boone, « je me suis réveillé en sursaut à deux heures du matin, et j'ai dit à Madeleine : "Bon Dieu, il faut que quelqu'un porte ce plan. Si aucun de ces politiciens ne veut le faire, je le ferai moi-même !" Madeleine m'a répondu : "OK, Boone... Mais ça peut sûrement attendre le matin." »

C'est ainsi que Pickens a décidé de laisser tomber les républicains, pour se dévouer corps et âme à sa nouvelle cause... qui se trouve être un cheval de bataille très démocrate ! « Je me suis rendu à un meeting, la semaine dernière à Washington, raconte Boone à Palm Springs. Il y avait là, non seulement Nancy Pelosi, mais aussi George Miller, Charles Wrangle, Chris Van Hollen, Henry Waxman... Je n'avais jamais vu une telle brochette de poids lourds démocrates, pour de vrai. D'habitude, vous savez, je les vois surtout à la télé ! Comme je ne connaissais pas leurs titres ni leurs fonctions, je les ai tous appelés *chairman* [président]... Ça s'est très bien passé. »

Carl Pope, le président du Sierra Club, est devenu un ami de Pickens. « Même Harry Reid, le *speaker* de la majorité au Congrès, qui se considérait de longue date comme mon ennemi, passe son temps à me soutenir », se réjouit T. Boone. Il faut dire que le vieux républicain ne jure plus, à présent, que par le nouveau président Barack Obama. « Le gars est charismatique, il fait de bons discours. Il parle beaucoup d'énergie, avec une approche apolitique. Je pense qu'il peut y arriver ! » Pickens a même placé une phrase programmatique d'Obama en exergue de son site : « Et pour le bien de notre économie, de notre sécurité et de notre planète, je fixerai en tant que président un objectif clair : en dix ans, nous mettrons fin à notre dépendance vis-à-vis du pétrole du Moyen-Orient. »

Dans ses spots vidéo et dans ses discours, T. Boone reprend aussi à son compte le mythique slogan *Yes we can !* de la campagne d'Obama. Tout juste se permet-il de critiquer le manque de réalisme du camp démocrate. « Al Gore croit qu'on peut tous rouler électrique demain matin. Mais, en dépit de leurs armées d'experts, aucun de ces politiciens n'a l'air de comprendre qu'une batterie électrique ne fera jamais bouger un semi-remorque à 18 roues ! plaisante Pickens au Clean Tech Summit. Et puis, si c'est pour nous retrouver accros aux batteries chinoises… je préfère encore rester au brut saoudien ! » Éclat de rire général. Quel cabotin !

« There will be wind »

En réalité, T. Boone Pickens n'a pas inventé grand-chose : le volet éolien de son plan est en grande partie inspiré d'un rapport, publié en mai 2008 par le très officiel Département américain de l'énergie (DOE), intitulé « 20 % d'énergie éolienne en 2030 ». La richesse globale de la planète en vent est phénoménale : 3 600 térawatts en théorie, soit deux fois plus que ce que l'humanité consomme actuellement. Les États-Unis possèdent des ressources en vent assez abondantes et bon marché pour atteindre cet objectif, conclut en substance cette étude. Cela ne demanderait aucune percée technologique majeure et ne coûterait pas des sommes astronomiques. Avec un baril de pétrole à 140 dollars – prix de l'époque, qui devrait être à nouveau atteint après quelques années de reprise économique – le DOE estime le surcoût net à 43 milliards de dollars seulement, par rapport au statu quo.

Les bénéfices, en revanche, seraient importants. Comme le résume l'American Wind Energy Association, créer cette *Wind Belt* permettrait de réduire considérablement les émissions américaines de gaz à effet de serre (cela reviendrait à retirer 140 millions de voitures des routes), d'économiser aux consommateurs 128 milliards de dollars, et à long terme de stabiliser les prix de l'électricité à la baisse. Enfin, cela permettrait de « promouvoir notre sécurité énergétique, et de créer des centaines de milliers d'emplois ». 150 000 emplois directs et 500 000 au total selon les projections du DOE.

Dans les États du Middle West, en tout cas, les *ranchers* et les élus locaux accueillent souvent les éoliennes comme un cadeau du ciel. C'est la nouvelle aventure du pays des cow-boys : le *remake high tech* de la conquête de l'Ouest par les planteurs de derricks des films *Giant* ou *There Will Be Blood*... Les éoliennes, assez espacées pour éviter les turbulences, occupent en effet chacune un dixième d'hectare. Non seulement elles n'empêchent ni la culture ni l'élevage préexistants, mais elles génèrent d'importants revenus supplémentaires pour les fermiers. « En général, les propriétaires touchent une redevance, sous forme de loyer pour la location des terres, plus un petit pourcentage de l'énergie produite avec un minimum garanti », explique Tristan Grimbert, président d'enXco, la filiale américaine d'EDF Énergies nouvelles (EDF EN), basée à San Diego. Cela peut représenter une manne de 3 000 à 10 000 dollars par turbine et par an, selon les régions et les opérateurs. Une véritable aubaine pour des exploitants qui n'arrivent pas à joindre les deux bouts.

T. Boone Pickens aime citer l'exemple de Sweetwater, dans l'ouest du Texas. Sur une vidéo de son site mettant en scène la population locale, on apprend que cette petite ville typique de l'Amérique profonde était depuis des années en déshérence. Les emplois qualifiés manquaient, les jeunes désertaient. La population de la ville est tombée de 12 000 à moins de 10 000 âmes... Jusqu'à ce que l'implantation d'une grosse activité éolienne, il y a deux ans, déclenche une résurrection économique. « On a décidé que le progrès devait arriver », résume ce *rancher*, dont la fille arbore un tee-shirt orné d'une croix catholique géante. Les gens sont revenus au pays, les fermiers ont cessé de quitter leurs terres, les restaurants et les hôtels se sont remis à tourner. « On a même bâti une école flambant neuve ! » s'enthousiasme une jeune institutrice. Le vent fournit maintenant directement 20 % des emplois de la région. C'est tout juste si la ville ne s'est pas rebaptisée Sweet Wind !

Cette image d'Epinal peut inspirer beaucoup de responsables de cantons ruraux du corridor du vent. Alors que, début 2009, l'éolien représente un peu moins de 1,5 % de la production américaine d'électricité, son potentiel de croissance est énorme. « Depuis 2006, on assiste à un véritable *wind rush* », constate Tristan Grimbert. EDF EN s'est lancée dans cette activité à la fin des années 80, en rachetant deux sociétés locales. Et elle en est devenue un acteur important. La production américaine d'électricité éolienne a bondi de 45 % en 2007. Et, en 2008, les États-Unis ont repris le flambeau de leader mondial à l'Allemagne, atteignant le record absolu de 8 358 mégawatts supplémentaires, soit le doublement de leur capacité installée. En avril 2009, le pays disposait d'une infrastructure éolienne de plus de 28 200 mégawatts, répartie dans 35 États, Texas, Iowa et Californie en tête, avec 3 400 mégawatts supplémentaires en construction d'ici à la fin 2010 – de quoi desservir l'équivalent de 8 millions de foyers américains.

Souci d'indépendance énergétique, hausse du pétrole et réchauffement climatique ont incité les États-Unis à instaurer en 1992 – et reconduire, de manière parfois sporadique – des crédits d'impôts fédéraux, aujourd'hui fixés à 2,1 cents par kilowattheure. Du coup, les grosses fermes éoliennes améri-caines sont déjà compétitives. « Grâce aux crédits d'impôts, on arrive à des tarifs de gros comparables à ceux des centrales au gaz naturel : aux alentours de 8 cents par kilowattheure, avec des écarts de quelques cents en fonction de la ressource en vent et des coûts locaux de construction », explique Tristan

Grimbert. La situation est en effet très différente
d'un État à l'autre. « Les projets sont plus faciles à
monter dans le Midwest qu'en Californie, où les
bons sites sont moins nombreux, la réglementation
plus contraignante et les propriétaires parfois moins
intéressés », résume le manager français.

Cet environnement favorable a attiré d'autres
grands acteurs européens de l'éolien, comme l'espagnol Iberdrola, l'allemand E.ON ou le britannique
BP. Ces géants aux poches profondes sont prêts à
miser gros sur un secteur à fort potentiel capitalistique, où les éoliennes dernier cri se paient 2 millions
de dollars pièce. C'est un métier où il faut investir
beaucoup d'entrée de jeu, avec ensuite la certitude
de revenus réguliers, car les *utilities* comme Pacific
Gas & Electric achètent cette électricité à prix fixe
pendant trente ans. Dans certains États, comme le
Texas, les projets sont plus spéculatifs, car les producteurs doivent écouler au jour le jour leurs
mégawatts-heure sur un marché instantané.

Même si, en 2009, la crise ralentit ou diffère le
financement de grands projets, l'éolien américain
semble promis à un bel avenir. D'une part, parce
que la plupart des États ont institué des règles obligeant leurs compagnies locales à produire un pourcentage croissant de leur électricité à partir
d'énergies renouvelables. En Californie, par exemple, ces quotas sont fixés de manière volontariste –
irréaliste, jugent certains – à 20 % en 2010, et 33 %
en 2020… D'autre part, parce que la politique éner-

gétique de Barack Obama devrait encore améliorer la compétitivité de l'éolien. Un système de marché d'échange des émissions de gaz carbonique pourrait, à moyen terme, renchérir significativement l'exploitation des centrales à charbon (actuellement 5 cents le kilowattheure), obligées à l'avenir de payer leur pollution ou d'investir dans des systèmes de capture et de séquestration de leur CO_2.

En outre, l'industrie elle-même fait d'importants progrès en matière de productivité. Les méga-turbines ont remplacé les moulins à vent de papa. « Regardez : ici, sur l'ancien site Shiloh I, on a de petites éoliennes à pales métalliques datant de 1989, d'une capacité de moins de 0,71 mégawatt. Il leur faut beaucoup de vent pour tourner, et elles sont peu efficientes, explique Kirk Garlick, le manager d'une nouvelle ferme éolienne de 200 mégawatts, inaugurée par enXco en mars 2009. On les remplace donc progressivement par des turbines General Electric de 1,5 mégawatt. Et là-bas, sur le nouveau parc Shiloh II, on a installé des turbines de 2 mégawatts. »

Ces 75 éoliennes RePower, plantées sur 23 000 hectares de collines agricoles, à deux heures de route au nord-est de San Francisco, alimenteront pour vingt ans le réseau de la compagnie d'électricité locale Pacific Gas & Electric. Elles mesurent près de 80 mètres de haut, et déploient leurs trois immenses pales en fibre de carbone sur 40 mètres de diamètre... Mais on parle déjà pour demain de monstres de 3,5 voire 5 mégawatts.

Au plan mondial, l'américain General Electric, le danois Vestas et l'espagnol Gamesa se sont taillé la part du lion sur le marché des grosses turbines. L'indien Suzlon, les allemands Siemens et RePower et quelques autres acteurs mineurs se partagent le reste. A partir de 2006, le brutal afflux de commandes a poussé chacun à muscler sa capacité industrielle. C'est la surchauffe. Entre début 2007 et fin 2008, la Wind Energy Association américaine a ainsi recensé aux États-Unis pas moins de 50 annonces de création, de démarrage ou d'extension d'usines d'équipement éolien. Soit 1 milliard de dollars d'investissements et 9 000 emplois.

Une autoroute à haute tension ?

Seulement voilà : comme le souligne le rapport du Département américain de l'énergie, la réussite de cette ruée sur le vent est conditionnée à la construction d'un réseau électrique national digne de ce nom. Un véritable défi en période de récession. « Le développement de 293 gigawatts de nouvelle capacité éolienne demanderait l'extension du réseau de transmission électrique de façon non seulement à relier les régions du pays les plus productrices de vent, mais aussi à soulager la congestion existante par de nouvelles lignes », concluent les auteurs.

La *Wind Belt* centrale est en effet éloignée des principaux centres urbains, qui se trouvent sur les côtes atlantique et pacifique. Par ailleurs, le réseau électrique américain est vétuste, fragmentaire, et dépourvu d'intelligence. Ou, pour être plus précis, il n'existe pas de réseau national, mais un maillage complexe de réseaux locaux, dont le piteux état a été amplement démontré par le gigantesque *blackout* qui a affecté la Californie en 2001, ou encore par la défaillance d'une seule ligne à Cleveland qui, en 2003, a plongé dans le noir une bonne partie du nord-ouest du pays.

« Il nous faut construire un réseau intelligent unifié pour le transport de l'électricité renouvelable, depuis les zones rurales où elle est souvent produite, aux villes où elle est souvent utilisée », écrit Al Gore en novembre 2008 dans le *New York Times*. Il rêve de lignes enterrées à haute tension et à faible taux de déperdition, bourrées de logiciels dernier cri qui fournissent aux consommateurs des informations et des outils susceptibles de les aider à économiser l'électricité, à éliminer les gaspillages et à réduire leur facture.

Al Gore évalue le coût de ces infrastructures à 400 milliards de dollars sur dix ans, « modeste en comparaison du coût des pertes en ligne et des coupures de l'antique réseau existant, estimé à 120 milliards de dollars par an », affirme-il. Même optimisme de la part de T. Boone Pickens, sur ce projet d'autoroute électrique à haute tension : « On a simplement besoin d'un engagement politique de nos dirigeants équivalant à celui de l'administration Eisenhower pour construire notre système autoroutier inter-États », dit le Texan.

Peut-être. Mais à y regarder de plus près, les difficultés de construction de tels réseaux sont aujourd'hui nombreuses. Et les défis ne sont pas seulement financiers. A l'heure actuelle, la haute tension voyage davantage sur des pylônes de 40 mètres de haut que sous terre. Et, pour une compagnie d'électricité, construire ou étendre son réseau suppose des années de négociations avec des centaines de propriétaires terriens et des dizaines d'entités publiques.

Michael Morris, le patron de la deuxième compagnie électrique américaine, American Electric Power, en sait quelque chose. Il a entrepris, en 1991, d'édifier un réseau de lignes à 765 000 volts pour relier ses stations de production du Midwest à la côte Est. A l'origine, il pensait avoir terminé en 1998. Mais sa société a mis plus de douze ans à négocier avec le Service national des forêts pour obtenir la simple autorisation de traverser la chaîne des Blue Ridge Mountains en Virginie ! Et il n'est parvenu à ses fins qu'en 2006, après avoir dépensé 9,6 millions de dollars pour construire un réseau en zigzag. American Energy Power est dans les starting-blocks pour investir dans des projets similaires hors de son territoire. « J'ai espoir que le Congrès finira un jour par voter une loi énergétique enfin adulte », a expliqué Michael Morris au magazine *Forbes*.

Paradoxalement, on voit surgir à propos des projets de développement d'énergie renouvelable de nouveaux types de conflits, qui opposent les défenseurs de la nature aux entrepreneurs *green* : défenseurs des écureuils des forêts du Vermont contre les nouvelles lignes à haute tension ; protecteurs des aigles californiens contre les éoliennes ; amoureux des salamandres et tortues du désert contre les miroirs solaires...

Le gouvernement Obama et son ministre de l'Énergie, Steven Chu, prendront-ils résolument le parti des infrastructures vertes ? Le plan de relance de février le confirme : « Il comprend notamment une enveloppe de 32 milliards de dollars, afin de transformer les systèmes de production, de distribution et de transmission de l'énergie, pour favoriser les énergies renouvelables et construire un réseau plus efficace et plus intelligent », se réjouit Pickens en janvier 2009. Il reconduit en outre les crédits d'impôts à la production pour deux années supplémentaires.

Un pari très personnel

T. Boone Pickens n'agit pas dans le seul souci de la sécurité publique et du bien-être national. En parieur invétéré, il a aussi misé, dans cette nouvelle aventure, une partie de son immense fortune. Il a réalisé des investissements très importants dans l'éolien, et dans l'utilisation du gaz naturel pour le transport routier. Sa croisade ambitieuse ne serait-elle pas essentiellement destinée... à l'enrichir ? Ce travers lui était déjà reproché, jadis, par le sénateur démocrate de l'Ohio Howard Metzenbaum à propos de son apologie du raid boursier. « J'ai misé sur ce que je défends », rétorque-t-il à ceux qui dénoncent ce mélange des genres.

Pickens ne nie pas qu'il espère gagner de l'argent. On ne se refait pas... Mais il réfute catégoriquement l'idée que le profit constitue son moteur. « Allons, j'ai quatre-vingts ans et plus d'argent qu'il m'en faut, dit-il au Clean Tech Summit de Palm Springs. Si je pousse le Plan Pickens, c'est par patriotisme. » Il espère, dit-il, servir d'exemple aux investisseurs potentiels qui n'osent pas se lancer : « Je veux que les gens se disent : si ce vieux schnock construit des éoliennes à son âge, moi aussi je peux le faire ! » Et puis, conclut Pickens, « ce n'est pas parce que j'en tire quelque bénéfice que ça disqualifie mes idées ! ».

Personne ne sait si le milliardaire du pétrole touchera à nouveau le « jackpot ». Mais en tout cas, il a misé gros : Pickens a un projet de 2 000 éoliennes s'étendant sur 161 000 hectares de cinq comtés du Panhandle texan, près de la petite ville de Pampa. Sa ferme éolienne aurait une capacité totale de 4 000 mégawatts : assez pour alimenter en électricité l'équivalent de 1 million de foyers. Il s'agissait, au moment de son annonce, du plus gros projet du monde. « C'est un marché d'un coût total de 8 à 10 milliards de dollars, le plus gros de ma carrière », souligne l'entrepreneur, qui a déjà versé un acompte à General Electric, sur une facture de 2 milliards de dollars pour les 667 premières turbines, livrables en 2011.

Lors de la première réunion avec la population de Pampa, Pickens a été franc : « Aucune éolienne ne sera placée à proximité de mon propre ranch, a-t-il expliqué, parce que je les trouve affreuses. Mais ceux qui accepteront d'en placer une sur leurs terres toucheront 10 000 à 20 000 dollars de royalties par an. Pampa va devenir la capitale mondiale du vent ! » Là-bas aussi, il a fait un tabac.

La crise a toutefois refroidi quelque peu les ardeurs de notre milliardaire : lui qui pensait à l'origine commencer à produire en 2011 explique que le démarrage pourrait être retardé. Il reste optimiste sur le projet Pampa... mais il n'a pu s'empêcher, à Palm Springs, de faire à ce propos un trait d'humour. « Je suis un peu comme le type sautant de son immeuble à Wall Street en 1929. Je me répète tous les jours : jusqu'ici tout va bien ! »

L'ex apôtre du marché libre ne cesse paradoxalement, depuis janvier 2009, de réclamer la création d'une *Wind Bank* : une « banque du vent » publique, qui se substitue aux établissements et aux marchés financiers défaillants pour prêter aux exploitants de parcs éoliens. Cet appel à l'intervention gouvernementale ne constitue-t-elle pas, pour le

raider texan, un brutal revirement idéologique ?
A cette question, si française, Boone semble surpris.
Il commence par faire celui qui ne comprend pas,
puis rétorque : « Le marché libre, c'est bien... mais
il faut que tout le monde joue le même jeu. Et
l'OPEP, elle, ne se prive pas pour manipuler les
cours du pétrole. »

Le pari gazier de Pickens est encore plus incertain. Lui roule depuis des années en Honda Civic
GX au gaz, et il est cofondateur, actionnaire majoritaire et administrateur de la Clean Energy Fuels
Corporation (CEFC) californienne, principal fournisseur américain de gaz comprimé pour les bus,
navettes d'aéroport et taxis. Sa société s'est récemment lancée dans la construction de 30 à 40 stations
de rechargement en gaz. T. Boone a aussi acheté
une entreprise de Toronto, qui permet de « faire le
plein » à la maison, sur sa propre conduite de gaz.
Mais l'équipement coûte 5 500 dollars pièce. En
outre, le gaz comprimé ou liquéfié reste une énergie
fossile, qui émet du CO_2. Et il lui faudrait un
sérieux coup de pouce gouvernemental – avec création d'une infrastructure ad hoc et subvention des
véhicules compatibles – pour devenir un jour populaire. Qu'à cela ne tienne, sa CEFC a tenté en
novembre 2008 de faire voter en Californie la
« Proposition 10 ». Cette mesure imposait à l'État
d'émettre pour 5 milliards de dollars d'obligations,
susceptibles de subventionner précisément les produits et services fournis par son entreprise, à l'exclu-

sion de presque toutes les autres technologies de fiouls propres...

La « Proposition 10 » n'est pas passée. Pickens ne gagne pas toujours. Il a raté la plupart de ses OPA hostiles, même s'il a gagné de l'argent en revendant ses titres. En revanche, l'ex-raider ne se décourage jamais : il en a vu d'autres ! En 1996, T. Boone a même été bouté hors de sa société, Mesa Petroleum, qu'il avait affaiblie en faisant un énorme pari manqué, au début de cette décennie, sur la hausse des cours du gaz naturel. Du coup, il a créé en septembre 1996 le fonds d'investissements spécialisé en actifs gaziers et pétroliers sous-évalués BP Capital, acronyme de « Boone Pickens ».

Ses débuts ont cependant été difficiles. Considéré comme un « has-been » par la communauté des investisseurs, Boone a effectivement commencé par perdre des dizaines de millions de dollars confiés par ses amis fortunés. C'est aussi l'époque où Bea, une ex-camarade de l'université d'Oklahoma et son épouse depuis vingt-quatre ans (la deuxième), demande le divorce. Elle lui intente un procès sanglant, lui arrache une bonne moitié d'une fortune alors évaluée à 78 millions de dollars, et obtient la garde... de leur chien Winston ! Boone est alors au fond du trou : il va même consulter un psychiatre, et prend des antidépresseurs. Rarissime pour un Texan.

Comme il aime à le répéter, l'expression « laisser tomber » ne fait cependant pas partie de son vocabulaire personnel. Début 2000, Pickens fait une nouvelle série de paris risqués sur l'orientation des prix du gaz et du pétrole… et tombe juste. Fin 2005, BP Capital a réalisé une plus-value de 1,3 milliard de dollars. Aujourd'hui, sa société, qui occupe un étage entier d'un building de la banlieue nord de Dallas, emploie 35 personnes.

T. Boone Pickens ne lâche jamais. Il essaie maintenant de convaincre l'équipe Obama de commencer par convertir au gaz 350 000 poids lourds, sur un total de 6,5 millions. « Cela coûterait quelque 28 milliards de dollars, y compris la création de 2 000 stations de remplissage. Mais cela réduirait notre consommation de pétrole de 4 % », plaide-t-il. 38 % de tout le pétrole utilisé pour les transports est consommé par les flottes commerciales, les bus municipaux et les camions. « D'une certaine manière, les routiers réagissent comme des Marines : ils marcheraient, parce qu'ils sont très patriotes, affirme Pickens. Ensuite, on s'attaquerait aux voitures. »

Boone a un argument massue pour réfuter les diverses objections techniques ou économiques à son plan vent-gaz. En substance : rien n'est pire que le statu quo. Convaincu du bien-fondé de son grand projet, il veut aller vite. « Il n'a pas peur de la mort, confie au *Texas Monthly* son avocat et confident, Bobby Stillwell. Ou plutôt : il y pense comme à un défi. Il veut, avant cette échéance, accomplir le maximum de choses. »

Micro-turbines et cerfs-volants

T. Boone Pickens n'est pas le seul que le vent fasse rêver. Dans l'assistance ce jour là, à Palm Springs, un homme l'écoute avec une attention particulière. Marvin Winkler est lui aussi un militant de l'énergie éolienne... mais à échelle humaine. Il prêche pour une solution décentralisée, avec l'adoption, là où c'est possible, de centaines de milliers de micro-turbines (moins de 100 kilowattheures). Dans le hall de la conférence trône un exemplaire des mini-éoliennes de WePOWER, la société qu'il a fondée et qu'il préside. Il s'agit d'un cylindre évidé d'un peu plus d'un mètre de haut, que ses pales font tourner sur un axe vertical. « Notre turbine est conçue pour maximiser la performance même avec des vents faibles, elle ne produit ni vibration ni bruit, et elle est sans danger pour les oiseaux », explique Trevor Barrett, responsable des ventes pour cette PME de Torrance (Californie), qui se dit prête à en fabriquer 500 000 par an. Montée seule ou en série, sur le toit des maisons ou des commerces, ou bien à proximité de panneaux publicitaires lumineux, elle stocke l'électricité produite par le vent dans un pack de batteries.

Les gadgets de WePOWER coûtent environ 5 000 dollars pièce. Mais beaucoup d'États américains ajoutent une aide supplémentaire aux subventions fédérales (30 % de crédit d'impôts), ce qui peut réduire leur prix d'environ 1 500 dollars. On a ainsi vu des « éoliennes de ville », plus ou moins design – certaines ressemblent à des sculptures modernes –, apparaître sur les toits de Chicago, sur les docks de Brooklyn, à l'aéroport de Los Angeles, ou sur les maisons de la baie de San Francisco.

Il existerait actuellement aux États-Unis plus de 70 constructeurs de mini-turbines, et 80 mégawatts de capacité installée de ce « petit vent », réparti à égalité entre le résidentiel (moins de 10 kilowattheures), le commercial et l'industriel, selon l'Association américaine de l'énergie éolienne (AWEA). Ce segment de marché a progressé de 78 % en 2008, en dépit de la récession, et devrait encore être multiplié par 5 (jusqu'à 1 700 mégawatts) à l'horizon 2013. « Les consommateurs explorent tous les moyens financièrement viables d'améliorer leur sécurité énergétique et de réduire leur empreinte carbone personnelle. Et ces technologies peuvent y contribuer », souligne Ron Stimmel, chargé des micro-turbines au sein de l'AWEA.

Il reste que peu de localisations s'y prêtent, et qu'il faut souvent onze à douze ans – voire davantage – avant d'amortir de tels investissements. « Ce type d'appareil risque de nécessiter davantage d'énergie à produire qu'il ne pourra en économiser pendant toute sa durée de vie. A ce stade, il faut qu'on imagine des solutions beaucoup plus radicales », estime Saul Griffith. Lui voit plutôt l'éolienne du futur comme une espèce de « cerf-volant » qui irait chercher le vent d'altitude. Car entre 400 et 1 200 mètres de haut, le vent peut être deux fois plus rapide qu'à la surface du globe. Et, sa puissance variant comme le cube de sa vitesse, cela fait une vraie différence. Non seulement les vents d'altitude sont forts, mais ils sont plus constants que les brises terrestres : d'après certaines études, on pourrait compter sur eux 75 % du temps, contre 33 % pour les vents de surface. Mieux : ces hauts zéphyrs seraient disponibles sur dix fois plus de sites autour du globe.

Fort de ces données, Saul a créé en 2006 la société Makani Power, tirée du mot hawaïen *mah kah' nee*, qui signifie « brise douce ». Son associé principal est Don Montague, un ex-pro de la planche à voile, devenu l'un des spécialistes mondiaux du design des *kite surfs* et des *kite boats*. Basée à Alameda, une banlieue industrielle du nord de San Francisco, Makani emploie une petite vingtaine d'ingénieurs, et a levé au total environ 20 millions de dollars, dont 15 millions auprès de Google.org. Le site web de la société explique que, « de toutes les énergies renouvelables, les vents d'altitude sont ceux qui produisent le plus d'énergie par mètre carré balayé. Capter seulement une petite fraction de ce flux global pourrait suffire à combler les besoins actuels du globe en énergie ». Son objectif est de produire ainsi une électricité significativement moins chère − sans subventions − que les centrales à charbon.

A part cet ordre de mission général, tout ou presque, chez Makani, est top secret. Nul ne sait vraiment à quoi ressemblent les prototypes de Saul et Don, et peu de gens les ont physiquement vus planer. « La physique fonctionne. On a déjà fait voler des engins assez longtemps pour le constater, explique Saul Griffith, un gaillard de trente-cinq ans à la barbe rousse. Mais entre ces prototypes et des machines commercialisables, la route est longue. Et il faut pas mal d'argent. C'est un projet à cinq, dix, peut-être même vingt ans. »

Griffith est un inventeur dans l'âme. Australien d'origine, il a quitté son Sydney natal pour venir étudier au MIT de Boston. Il a collectionné des diplômes en science des matériaux et ingénierie mécanique, le tout complété par un PhD en « Machines à assemblage programmable et auto-réplication ». Ensuite, il est venu en Californie, où il a créé avec un associé le Squid Lab d'Emeryville. De ce laboratoire sont notamment nés Optiopia (procédés pour prescrire et fabriquer des verres de contact et lunettes très bon marché), Potenco (petit générateur de courant à ficelle yoyo, pour les pays en développement), Instructables.com (manuels en ligne pour fabriquer toutes sortes d'objets incongrus, du chapeau de *graduation* coiffé de bois de renne au radeau porte-boissons glacées pour la piscine), ou HowToons (un site de BD pour projets scientifiques)… Il a été officiellement sacré en 2007 « McArthur Fellow », une distinction réservée aux « inventeurs de génie ».

Le week-end, Saul bricolait des esquifs capables de dépasser les 50 kilomètres-heure tractés sur l'eau par des cerfs-volants. Mais il s'est ensuite aperçu qu'on pouvait peut-être tirer quelque chose de plus utile de la puissance éolienne. Le cerf-volant, invention qui date de plus de mille ans – les Chinois l'utilisaient pour des applications militaires – était généralement considéré comme un jouet d'enfant. Jusqu'à ce que, dans les années 70, Miles Loyd écrive l'article « Crosswind Kite Power » dans le *Journal of Energy* du Lawrence Livermore National Lab. Ce texte, alors passé assez inaperçu, démontrait comment un avion volant au bout d'une ficelle pouvait générer beaucoup d'électricité. Parce qu'une aile en mouvement, couvrant un plus grand espace de ciel, produisait davantage d'énergie qu'une pale fixe.

Makani s'est donc donné pour mission d'utiliser les technologies et matériaux dernier cri pour concevoir des cerfs-volants éoliens modernes. Dans un bref extrait vidéo, projeté à la conférence du TED sur l'innovation de 2009, Griffith montre un prototype d'objet en toile blanche, qui fait des spirales dans le ciel de l'île hawaïenne de Maui : « Même s'il n'est pas plus grand qu'un piano, ce cerf-volant a une capacité de 10 kilowatts, ce qui peut alimenter cinq maisons. » Pour produire plus de courant, Makani s'oriente vers des prototypes plus gros, qui ressemblent davantage à des avions dont les ailes seraient super-efficientes. Théoriquement, dit-il, une turbine volante de l'envergure d'un Cessna (10 mètres) générerait 230 kilowatts, un Gulfstream (29 mètres) produirait 1,3 mégawatt, et un Boeing 747 (65 mètres) 6 mégawatts, soit davantage que les plus grosses turbines éoliennes actuelles.

« Il s'agit en réalité d'un problème de robotique, explique Saul Griffith. Nous essayons de développer les systèmes de contrôle qui permettent des vols libres longs et durables de ces engins. » Quand on lui fait remarquer que son projet est particulièrement fou, il souligne que l'audace a permis des miracles par le passé. « Pendant la Seconde Guerre mondiale, une fabrique de réfrigérateurs a été transformée en usine aéronautique, produisant d'abord 9 000, puis 100 000 avions par an, a-t-il souligné lors de sa présentation au TED. Avec cette usine et ce nombre d'avions, on pourrait produire toute l'électricité des États-Unis pour dix ans. »

Makani travaille avec Stanford, Berkeley, le MIT et l'université de Delft, en Hollande. Et cette technologie est aussi expérimentée par une poignée d'autres start-up américaines, comme KiteGen, Sky Windpower ou Magenn. Hélas, la crise économique et financière semble avoir rogné quelque peu les ailes du rêve de Saul Griffith. Il est en tout cas plus que jamais conscient des obstacles pratiques de l'aventure entrepreneuriale : « L'argent du capital-risque veut un retour au bout de trois à cinq ans ; il n'est pas assez patient pour des projets comme le nôtre. » Pour faire durer ses capitaux plus longtemps, Makani a dû récemment se séparer d'une demi-douzaine d'employés sur trente… Et plus le temps passe, plus Griffith s'impatiente de la lenteur avec laquelle monte la prise de conscience de cette nécessaire révolution énergétique. Il pense qu'il sera moins difficile de résoudre les problèmes technologiques que d'accomplir les changements politiques, sociologiques et financiers qu'elle suppose. « Maintenant, on a bien identifié le problème, on sait chiffrer les efforts qu'il faudrait consentir, dit-il. Mais les citoyens rechignent à changer leur style de vie, et les gouvernements font trop de compromis pour satisfaire les lobbys industriels installés. »

Après s'être pris lui-même comme objet d'étude, Saul Griffith sait exactement combien d'énergie requiert chacun de ses gestes quotidiens : « Je me suis livré à des calculs ridiculement détaillés, dit-il, jusqu'à chiffrer la consommation énergétique de mon rouleau de papier toilette et de ma brosse à dents électrique ! » Saul Griffith a accompli, pour sa consommation en watts, un travail beaucoup plus approfondi encore que l'expérience de David Chameides avec ses ordures ménagères[1]. Ce fana de chiffres a calculé qu'en 2007, il avait brûlé 18 000 watts... alors que résoudre l'équation du climat supposerait une vie à 2 200 watts par an. « Je pensais qu'en étant un citoyen de San Francisco, me déplaçant en vélo et dirigeant une start-up *green*, je serais moins vorace en énergie que l'Américain moyen. En fait, je consomme deux fois plus ! »

---

1. Voir chapitre 2.

Saul explique en souriant qu'il ne peut plus regarder un objet de consommation courante sans voir défiler les chiffres verts de la masse d'énergie nécessaire à sa fabrication : « Vous savez, un peu comme dans le générique du film *Matrix*. » Et il prépare une sorte de manuel à l'usage des citoyens et des gouvernements, qui devrait sortir au moment du Sommet de Copenhague, pour que la planète réussisse à réduire son empreinte carbone.

Cette observation d'entomologiste – et sa récente paternité – l'ont en tout cas radicalisé. « J'avais le choix entre ne plus acheter de journaux papier et ne plus consommer de vin. J'ai choisi de lire le *New York Times* sur le net. Mais aussi de ne manger de la viande qu'une fois par semaine », plaisante-t-il. Plus sérieusement, cet admirateur de la 2CV Citroën, pour sa frugalité, fait partie des pionniers qui ont commandé un véhicule ultra-léger Aptera [1]. « Il faut élever nos enfants comme des extrémistes, dit-il cette fois sans rire. Si cette révolution n'est pas possible à notre génération, ce sera à la leur de l'imposer à la planète. En brûlant nos énergies fossiles et en accumulant une telle dette financière, on leur a laissé la plus grosse "pyramide de Ponzi" de tous les temps ! Je ne vois pas bien pourquoi ils continueraient à payer pour nos retraites, si nous ne faisons pas ce qu'ils veulent sur l'énergie… »

---

1. Voir chapitre 8.

8.

« *Here comes the sun...* »

Dans la petite ville poussiéreuse de Lancaster, à deux heures au nord-est de Los Angeles, il est difficile de rater le site d'eSolar. A peine sorti de l'autoroute 14, on repère vite les silhouettes incongrues de deux minces tours se découpant à l'horizon sur les montagnes du désert de Mojave. Vue du ciel, chacune de ces tours est bordée, au nord et au sud, par deux champs rectangulaires de 6 000 miroirs. De simples miroirs de la taille d'un écran plat de télévision (1,5 mètre carré), posés côte à côte sur des rangées de rails en acier.

Si l'ensemble évoque une installation artistique à la Burning Man – le festival annuel des hippies californiens – il s'agit en réalité d'un substitut de centrale à charbon ou à gaz. Car ces miroirs sont destinés à produire la forme la moins chère d'énergie solaire : le solaire dit à « concentration thermique », par opposition aux panneaux photovoltaïques, qu'on installe sur les toits des bâtiments. Déjà utilisé depuis les années 80, en Israël et en Espagne, le principe de base est simple. Des miroirs réfléchissent et concentrent les rayons solaires sur une cuve réceptrice remplie d'eau. Chauffée à blanc, l'eau produit de la vapeur, laquelle est ensuite acheminée par tuyaux vers une turbine qui la transforme en électricité. En se condensant, la vapeur redevient eau et repart dans le circuit. Produite de manière centralisée dans des fermes de ce type, l'électricité solaire est ensuite raccordée au réseau du fournisseur local, qui signe en général un contrat d'achat sur vingt ans portant sur un montant prédéfini de mégawatts.

Les compagnies d'électricité Southern California Edison et Pacific Gas & Electric sont très demandeuses, car la Californie d'Arnold Schwarzenegger a voté une loi les obligeant à intégrer 20 % d'énergies renouvelables (géothermie, éolien, biomasse, solaire…) dans leur production d'électricité en 2010, et 33 % à l'horizon 2020. D'où un véritable *solar rush* : une demi-douzaine d'opérateurs ont soumis plus de vingt projets pour couvrir les déserts de Californie, du Nevada, de l'Arizona et du Nouveau-Mexique de miroirs de diverses tailles et formes. Au total, les compagnies d'électricité américaines ont signé des contrats de préachat d'électricité solaire thermique portant sur quelque 4 000 mégawatts de capacité installée. Et, selon la société d'études New Energy Finance, les projets à l'échelle mondiale atteindraient trois fois ce montant. Très optimiste sur cette technologie, l'ONG Greenpeace prédit aussi que le solaire thermique pourrait fournir 7 % des besoins en électricité de la planète en 2030, et 25 % en 2050.

Ce 3 mars 2009 est en tout cas un grand jour pour le chantier eSolar de Lancaster. Le responsable des opérations, Bob Holsinger, exulte : dans l'après-midi, une grue a soulevé dans les airs et posé sur son socle d'acier l'énorme turbine de 37 tonnes, cœur palpitant du système, qui avalera la vapeur et recrachera l'électricité. Dans la nuit, la ferme solaire recevra aussi son deuxième gros récepteur thermique, destiné à être placé au sommet d'une de ses tours. Le convoi qui l'achemine est tellement large qu'il n'a pas le droit de rouler de jour. Il ne restera ensuite qu'à raccorder toutes les pièces du Meccano, pour appuyer sur l'interrupteur en août 2009.

Des miroirs-tournesols

D'une capacité de 5 mégawatts, la petite centrale de Lancaster est capable d'alimenter en électricité l'équivalent de 3 500 foyers. Mais elle est surtout destinée à démontrer l'efficacité du système solaire thermique développé par eSolar. « Nous avons des contrats pour produire plus de 245 mégawatts dans le sud-ouest des États-Unis, et 1 500 mégawatts dans le monde. Nous avons noué des alliances avec d'autres industriels américains et étrangers, explique Bill Gross, fondateur et PDG de la start-up, basée à Pasadena. Nos partenaires croient en notre technologie, mais ils veulent la voir fonctionner en grandeur réelle. »

C'est que le créneau des « fermes de miroirs », remis au goût du jour par la ruée sur l'électricité propre, voit s'organiser une bataille rangée entre les opérateurs historiques – essentiellement les espagnols Abengoa ou Acciona – et ces nouveaux venus, financés par des sociétés américaines de capital-risque. A part l'eSolar de Bill Gross, il y a Ausra, créé à Mountain View en 2008 par un ingénieur australien, et financé par les deux sociétés phares du *venture capital* : Khosla Ventures et Kleiner Perkins. Mais aussi Brightsource, réincarnation basée à Oakland de la société israélienne Luz qui, dans les années 80, exploitait des centrales solaires dans le désert du Néguev et à Harper Lake, en Californie.

Chaque opérateur vante sa « sauce secrète ». Acciona utilise des miroirs en forme d'auges paraboliques, qui concentrent leur rayons sur des tuyaux. Ausra installe de très longs réflecteurs de Fresnel, qui basculent sur leur axe pour suivre la trajectoire du soleil. Brightsource et Abengoa, eux, ont imaginé des champs de forme ovoïde, où des miroirs géants dardent leurs faisceaux sur un réservoir placé au sommet d'une tour géante.

« La technologie de la tour est la plus efficace, juge Bill Gross : elle améliore la concentration des rayons et permet de monter à des températures plus élevées. Mais, jusqu'ici, elle était trop chère, parce qu'il s'agissait d'énormes chantiers d'ingénierie civile, requérant beaucoup de main-d'œuvre. »

La société eSolar, elle, a mis au point un système modulaire entièrement préfabriqué. La PME de Pasadena propose de livrer des unités de base de 46 mégawatts, soit 16 tours, accompagnées chacune d'un double champ de petits miroirs ou « héliostats » (176 000 au total). En additionnant ces modules élémentaires, le client peut atteindre une capacité maximum de 500 mégawatts. « On a la technologie solaire la moins chère de la planète. On construit des usines dès maintenant. Et on est déjà compétitifs avec les prix du gaz naturel », claironne Bill Gross. Selon lui, eSolar atteint déjà des coûts de revient de 10 cents le kilowattheure, auxquels s'ajoute aux États-Unis un crédit fiscal de 30 %. A travers les économies d'échelle et l'amélioration des performances, Gross espère même arriver, d'ici quelques années, à 5 cents le kilowatt. C'est-à-dire le prix de l'électricité produite par les centrales à charbon.

L'équipe d'eSolar a tout fait pour minimiser les difficultés techniques, améliorer la robustesse et diminuer le temps d'installation et de mise en œuvre du procédé. D'abord, il y a l'emplacement du site. La société a déjà acquis pour 30 millions de dollars de terrains en Californie. « Il s'agit toujours d'anciennes terres agricoles ou privées, souligne Bill Gross. Si bien que l'eau est accessible : on en utilisera d'ailleurs moins que les carottes qui poussaient là avant ! Surtout, le projet ne fait l'objet d'aucune enquête environnementale supplémentaire. »

Un avantage appréciable, quand on sait que certains opérateurs se battent contre les associations environnementales, soucieuses de protéger l'habitat de tortues menacées. « On n'a pas besoin de sacrifier les déserts pour que les gens de Los Angeles continuent à chauffer leur piscine », a expliqué au *New York Times* Terry Freewin, militant local du Sierra Club, qui lutte contre un projet de solaire thermique dans la vallée de l'Ivanpah, à la frontière entre la Californie et le Nevada. Une attitude négative que ne partage pas l'expert en énergies renouvelables de la même ONG, Carl Zichella : « On ne peut plus se contenter de tout refuser. Il faut dire oui aux bons projets... »

Bill Gross, lui, a tout fait pour minimiser les obstacles procéduriers. Les tours d'eSolar ne s'élèvent qu'à 45 mètres, au lieu d'une centaine pour les concurrents. Donc, pas besoin d'autorisation spéciale de l'administration fédérale de l'aviation. Enfin, souligne Bill, « la taille de nos projets permet d'être proche des centres-villes, donc des lignes électriques ». De fait, les travaux du chantier de Lancaster ont commencé peu après l'achat du terrain. Pour aller plus vite, eSolar s'est même procuré une turbine General Electric de 1947 ayant précédemment servi dans une scierie, puis dans une usine d'éthanol de déchets de bois. En l'achetant, eSolar a aussi embauché l'ouvrier auparavant chargé de son fonctionnement. « On l'a démontée jusqu'au dernier boulon dans notre atelier de Lancaster, et on l'a remise en état, raconte Bob Holsinger, responsable de ce chantier. Pas pour faire des économies, mais pour gagner du temps. Les turbines neuves, commandées à Siemens pour les autres sites, n'arriveront pas avant plusieurs mois. » Du coup, la ferme solaire de Lancaster a démarré la production le 5 août 2009, environ douze mois après le premier coup de pelleteuse. Alors que certains concurrents mettent plus d'un an rien que pour obtenir les permis.

Bill Gross parie sur le gain de temps, mais aussi d'argent : une unité de 46 mégawatts occupe seulement 64 hectares. Le fait que les champs d'héliostats soient rectangulaires permet de mettre deux fois plus de miroirs que certains concurrents. « Les autres ont d'énormes miroirs, de la taille de terrains de tennis, qu'ils essaient de faire tenir en l'air, et d'orienter à un degré près, en dépit du vent, critique Gross. Donc il faut d'énormes piliers, enfoncés profondément dans le sol. » eSolar, par contraste, affirme avoir conçu un système facile à installer et à manier. Ses miroirs étant petits et plats, il utilise beaucoup moins d'acier. Tout est préfabriqué et testé en usine, y compris les rails précâblés. « A l'ouverture des conteneurs, tout est prêt à être monté, insiste Gross : les rails sont juste boulonnés à des socles en béton, les miroirs attachés aux cadres par deux vis, et c'est fonctionnel. Pas besoin d'électricien, ni de main-d'œuvre spécialisée. »

Même principe sur les systèmes de commande :
« Les concurrents ont des boîtiers de commande
électronique presque aussi gros qu'une Mercedes, et
coûtant la moitié de son prix ! Nous avons misé sur
le logiciel, avec des algorithmes sophistiqués qui
transforment l'ensemble du champ en parabole
géante. » Chaque petit miroir est télécommandé par
un système de la taille d'une boîte à chaussures, qui
l'oriente selon deux axes. Tout l'ajustement électronique se fait à l'aide de caméras bon marché, mon-
tées sur quatre tourelles métalliques encadrant
chaque champ. « Du coup, pas besoin de positions
exactes à l'installation, triomphe Bill. Les caméras
recalculent les coordonnées de chaque point lumineux de manière dynamique. C'est même conçu
pour résister aux séismes... » Et pour ne rien laisser
au hasard, il a imaginé deux petites machines auto-
matisées qui, la nuit, passeront entre les travées
pour nettoyer les miroirs, car ils perdent en efficacité quand ils sont recouverts par la poussière sèche
du désert.

Les dizaines de milliers de miroirs d'eSolar suivront la trajectoire de l'astre, comme autant de tour-
nesols robotiques. « A la place de *More steel*
[davantage d'acier], on utilise *Moore's law* [la loi qui
constate le doublement de la performance des semi-
conducteurs tous les dix-huit mois]... Et ça nous
fait faire beaucoup d'économies ! » s'amuse le PDG
d'eSolar, qui revendique un coût de revient moitié
moins élevé que les autres.

Fanfaronnade ? Ses assertions, évidemment, pro-
voquent chez les concurrents haussements d'épaules
ou dénégations. Pour Bob Fishman, le patron
d'Ausra, l'argument de la taille ne tient pas la route :
« J'ai bien étudié le problème et il y a une corréla-
tion directe entre la taille et le coût, a-t-il expliqué
au magazine *Wired* [...]. Pourquoi pensez-vous que
les gens construisent de très grosses centrales à charbon ? » Les compagnies d'électricité, en tout cas,
signent des contrats avec tous les intervenants
sérieux, laissant au marché le soin de départager
leurs technologies à l'usage. Au jeu de la capacité
maximale signée, c'est Brightsource qui tient la
corde, avec un total de 3 000 gigawatts. Encore faut-
il que la PME d'Oakland ait les ressources pour construire ses fermes solaires... « Traditionnellement,
c'était le marché – les GE Capital, les professionnels
des "financements structurés" – qui jouaient ce rôle,
explique Alan Salzman de Vantage Point, l'un des
financiers de Brightsource. Il y a un vide maintenant, parce que la crise a semé le désarroi... Mais les
marchés vont se normaliser, et les gouvernements
essaient de combler les lacunes. »

Bousculer le statu quo

Quand Bill Gross détaille les atouts d'eSolar, il
semble lui-même aussi émerveillé par la technologie

que s'il était encore étudiant à CalTech. A cinquante ans révolus, petit, grosses lunettes et pas un cheveu blanc, cet homme parle ingénierie avec une telle passion qu'il en balbutie presque. Il mitraille son interlocuteur de rafales de mots débités d'un voix fluette et truffe ses démonstrations de chiffres, de détails techniques et de calculs mentaux.

Fils d'un couturier polonais immigré devenu tailleur, le père de Bill aurait bien aimé que son fils lui succède dans son cabinet d'orthodontie à Encino (Californie). Mais Bill, lui, a toujours préféré la mécanique à la médecine dentaire.

Adolescent déjà, il s'était pris de passion pour les cleantech. « J'ai créé ma première société à quinze ans, pendant la crise énergétique de 1973, raconte-t-il. Avec les rudiments de trigonométrie appris au lycée, j'avais dessiné des plans pour développer une parabole concentrant l'énergie solaire et alimentant un moteur de Sterling à air chaud. Par le biais de petites annonces dans le magazine *Popular Science*, j'ai vendu des milliers de kits à 4 dollars pièce. je pense que c'est grâce à cela que j'ai été accepté à CalTech... C'est en tout cas ce qui m'a permis de payer ma première année d'études. »

Mais quand Bill sort de la fac en 1981, diplôme d'ingénieur en mécanique en poche, le monde est noyé sous le pétrole bon marché, le solaire n'est plus en vogue, et l'IBM PC vient de sortir. Il se laisse donc entraîner dans la grande aventure de l'ordinateur personnel. « J'ai fait un détour de vingt-cinq ans par les technologies de l'information, avant de revenir aux questions énergétiques », s'amuse-t-il. Et quel détour ! Les premières entreprises de Bill sont le fabricant de matériel hi-fi GNP Loudspeakers, puis la société de logiciels GNP Development Inc, rachetée par Lotus Software. Au début des années 90, Bill Gross crée Knowledge Adventure, l'un des tout premiers éditeurs de CD-Rom ludo-éducatifs, plus tard repris par le groupe Cendant, lui-même racheté par le Vivendi de Jean-Marie Messier...

« A cette époque, je gérais les start-up de manière sérielle, raconte Bill Gross. Je les créais, les développais, puis les revendais ou les introduisais en bourse. » Mais Bill avait sans cesse de nouvelles idées entrepreneuriales. En 1995, alors qu'il développait Knowledge Adventure, il a vu le navigateur Netscape s'introduire en bourse. Cela lui a donné beaucoup d'idées de sociétés internet. Son capital-risqueur, Mohr Davidow, lui a conseillé de créer des sociétés séparées, parce qu'il est toujours plus efficace de concentrer une équipe sur une seule idée. Du coup, Bill et certains de ses collaborateurs ont lancé, en parallèle, l'un des premiers annuaires en ligne, City Search.

Bill Gross se rend compte que ce rôle de chef d'orchestre lui convient parfaitement : « J'adore chercher des idées et lancer des entreprises, mais les gérer sur le long terme n'est pas mon point fort. En mars 1996, j'ai donc décidé de créer un incubateur d'entreprises, Idealab, pour démarrer plein de projets en simultané. Un peu sur le modèle du laboratoire de Thomas Edison. »

Aujourd'hui, Idealab emploie une cinquantaine de permanents, mais abrite aussi la douzaine de jeunes sociétés de son portefeuille, dans un immeuble en brique et quelques locaux supplémentaires — 4 600 mètres carrés au total — dans le centre de Pasadena, au nord de Los Angeles. Les employés travaillent dans un grand espace ouvert, clair, tout en plexiglas et murs bas. « Chacun peut voir ce que font les autres, dit Bill. Il y a peu d'intimité, mais beaucoup de communication, ce qui permet l'émulation. »

Son fondateur aime comparer Idealab à un « mini-General Electric ». L'équipe établit une liste de tous les grands défis posés à l'humanité : la santé, la circulation automobile, l'énergie de demain... Ensuite, elle se livre à un véritable *brainstorming*, avec un seul mot d'ordre : bousculer le statu quo ! « On se demande s'il existe une solution technique à ces questions, par opposition à une solution politique ou législative. Si on a une idée, on construit un prototype, et on voit si ça marche. Une solution non conventionnelle apparaît toujours comme une idée folle... jusqu'à ce qu'elle soit acceptée. C'est sur ce genre de défis qu'on aime travailler. »

La bande d'Idealab rassemble une poignée de Géo Trouvetou idéalistes, persuadés qu'il suffit d'un peu d'ingéniosité, de beaucoup de travail et d'une bonne dose de passion pour bâtir le meilleur des mondes technologiques. Il faut dire que leur bilan démontre les vertus d'une certaine forme de naïveté : en treize ans, le laboratoire de Bill a accouché de pas moins de 100 sociétés, qui au sommet de leur valorisation ont pesé plusieurs milliards de dollars avant l'éclatement de la bulle internet. Mais certaines ont survécu au krach des « dot com ».

City Search a été introduit en bourse, puis a fusionné avec Interactive Corp. Shopping.com a été coté en 1998. Lancé avec 200 000 dollars, Goto.com, une des toutes premières sociétés de recherche financées par les annonces payantes, a été acquis par Yahoo pour 1,6 milliard en 2003. Même succès pour le logiciel d'édition de photos Picasa, cédé à Google. « On a été payés en actions Google, et on a donc pu bénéficier de son parcours spectaculaire après son introduction en bourse », commente Bill.

En général, le capital des jeunes start-up est réparti à égalité entre Idealab, ses employés et ses actionnaires extérieurs. Ensuite, Bill Gross aime bien garder 10 % de « ses » entreprises, après les avoir introduites en bourse ou bien cédées à un industriel. « Mais quand l'acheteur veut prendre 100 % du capital, cela ne me pose pas de problème, précise-t-il… à condition qu'il continue à développer notre idée : Google vient par exemple de sortir la version 3.0 de Picasa. »

Bien sûr, Idealab a aussi essuyé d'innombrables échecs. Cela fait partie du processus. Bill Gross cite son idole, Thomas Edison : « "Je n'ai pas échoué, j'ai appris 10 000 moyens de ne pas réussir", a-t-il dit au moment où il cherchait à inventer l'ampoule électrique. L'échec est un formidable apprentissage. Personnellement, il me motive pour repartir à l'assaut avec une énergie décuplée. » Gross se sert d'Idealab comme d'un filtre pour sélectionner les jeunes qui ont cet état d'esprit, puis en peupler les entreprises qu'il crée. 20 % des employés d'eSolar, par exemple, viennent d'Idealab. « Quand je recrute, je recherche les gens qui ont déjà connu un échec, et en ont tiré les leçons. C'est un moyen idéal pour repérer ceux qui ont l'ADN de la prise de risque, inhérente à la créativité. Toutes les jeunes sociétés traversent un jour des zones de turbulences. Les entrepreneurs qui ont déjà surmonté ce type de passage à vide sont les meilleurs. Ceux qui n'ont jamais connu de pépin sont moins aguerris. »

Des logiciels, des fleurs… et un dauphin

L'argent gagné avec la vente de Picasa a permis à Bill Gross de réinvestir le champ des énergies renouvelables. « En 2001, il y a eu ces coupures de courant historiques en Californie. On s'est

alors mis à chercher un moyen de stocker l'énergie en dehors du réseau, raconte-t-il. Et l'on a
aussi commencé à s'intéresser à la production
d'énergies alternatives. » Bien avant toutes les
préoccupations sur le réchauffement climatique,
longtemps avant Al Gore, le patron d'Idealab
pressentait qu'il fallait diminuer notre dépendance
aux énergies fossiles. « Dans le domaine du solaire,
qui m'avait tant fait rêver adolescent, il ne s'était
pas passé grand-chose en vingt ans, raconte-t-il.
Alors, j'ai repris mes recherches... » Sur une vidéo
de la conférence au TED de 2003, on voit Bill
Gross présenter une étrange « fleur solaire », dont
les pétales miroirs bougent et motorisent un engin
de Sterling.

De ces travaux expérimentaux sont nées quatre
start-up solaires : le concept de ferme modulaire
eSolar, mais aussi Energy Innovations, consacré aux
installations de grosses unités photovoltaïques sur les
toits des entreprises ; Invidia, qui après avoir commercialisé des moteurs Sterling fournit maintenant
des équipements résidentiels combinés pour l'énergie et le chauffage ; et Distributed World Power,
qui conçoit des systèmes micro-solaires bon marché
pour les pays en développement.

« Généralement, nos idées germent toutes en
interne, explique Bill. On commence par faire des
prototypes à 10 000 dollars ; puis, si ça marche, à
100 000 dollars. Enfin, si on arrive à écrire un business plan, on passe au million de dollars. » Pour eSolar,

par exemple, Bill et ses collègues ont monté un mini-laboratoire solaire, avec sa tour réceptrice miniature... sur le toit de leur building de Pasadena. « On a testé ça pendant un an, avant de mettre le logiciel au point. Après, on s'est demandé s'il y avait un modèle d'affaires. Ensuite, on a créé la société avec les gens qui avaient développé l'idée. »

Il arrive, plus rarement, que les idées perturbatrices qu'affectionne Bill soient amenées de l'extérieur. C'est le cas d'Aptera. Les équipes d'Idealab réfléchissaient depuis un moment à un véhicule électrique entièrement basé sur les lois de l'aérodynamique, présentant un minimum de résistance à l'air. « J'avais même lancé un concours de design dans une école de la région, raconte Bill. Mais même le meilleur croquis était trop prisonnier de l'idée qu'on se fait généralement d'une voiture. » Et voilà qu'un jour Steve Fambro et Chris Anthony, de San Diego, lui apportent un projet qui le séduit : le véhicule avait la forme d'une goutte d'eau, avec une queue allongée et plate.

« Je les ai rencontrés, et je me suis dit qu'ils pouvaient porter mon rêve. Plus un véhicule est aérodynamique, plus il permet des économies d'énergie. La forme compte bien davantage que le poids : la résistance au mouvement, c'est pour deux tiers l'air et pour un tiers le poids de l'acier. »

Au printemps 2009, Aptera a construit cinq prototypes de son étrange véhicule blanc avec un nez de dauphin, trois roues et des portes remontant vers le ciel comme des élytres. Pour aller plus loin, il lui faut des financements. « Construire l'Aptera, modèle par modèle, nous coûte 500 000 dollars, détaille Bill. Mais la construire par séries de mille reviendrait à 20 000 dollars pièce, ce qui nous permettrait de le vendre 25 000 dollars. Donc, on doit lever au moins 20 millions de dollars. »

Aptera a postulé à un prêt de 75 millions de dollars auprès du Département de l'énergie pour produire 5 000 véhicules par an dans son usine de Carlsbad. Mais ce drôle d'engin est piégé par son design révolutionnaire : « A cause de ses trois roues, l'Aptera est techniquement une motocyclette, même si elle passe les tests de sécurité des voitures. C'est pourquoi notre demande a jusqu'ici été rejetée », raconte Bill. Penser « en dehors de la boîte » (*out of the box*), comme on dit aux États-Unis, n'a pas que des avantages. Bill espère que le DOE, qui a pour vocation d'aider les véhicules écologiques, reverra ses critères, ou bien que son drôle d'oiseau aux allures de guêpe parviendra à séduire d'autres investisseurs.

Garée dans la cour de l'hôtel Bacara de Santa Barbara, en marge de la conférence ECO:nomics du *Wall Street Journal*, en mars 2009, l'étrange triporteur au nez rond fait en tout cas sensation. « On a eu des contacts avec de nouveaux investisseurs, ici même, confie Bill Gross. Je sais qu'une petite firme ne peut pas, à elle seule, changer le monde de l'automobile. Mais j'espère que si nous réussissons, cela poussera les autres constructeurs à repenser radicalement leur design et leurs matériaux. »

Vu de l'extérieur, il semble difficile de comprendre comment Bill Gross se partage entre eSolar, dont il est alors PDG, Idealab qu'il dirige complètement, et cette demi-douzaine d'autres jeunes entreprises dont il est administrateur. Car même si, à part Aptera, elles sont toutes hébergées sous le même toit, ce sont des entités séparées : elles ont des projets, des clients, des investisseurs, des managers, des problématiques et des marchés différents. Sans oublier sa vie de famille : il a cinq enfants, nés de deux unions. L'aîné, David, travaille d'ailleurs chez eSolar.

« Oui, j'ai une vie très occupée », reconnaît Bill Gross, qui traîne modestement sa petite valise à roulettes de conférence *green* en symposium cleantech. Aucune lassitude, pourtant, chez cet éternel VRP de ses propres innovations. « Idealab, c'est ce dont je rêvais quand j'étais adolescent. Et j'aime tellement ce que je fais que cela ne me demande aucun effort ! »

Contourner la crise

Ayant vécu le krach internet et vu mourir beaucoup de bonnes idées, Bill Gross a mis son incubateur à l'abri des coups durs. Il garde en perma-

nence 100 millions de dollars en banque : « Cela
représente dix ans d'opérations d'Idealab. Ce qui
dépasse ce seuil, on le redistribue à nos actionnaires,
dont moi-même. » Mais le patron d'Idealab est bien
content d'avoir cette réserve, en cas de traversée du
désert. Et avec la crise financière actuelle se profile
justement un assèchement sans précédent des marchés financiers : la dernière mise en bourse d'un de
ses poulains, Internet Brands, date de... novembre 2007. « Il se peut qu'aucune de nos compagnies
ne soit achetée ou ne devienne publique pendant
longtemps, estime Bill Gross en mars 2009. Pour
eSolar, cela pourrait prendre encore deux ou trois
ans... »

eSolar, qui emploie alors 130 personnes, est abrité
dans les locaux d'Idealab à Pasadena. « Encore 10
embauches et ils devront déménager », dit le boss.
En revanche, la PME fonctionne depuis son « essai-
mage » en 2007 comme une entité indépendante de
l'incubateur. « A chaque fois, on crée un nouveau
pool d'actions à partir de rien. Cela motive énormément les salariés, parce qu'ils vont en bénéficier
directement. Ces titres portent davantage de risque
que les actions d'Idealab, mais elles présentent aussi
un plus grand potentiel d'enrichissement. » Pour le
démarrage, Gross a nommé au poste de PDG Asif
Ansari, qui dirigeait une de ses autres « gazelles ».
Puis, la crise venant, il a repris lui-même les commandes. « En ce moment, eSolar a besoin de moi.
Mais c'est provisoire, précise-t-il. Je chercherai

ensuite un bon manager pour la développer. En revanche, je suis et resterai très impliqué dans sa technologie. »

La culture frugale d'eSolar, en phase avec l'atmosphère de la crise, a séduit des investisseurs extérieurs. La start-up solaire a levé quelque 130 millions de dollars, notamment auprès de la firme de capital-risque Oak Investment Partners de Palo Alto, et de Google.org. « Eric (Schmidt), Larry (Page) et Sergey (Brin) adorent ce que l'on fait : ils ont investi dans eSolar, mais aussi dans Aptera, dit fièrement Bill Gross. Google pense qu'il faudra 3 500 milliards de dollars pour arriver à rendre les énergies renouvelables moins chères que le charbon. Moi, je pense qu'on peut le faire avec 1 500 milliards… »

Éternel optimiste, Bill Gross a tout de même tiré de sa longue expérience deux règles d'airain. Loi de Gross numéro un : « Il faut aller à la rencontre d'un vrai besoin du consommateur. On ne peut pas pousser les produits vers le marché, il faut que ce soit lui qui les tire. Autrement, vous risquez de perdre tout votre profit théorique en coûts de marketing. » Comment s'assurer de la désirabilité d'un produit souvent si novateur qu'il n'existe aucune référence ? Bill Gross ne fait pas confiance aux seules études de marché. Il essaie, chaque fois, d'être sûr que ça se vendra tout seul, quand les gens découvriront que ça existe. Pour Goto.com, il avait laissé aux annonceurs la possibilité de mettre des pubs en ligne, et vérifié s'il y en avait chaque jour davantage. « Avec Aptera, on a fait deux prototypes, créé un site web, et on a commencé à prendre les pré-commandes en demandant un acompte de 500 dollars. On a eu 5 000 réservations ! Sinon, on n'aurait pas financé la société. »

Pour eSolar, Bill Gross s'est assuré de l'intérêt de ses clients potentiels : les compagnies d'électricité de Californie, du Nouveau-Mexique et du Nevada. Mais il a aussi voulu valider sa technologie auprès des experts reconnus en énergie solaire, que ce soit au sein du groupe privé Rocketdyne, ou bien du laboratoire public de recherche Sandia National Lab. « Dale Rogers de Rocketdyne et Craig Tyner de Sandia ont tellement aimé notre projet qu'il sont venus travailler pour nous ! Cela nous a confortés dans nos choix. »

Loi de Gross numéro deux : « Il faut être capable de survivre, de durer assez longtemps pour que votre produit soit compris, accepté par le plus grand nombre. » Certaines des sociétés mises en orbite par Idealab ont fini par mourir parce qu'elles avaient grossi trop vite, victimes de l'euphorie internet de la fin des années 90. « Il est très difficile de ne pas se laisser prendre quand vos actionnaires, vos clients, les médias vous disent tous que vous êtes *great…* » C'est ce qui a tué la société de vente de jouets en ligne eToys, créée par Idealab en 1997 : « eToys a produit 5 millions de dollars de ventes au premier Noël, 10 millions l'année suivante, puis 50 millions, et 150 millions... Entrée en bourse, la société a dépassé les 7 milliards de dollars de capitalisation ! Du coup, ses dirigeants, qui prévoyaient 300 millions de ventes l'année suivante, ont brûlé 200 millions de dollars pour financer de nouveaux entrepôts... qui sont restés vides. »

Bill Gross aurait pu, lui aussi, dépenser le cash d'eSolar en 2008, quand le solaire thermique était à la mode. Mais il est allé un peu plus doucement, et ne le regrette pas. La société de Pasadena a signé avec Southern California Edison un contrat à long terme portant sur la fourniture de 245 mégawatts. Soit des débouchés garantis pour cinq de ses unités de base. Mais comment construire des centrales solaires, dévoreuses de capitaux, quand les marchés financiers sont gelés ? Alors que certains de ses concurrents semblent paralysés par la conjoncture, Bill a contourné le problème en trouvant des partenaires industriels.

Début 2009, il annonce − coup sur coup − un accord pour 500 mégawatts avec la compagnie d'électricité américaine NRG Energy, jusqu'ici surtout dépendante du charbon, et un partenariat pour 1 000 mégawatts avec le groupe indien ACME. Mieux : NRG et ACME apportent aussi, respectivement, 10 millions et 30 millions de dollars au capital d'eSolar. Or NRG Energy produit jusqu'ici avec des centrales à charbon, et ACME opère dans un pays à bas coût. Deux alliances qui valident la compétitivité d'eSolar... Le 11 juin, NRG Energy et eSolar annoncent la signature d'un contrat de 92 mégawatts avec la compagnie d'électricité El Paso Electric, pour la construction de deux fermes modulaires dans le comté de Dona Ana, au Nouveau-Mexique.

En Inde, il s'agit bien sûr d'un simple accord de licence : « eSolar n'a pas vocation à construire à l'étranger. Nous recherchons aussi activement des alliances de ce type en Chine, au Moyen-Orient et en Europe du Sud... » Aux États-Unis, eSolar est ouvert à tous les modèles d'affaires : « Au début, on opérera avec NRG Energy, ensuite, ils le feront seuls. Notre spécialité, c'est le guidage électronique, les algorithmes, pas la construction et la maintenance d'usines. » Bill Gross est aussi prêt à vendre ses unités clefs en main, pas forcément pour générer de l'électricité, mais pour motoriser des sites industriels ou produire de la vapeur d'eau. « On est même prêts à vendre les seuls miroirs : si on dépasse le million de pièces, on peut baisser les coûts de 10 à 20 %... »

eSolar arrivera-t-il à émerger de la crise comme l'un des acteurs rentables du solaire thermique ? Bill Gross n'est pas le seul à l'espérer. A Lancaster, où les commerces ferment les uns après les autres, et où le taux de chômage est passé de 5,1 % en 2007 à 13,5 % en mars 2009, le maire Rex Parris lui a déroulé le tapis rouge. Le site d'eSolar a occupé jusqu'à 300 ouvriers pendant la construction, et devrait pérenniser une vingtaine de jobs à plein temps. « Nous sommes fiers de participer au sauvetage de la planète », a expliqué au *Los Angeles Times* l'édile de cette ville-dortoir que la récession avait déjà durement frappée au début des années 90, lors du déclin de l'industrie aérospatiale.

Du hockey en apnée aux panneaux solaires

600 kilomètres plus au nord, dans la banlieue sud de San Francisco, Solar City vise l'autre bout de la chaîne de l'industrie solaire : l'installation de panneaux photovoltaïques chez les particuliers ou les PME. « Regardez les nouveaux produits à couche mince, s'écrie son PDG Lyndon Rive en brandissant une plaque rectangulaire qui ressemble à une vitre teintée. Ils sont beaucoup plus beaux que les panneaux en silicium ! » Originaires d'Afrique du Sud, Lyndon et son frère Peter ont créé cette entreprise en 2007. Mais cet outsider a dépassé avec une aisance incroyable ses concurrents REC, Akeena et Real Goods, installés respectivement depuis sept, huit et vingt ans. Et le jeune entrepreneur est vite devenu leader sur un marché californien très atomisé, où près de la moitié des installations sont encore effectuées par l'électricien du coin. Lorsqu'il fait la promotion de Solar City, Lyndon, espiègle, aime à représenter ce rival de la boutique du coin une casquette vissée à l'envers sur le crâne et une

bouteille de bière à la main. Message subliminal : faites plutôt confiance à des « pros » !

« En janvier, on détenait 22 % du marché des nouvelles installations en Californie. D'ici fin 2009, on devrait arriver à 30 % », explique Lyndon Rive. Or le « Golden State » pèse, à lui seul, 67 % du marché américain du solaire. Solar City ne dévoile pas son chiffre d'affaires. Mais la société de Foster City emploie 350 personnes et a signé 1 100 nouveaux contrats en 2008. Elle a commencé par le résidentiel pur. Aujourd'hui, ses ventes concernent pour 55 % des particuliers, et 45 % des entreprises.

Solar City a multiplié son chiffre d'affaires par deux entre 2007 et 2008, et prévoit de le doubler à nouveau en 2009. « Sans la crise, on l'aurait triplé... », sourit Lyndon, qui ne s'en vante pas trop sur les salons professionnels, de peur d'agacer ses confrères. Le secret des frères Rive, c'est d'avoir professionnalisé ce métier, et d'avoir vu grand. « Si on veut relever le défi environnemental, faire passer 10 000 maisons à l'énergie solaire ne suffit pas, il faut atteindre le million, explique Lyndon. Pete et moi avons justement l'ambition de construire une infrastructure de distribution et d'installation à cette échelle. »

Dans ce tandem familial, l'aîné, Peter, est le technicien, tandis que le cadet, Lyndon, s'occupe de la partie gestion. Le jeune homme, qui s'exprime avec un fort accent sud-africain, n'a pourtant jamais fait d'école de commerce : à l'entendre, il a même eu du mal au lycée ! Lyndon et Peter sont les cousins germains d'Elon Musk, le PDG de Tesla Motors et de Space X[1]. Leurs mères, sœurs jumelles, sont nées au Canada, puis ont émigré en Afrique du Sud. « Je suis né et j'ai grandi à Pretoria, raconte Lyndon. Mon père était chiropracteur, et ma mère dirigeait un salon de beauté. »

A dix-sept ans, Lyndon Rive crée sa première entreprise : une société de distribution de produits naturels pour la santé, qui marche très bien. « Comme je n'allais plus beaucoup en classe, le proviseur voulait m'exclure du lycée. Donc, j'ai été le voir et lui ai montré les comptes de ma PME : je gagnais davantage que tous mes professeurs réunis ! » Lyndon et le proviseur concluent alors un pacte : le jeune homme est exempté de cours s'il arrive à passer tout seul ses examens. Ce qu'il fait… de justesse.

En 1998, quand le groupe dont il distribue les produits rachète sa PME, Lyndon Rive peut réaliser son rêve : partir à San Jose (Californie) participer aux championnats du monde de hockey subaquatique, un sport très athlétique qui se pratique en apnée, au fond d'une piscine. « J'ai facilement obtenu un visa comme membre de l'équipe sud-africaine. On a battu les Australiens, tenants du titre, mais on a malheureusement perdu 2 à 1 contre les Français ! »

---

1. Voir chapitre 4.

Lyndon décide tout de même de rester dans cette Silicon Valley, qui le fascine : « Après ses études d'informatique à l'université de Queens (Canada), mon frère Peter travaillait dans la Vallée et voulait fonder sa propre entreprise. » En 1999, Lyndon crée avec lui la société Everdream, « pour que les services informatiques professionnels ne soient plus un cauchemar ». Il lève 106 millions de dollars de capital-risque et développe l'affaire, revendue en 2007 à Dell pour une somme aussi coquette que secrète. « On a quitté Everdream le 2 juillet et lancé Solar City le 4 juillet, jour de la fête nationale », se souvient Lyndon Rive.

Les frères Rive avaient, depuis 2004, évalué les différents segments de l'industrie solaire : équipements, fabrication des panneaux, production d'électricité pour les compagnies, installation... « On en a conclu qu'il y avait beaucoup d'acteurs en amont, mais très peu en aval. Le marché de la distribution et de la livraison était fragmenté, très artisanal. Même si la technologie avait été gratuite, le taux d'adoption n'aurait pas bondi, parce que tous les installateurs étaient au maximum de leurs capacités ! »

Lyndon et Peter Rive ont commencé par lever 56 millions de dollars auprès de Draper Fisher Jurvetson, l'un des capital-risqueurs phares de la Vallée, qui ne regrettait pas de leur avoir fait confiance sur Everdream, mais aussi auprès du « cousin » Musk.

« On s'est peu connus dans notre enfance, parce que j'étais plus jeune, explique Lyndon. Mais quand je me suis installé par ici, Elon, qui gérait alors PayPal, a voulu savoir qui était cet autre petit cousin entrepreneur. » Séduit par l'idée de Peter et Lyndon, Elon Musk investit une somme importante dans Solar City et prend la présidence de son conseil d'administration. Mais alors que ce redoutable financier a rapidement évincé le cofondateur Martin Eberhard de Tesla Motors, il semble laisser aux Rive une certaine indépendance. Il faut dire que Lyndon parle de son « cousin *chairman* » avec une admiration débordante : « Elon est un de ces individus uniques, complètement fous et sidérants. Il est très, très intelligent… comme s'il appartenait à une race à part. Il est passionné par ce qu'il fait, et son engagement est délirant : il travaille jour et nuit. »

Pas de différend ? « Elon est l'un de nos administrateurs les plus durs. Son engagement est véritable, mais il est occupé ailleurs. Et quand il se mêle de quelque chose, ce n'est pas parce qu'il en a envie, mais parce qu'il doit le faire. Il contribue à définir notre stratégie et attend de nous qu'on fasse ce qu'on a promis. Il ne supporte pas l'échec ; ni qu'on lui cache des choses. » A cet égard, Lyndon a l'impression que les liens familiaux ne sont pas forcément un avantage : « Quand il n'est pas content, il peut dire les choses sans prendre de gants. Et il ne s'en prive pas ! »

Lyndon et Peter ont démarré leur affaire seuls. Puis, au bout de trois mois, ils ont repris deux petites sociétés, « essentiellement pour l'expertise de leurs six salariés ». Depuis, leur réputation leur a permis de construire une équipe solide. Plus récemment, la banque J.P. Morgan et le gros fabricant coté de panneaux solaires First Solar ont rejoint le tour de table.

Faire des économies en sauvant la planète

Dès le démarrage, l'obsession des frères Rive était d'éliminer les trois principaux obstacles à l'adoption de l'énergie solaire : « Un, l'information et l'éducation des gens. Deux, l'investissement initial, qui reste prohibitif pour le grand public. Trois, le souci du service après-vente et de la maintenance. Enfin, accessoirement, l'esthétique. » Lyndon commence donc par faire baisser les coûts d'installation en essayant de regrouper ses clients par localité. « On allait dans les quartiers, on organisait des campagnes d'information et de vulgarisation. Et on disait aux gens : "Si vous faites une commande groupée, vous obtiendrez des rabais intéressants." Parce qu'on est plus productifs si on installe 100 systèmes dans un même comté plutôt que de se disperser dans la moitié de l'État. » En tant que spécialistes du logiciel informatique débarquant dans cette industrie, les

Rive n'avaient a priori pas grand-chose pour eux : pas de point de différenciation, pas de marque, pas de crédibilité... Pourtant, cette tactique a permis à Solar City de percer et de prendre le leadership en Californie dès sa première année d'existence.

En 2008, les frères Rive ont mis les bouchées doubles, en imaginant une véritable martingale : un programme de financement qui permet au client d'éviter toute mise de départ. « Même avec un gros rabais, il fallait auparavant payer de 20 000 à 30 000 dollars pour l'acquisition des panneaux. Ce qui dissuadait beaucoup de clients. » Alors, en mai 2008, Solar City a commencé à proposer une formule de location forfaitaire, qui permet aux usagers de ne rien payer à l'installation, puis de dépenser moins, chaque mois, que la somme dont ils s'acquittent déjà auprès de leur compagnie d'électricité. « Si je vous donne le choix entre de l'électricité conventionnelle à 220 dollars par mois et de l'électricité solaire à 190 dollars par mois, vous prenez laquelle ? » interroge Lyndon Rive.

L'équation économique est en réalité beaucoup plus facile pour Solar City que pour eSolar. « Dans l'industrie, tout le monde parle d'atteindre la *grid parity* : le coût auquel les compagnies achètent l'électricité produite avec du charbon. Mais nous, nous opérons sur le marché du détail. Le tarif que nous devrons concurrencer n'est pas le prix d'achat de gros par les compagnies d'électricité locales (8 à 10 cents le kilowattheure), mais plutôt les 18, 25 voire 40 cents le kilowattheure qui figurent sur votre facture en fonction du volume consommé. » La tarification étant progressive, Solar City peut faire faire des économies aux particuliers qui ont une maison bien ensoleillée et une facture d'électricité supérieure à 150 dollars par mois.

Lyndon Rive arrive à passer sous cette barre en cumulant les aides disponibles au niveau national (un crédit d'impôt de 30 %) et les aides régionales. La Californie a en effet activé en 2006 le plus gros programme d'aide au solaire après l'Allemagne. L'« Initiative solaire californienne » prévoit l'installation de 3 000 mégawatts de capacité électrique solaire d'ici 2016, notamment à travers le projet « One Million Solar Roofs » (« Un million de toits solaires »). Les aides d'État sont dégressives, en fonction du nombre d'installations dans un comté. S'y ajoutent parfois des incitations municipales ; la ville de San Francisco, par exemple, propose une réduction supplémentaire de 4 000 dollars par installation. « San Francisco est la meilleure ville des États-Unis pour installer du solaire. Cela devient rentable dès que la facture dépasse 60 dollars mensuels », se réjouit Lyndon Rive.

Ce programme original de leasing, qui n'exige aucun déboursement initial, a donné un énorme coup de fouet à l'activité de Solar City, jusqu'à l'été 2008, où elle a été rattrapée par la crise financière. « On avait créé un fonds spécifique dédié à l'acquisition des panneaux : les banques investissant dans le solaire pouvaient utiliser les crédits d'impôt. Avec les problèmes actuels, ces établissements sont tous dans le rouge. Cela ne les intéresse plus », raconte Lyndon Rive. Il reste cependant optimiste, car le gigantesque « Stimulus économique » voté par le Congrès américain en février 2009 prévoit de remplacer ces crédits d'impôts par des aides directes pour les deux ans qui viennent. « Le premier semestre va être très lent, mais dès que les établissements financiers se seront organisés pour toucher ces subventions, l'activité devrait repartir de plus belle au second semestre 2009. »

Car la demande, elle, ne faiblit pas. « Chaque mois, nous avons plus de commandes que nous n'effectuons d'installations, constate Lyndon. Ce n'est pas étonnant : à une période où les gens manquent cruellement d'argent, nous leur vendons des économies. 30 dollars de moins par mois sur une facture, ce n'est pas négligeable… C'est surtout cela qui attire nos clients. L'aspect vert est perçu comme un avantage secondaire. » En dépit de la montée des incidents de paiement sur les cartes de crédit et les emprunts à la consommation, Solar City n'a jusqu'ici enregistré aucun impayé. « Si les gens ne nous règlent plus, l'alternative est de payer davantage à Southern California Edison ou à Pacific Gas & Electric… »

Les frères Rive ont aussi su rendre leur service extrêmement convivial, presque ludique. Sur le site internet de Solar City, le visiteur qui tape le montant moyen de sa facture d'électricité et son adresse voit instantanément s'afficher une carte de son quartier. Il place alors une épingle virtuelle sur le toit de sa maison, précise la taille et l'exposition de sa toiture. Et le site calcule instantanément le montant de la facture d'énergie solaire. Pour une maison de quatre chambres dans le quartier Nob Hill de San Francisco, avec une toiture plate orientée au sud, l'actuelle facture de 250 dollars passerait ainsi, avec le solaire, à 168 dollars par mois – soit près de 1 000 dollars d'économies sur l'année.

Les clients de Solar City ont en outre la possibilité de visualiser à chaque instant l'électricité qu'ils produisent et celle qu'ils consomment, ce qui leur permet d'optimiser l'usage de cette précieuse ressource. Et quand le soleil brille et que toutes les lampes et autres équipements électriques sont éteints, leur compteur se met à tourner à l'envers. Leur compagnie d'électricité enregistre alors, pour ces clients, des « crédits de consommation », qu'ils utiliseront quand le soleil est couché et qu'ils tireront à nouveau sur le réseau conventionnel.

« L'un de nos gros avantages marketing est de proposer un service complet et intégré, explique Lyndon Rive. On conçoit le système, on l'installe, on le finance, on demande le permis, on remplit la paperasse pour les aides, et on garantit la performance, que l'usager peut surveiller en ligne. Avec une maintenance assurée en cas de problème. » En prime, Solar City propose à ses

clients qui le désirent des audits gratuits pour la
partie de la dépense énergétique sur laquelle la
société n'intervient pas : isolation, chaudière à
gaz, système de ventilation, équipement électro-
ménager.

Pour ceux qui sont soucieux d'esthétique, Solar
City propose depuis début 2009 les panneaux dernier cri de son partenaire First Solar, en cadmium
telluride. Ces panneaux dits « à couche mince »,
étaient jusqu'ici surtout installés chez les clients
professionnels. Car s'ils sont environ deux fois
moins chers à fabriquer, ils sont aussi beaucoup
moins performants. Il faut donc en placer davantage, là où la surface de toit l'autorise, pour obtenir
la même production d'énergie. Selon Lyndon
Rive, « cette nouvelle technologie a l'avantage de
commencer à produire avec une plus faible lumi-
nosité, donc on peut gagner une demi-heure le
matin et le soir. Ces panneaux se comportent aussi
mieux à haute température. Et puis, First Solar les
recycle entièrement, ce qui leur confère une empreinte
carbone très basse ».

Le solaire représente aujourd'hui moins de 1 % de
l'électricité consommée en Californie. Il existe donc
un tel potentiel de croissance que l'on n'assistera
probablement pas à une bataille entre les panneaux
en silicium et ceux en cadmium : « Ce sera plutôt
toutes les formes de solaire — thermique et photovoltaïque à base de silicium ou de cadmium — contre
les énergies fossiles », prédit Lyndon Rive.

Le « modèle allemand » fait tache d'huile

Avant la crise financière, le marché californien du solaire était en plein essor, aussi bien pour les particuliers que pour les entreprises. Les panneaux solaires ont, bien sûr, colonisé les toits et les auvents de parking des campus hi-tech de la Vallée, chez Google, eBay ou Applied Materials. Mais ils commencent aussi à apparaître sur les hangars ou les magasins de la grande distribution. Le géant Wal-Mart a installé 624 kilowatts sur un magasin de Palm Desert (Californie) et projette d'équiper 22 sites supplémentaires dans l'État et à Hawaï, pour atteindre une capacité cumulée de 20 mégawatts. Best Buy a des projets solaires pour 35 magasins aux États-Unis. Safeway, Whole Foods, Staples, Target, Home Depot, Macy's et Costco leur ont emboîté le pas.

Les principales compagnies d'électricité américaines s'y mettent, elles aussi. Leader en la matière, la californienne Pacific Gas & Electric, qui dessert 15 millions de clients dans le nord de l'État, réagit à la crise en annonçant, en mars 2009, un programme de 500 mégawatts de solaire photovoltaïque sur cinq ans. Le groupe compte faire installer lui-même 250 mégawatts à proximité de ses sous-stations, et signer des contrats pour l'autre moitié auprès d'intervenants extérieurs. « Vu le nombre de projets d'énergie renouvelable différés, nous ne pouvions nous contenter de rester passifs, si nous voulons protéger l'environnement et répondre aux attentes de nos clients », a déclaré son PDG Peter Darbee. Depuis 2002, la compagnie a déjà signé des contrats d'achat d'énergie propre pour plus de 20 % de ses futurs besoins. Si tout va bien, cette initiative devrait encore couvrir en 2015 une nouvelle tranche de 1,3 % de la demande du groupe, soit l'équivalent de 150 000 maisons.

« C'est formidable, commente Lyndon Rive de Solar City. Pacific Gas & Electric est un partenaire potentiel plutôt qu'un compétiteur : on va essayer de leur fournir une partie de ces 250 mégawatts. » Il faut dire que PG & E a la chance d'opérer dans un État qui dispose de ressources renouvelables abondantes. Les compagnies desservant le Sud ou l'Est, elles, sont encore très dépendantes des centrales à charbon, qui fournissent plus de 50 % de l'électricité américaine. « Que cela leur plaise ou non, le solaire arrive. Les compagnies qui sont malignes vont trouver des modèles d'affaires pour l'adopter. Celles qui résistent se trouveront en porte-à-faux avec les désirs de leurs clients », juge Lyndon Rive.

Même si elle a moins progressé que l'année précédente, la production américaine de solaire a atteint de nouveaux sommets en 2008, et la plupart des observateurs s'attendent à ce que le phénomène se poursuive en 2009. « La capacité a progressé de 16 % (soit 1 265 mégawatts), ce qui porte le total installé à 9 183 mégawatts », selon le rapport annuel de l'Association des industries de l'énergie solaire. La chaîne de production américaine est maintenant bien structurée autour d'acteurs industriels (Applied Materials, Oerlikon) qui conçoivent les équipements et livrent les usines clefs en main, de fabricants de panneaux (First Solar, Evergreen Solar et Energy Conversion Devices) et d'installateurs (REC, Akeena ou Solar City), qui couvrent le marché de détail.

Mais le solaire n'a réellement commencé à décoller que là où il est aidé par des subventions et une régulation favorable. Et surtout, là où les prix de l'électricité de détail sont élevés. L'Allemagne, qui aide cette industrie depuis 1991, affiche cinq fois plus de panneaux installés que la Californie, pourtant beaucoup plus gâtée par son exposition. Un phénomène qui n'est pas passé inaperçu. En mars 2009, Gainsville, en Floride, est devenue la première ville américaine à adopter le système allemand : un « tarif entrant » préférentiel pour l'énergie solaire fournie au réseau par les particuliers ou les entreprises. La compagnie municipale d'électricité propose désormais aux producteurs de solaire de leur acheter leurs électrons deux fois plus cher que le tarif standard, pendant vingt ans. Pratiquement, cela transfère le fardeau de la subvention du contribuable au consommateur local, qui voit sa facture d'électricité augmenter de 74 cents par mois (0,5 % de la facture moyenne). « Je le vois de mes propres yeux. Cela a réellement un effet positif sur notre économie locale, particulièrement en ces temps difficiles », a expliqué au *New York Times* Edward Regan, le directeur adjoint au Planning stratégique pour les compagnies d'électricité desservant cette ville. Si l'expérience de Gainsville fonctionne, Hawaï, Los Angeles ou la Californie pourraient bientôt suivre.

Aux États-Unis, les subventions – même temporaires, plafonnées et dégressives – sont souvent mal acceptées par une partie des hommes politiques. L'industrie semble en tout cas convaincue de pouvoir s'en passer complètement d'ici cinq à huit ans. Un sentiment corroboré par une récente étude McKinsey. « Au cours des deux dernières décennies, le coût de fabrication et d'installation d'un système solaire photovoltaïque a diminué de 20 % à chaque doublement de la capacité installée. » Selon cette étude, « le coût non subventionné de l'énergie solaire devrait égaler le coût de l'électricité conventionnelle en Californie, dans le Sud-Ouest américain, en Italie, au Japon et en Espagne ». Des régions du globe qui ont en commun un fort ensoleillement, des prix de l'électricité élevés et des réglementations incitatives qui stimulent la croissance du marché nécessaire à la poursuite d'une réduction des coûts.

Dans ses présentations, Charles Gay, président d'Applied Materials, rappelle qu'entre 1974 et 2004, le coût du transistor a été divisé par 20 millions, qu'entre 1995 et 2005 le coût d'un écran plat de télévision a été divisé par 20, et qu'entre seulement 2006 et 2010, le coût du watt d'énergie solaire a déjà été divisé par deux ! « Côté subventions, nous n'avons pas de complexes à avoir, juge Lyndon Rive. L'industrie pétrolière a, elle aussi, reçu des centaines de millions de dollars d'aides au forage et d'avantages fiscaux divers au cours des cinquante dernières années. Quant au charbon, il est subventionné parce qu'il ne paie pas le coût réel de ses émissions de CO_2. C'est comme une centrale nucléaire qui n'aurait pas à financer le recyclage de ses déchets et pourrait juste les jeter dans la rivière ! » A cet égard, la mise en place d'un marché américain des droits d'émission de CO_2 rendrait d'emblée le solaire plus compétitif.

L'essor de l'énergie solaire dépasse, bien évidemment, les frontières américaines. Selon le cabinet américain Clean Edge, les installations solaires dans le monde ont été multipliées par quatre en 2008 (4 gigawatts). Et le marché global du solaire photovoltaïque devrait progresser de 29,6 milliards de dollars en 2008 à 80,6 milliards en 2018.

« On assiste à l'avènement d'une nouvelle ère du solaire » à l'échelle mondiale, conclut l'étude McKinsey, qui prédit la possibilité de multiplier par 20 ou 40 la capacité installée sur la planète d'ici 2020. « Longtemps tourné en dérision comme non économique, le solaire gagne du terrain à mesure que ses technologies s'améliorent et que le coût des énergies traditionnelles augmente. »

Le secteur n'en est cependant qu'à ses balbutiements. « Même dans le scénario de croissance le plus favorable, l'énergie solaire ne représentera que 3 à 6 % de la capacité de génération installée en 2020 (200 à 400 gigawatts) », souligne McKinsey. En Californie, toutefois, ce ratio pourrait dépasser les 10 % – voire 20 % selon Lyndon Rive, pour qui l'avenir paraît décidément bien ensoleillé…

Conclusion

Un nouveau stade du capitalisme

Tirer des conclusions définitives de cette enquête serait présomptueux. Car on assiste au début d'une nouvelle ère, aux premiers pas hésitants d'un modèle de développement qui prendrait enfin en compte ses conséquences à long terme − sur l'air que l'on respire, l'eau que l'on boit, les molécules qui pénètrent notre corps, les gaz qui réchauffent notre planète et menacent sa diversité. Cette aventure ne fait donc que commencer. La révolution verte ne s'accomplira pas en une année, ni même une décennie. C'est l'affaire d'une génération.

On peut cependant, d'ores et déjà, faire un certain nombre de constats. L'engouement naissant pour les cleantech n'est pas une « mode » éphémère : il traduit le besoin de remettre complètement à plat notre consommation énergétique, et donc l'ensemble du système de production qu'elle nourrit. L'énergie est en effet le sang qui irrigue le corps économique, au même titre que les capitaux. On a vu, en 2008, le séisme que peut provoquer une grave crise financière. Un *energy crunch* serait sans doute plus dramatique encore, car il laisserait des séquelles bien plus profondes et durables ; il ne suffirait pas, pour le résoudre, d'injecter de l'argent. Or un scénario de ce type semble à présent inéluctable : le pétrole devrait atteindre son pic de production entre 2010 et 2030 et être à sec en 2050. Quant aux émissions de gaz carbonique, elles progressent apparemment davantage que les scénarios les plus pessimistes ne le laissaient prévoir. Si bien qu'en l'absence d'un sursaut rapide, l'effet de serre risque d'avoir poussé la température à la surface du globe dans la fourchette haute des 1,1 à 6,4 °C supplémentaires à l'horizon 2100.

D'une manière ou d'une autre, il faudra donc qu'un système plus économe en ressources, et moins dommageable pour le climat, voie le jour. La question n'est plus de savoir si la crise actuelle débouchera sur des changements, mais comment l'humanité procédera à ces ajustements. Dans l'urgence et la précipitation de désastres économiques et humanitaires majeurs ? Ou bien dans la relative sérénité d'une mutation orchestrée par des gouvernements responsables, librement acceptée par des peuples informés et accompagnée par des acteurs économiques qui y voient leur intérêt bien compris ? Si l'on veut conserver une vision optimiste de cette question, il se peut que nos petits-enfants (et leurs descendants) regardent un jour les XIXe, XXe et XXIe siècles — c'est-à-dire l'ère des énergies fossiles, où nous avons brûlé à tout va notre patrimoine de charbon, de pétrole et de gaz — comme une parenthèse, courte et déraisonnable, de la civilisation...

La vitesse de transformation de notre « économie fossile » sera très dépendante des politiques édictées par chaque pays, mais aussi du niveau des contraintes globales, sur lequel les États essaient de se mettre d'accord, pour succéder au protocole de Kyoto. D'où l'importance du Sommet de Copenhague de décembre 2009, première réunion multilatérale qui marque la coopération pleine et entière des États-Unis, « superpuissance » de l'effet de serre. Si leurs engagements sont pour l'instant moins importants que ceux de l'Europe, leur existence même constitue un signal fort, et porte, en germe, l'espoir d'un avenir où chacun assumera sa part de responsabilité face à l'immense tâche à accomplir.

Cet ouvrage s'est, par dessein, concentré sur les pionniers des nouvelles énergies. Même si ces PME sont peu susceptibles de remplacer les acteurs économiques établis, elles remplissent une indispensable fonction d'étincelle, de catalyseur. Sans Tesla Motors ou Better Place, en effet, les General Motors et autres Renault-Nissan n'auraient jamais sorti leurs premiers modèles électriques dès 2010. Sans Amyris ou Solazyme, les British Petroleum, Shell et autres Marathon Oil n'auraient pas songé à s'intéresser dès à présent au secteur des biocarburants.

Pour être efficace, l'adoption des nouvelles technologies de l'énergie ne peut cependant pas se faire de manière sporadique ou marginale. Les seules forces des start-up n'y suffiront pas. La révolution ne se concrétisera que si les multinationales occidentales s'y mettent. Car seuls ces grands acteurs peuvent conférer aux changements une échelle suffisante pour qu'ils soient significatifs. C'est leur savoir-faire industriel et leur puissance marketing qui permettront aux « produits verts » de ne pas coûter plus cher que les autres, et aux biens et services « décarbonisés » de sortir de leur niche « bobo » pour conquérir le marché de masse.

Il faut que « Big Car » se convertisse à la voiture propre, que « Big Coal » investisse sérieusement dans la capture et la séquestration du carbone, que « Big Oil » produise des carburants verts. Il faut que les groupes chimiques et pétrochimiques, les cimentiers, les géants des produits de grande consommation et de l'agro-alimentaire repensent leur manière d'opérer, inventent une industrie respectueuse de l'environnement et une agriculture plus frugale. Il faut que les grands distributeurs – les Wal-Mart, les Tesco et les Carrefour de ce monde – mettent leur « empreinte carbone » au régime, et imposent ce critère à leurs propres fournisseurs, ce qui aurait le mérite de diffuser ces modèles dans les pays à bas coûts, où ils s'approvisionnent. Le processus est entamé… mais la route sera longue. Et ces géants capitalistiques caleront le rythme de leur évolution sur les signaux des marchés financiers, les contraintes réglementaires et les aspirations de leurs clients.

Certains de ces acteurs changeront de paradigme et domineront l'économie propre de demain ; d'autres resteront englués dans l'ancien modèle et déclineront. On a vu cette loi de la « destruction créatrice » à l'œuvre dans toutes les précédentes révolutions industrielles : l'arrivée des métiers à tisser, de l'électricité, de l'automobile, de l'informatique, d'internet... Ceux qui combattent la « décarbonisation » invoquent surtout des arguments économiques : changer de modèle serait trop cher, trop destructeur d'emplois, en un mot récessif. Mais c'est oublier un peu vite que la notion même de coût est très relative : d'une part, les énergies fossiles ont été et sont toujours massivement subventionnées par les États. D'autre part, leur prix de marché est faux, puisqu'il ne tient pas compte des dégâts sur la santé humaine, ou l'environnement que la collectivité devra réparer, ni d'ailleurs des conséquences géostratégiques et des coûts militaires qui leur sont directement imputables, comme la guerre en Irak.

Dès octobre 2006, la *Stern Review* concluait qu'une action précoce et vigoureuse sur le changement climatique présentait des avantages qui compensaient plus que largement ses coûts. Depuis, de nombreuses autres études ont démontré que des politiques vertes pouvaient, si elles étaient bien dosées, devenir au contraire des moteurs économiques. C'est la raison pour laquelle la plupart des plans de relance de la croissance, annoncés fin 2008, comprennent une dimension verte. Van Jones, le fondateur de l'ONG d'Oakland « Green for All », a développé l'idée révolutionnaire selon laquelle les États-Unis pouvaient résoudre en même temps leurs problèmes sociaux et leurs problèmes d'environnement, en favorisant l'émergence de postes pour les travailleurs à « col vert », par analogie aux « cols-bleus » et « cols-blancs ». Son livre, *The Green Collar Economy*, prône un *New Deal* vert. Il appelle à l'émergence d'une « Coalition verte pour la croissance », une force politique de terrain capable de s'attaquer à la puissance du « complexe militaro-pétrolier ».

A problème global, marché global, et gouvernance globale. Sous la houlette du nouveau président américain, les États-Unis pourraient bien effectuer un virage à 180 degrés, passant en quelques années du statut de champion planétaire de la pollution et du gaspillage à celui de leader mondial des cleantech. L'affaire n'est pas gagnée. Mais c'est le rêve de très nombreux entrepreneurs et financiers en énergies propres de la Silicon Valley. C'est aussi celui du nouveau ministre américain de l'Energie, Steven Chu, soutenu par une intelligentsia éclairée, à l'image de l'éditorialiste et auteur Thomas Friedman, qui développe cette idée dans son dernier ouvrage, *La Terre perd la boule*.

Le nouveau projet de loi américain sur l'énergie, dit Waxman-Markey, prévoit certes des objectifs très modestes (un marché national du CO_2 dont les droits seraient à 85 % distribués gratuitement, et un objectif de 15 % de réduction du CO_2 par rapport à 1990 à l'horizon 2020). Mais ses promoteurs savent bien qu'ils ne parviendront jamais à faire voter un texte parfait. Ils préfèrent donc commencer par imposer un cadre législatif, qu'il sera toujours possible de resserrer par la suite.

Sur le papier, l'Union européenne est en avance. Elle a mis en place, dès janvier 2005, un marché européen du CO_2. Ce mécanisme s'est révélé assez peu contraignant, parce que ses subventions avaient été distribuées trop généreusement, et parce qu'il ne concerne qu'environ un tiers du total des émissions (essentiellement dans les centrales à charbon et l'industrie lourde). Mais son fonctionnement peut être amélioré et étendu, pour l'après-2012.

Un nouveau plan européen de lutte contre le changement climatique s'est fixé pour objectif de réduire les émissions de gaz à effet de serre de 20 % par rapport au niveau de 1990, d'ici 2020. Les gouvernements de l'Union européenne et les eurodéputés ont aussi avalisé une loi obligeant les Européens à inclure 20 % d'énergies renouvelables dans leur consommation électrique en 2020. Chacun des 27 pays de l'Union est censé atteindre un

objectif national et doit préparer un plan de « décarbonisation » passant notamment par des énergies
renouvelables, comme l'éolien, le solaire, l'hydraulique et le géothermique. Comme aux États-Unis,
cette politique crée cependant des tensions, entre les
économies de l'Est, encore très dépendantes du
charbon, et celles carburant au nucléaire (non émetteur de CO_2) ou aux énergies renouvelables.

En France, le score important des Verts aux élections européennes du printemps 2009 a remis au
goût du jour l'idée d'une « taxe carbone », portée de
longue date par la fondation de Nicolas Hulot.
Cette « Contribution Climat Énergie » devrait frei-
ner la consommation de produits carbonés, afin de
réduire les émissions de gaz à effet de serre. Elle
pourrait prendre la forme d'un prélèvement sur tous
les produits consommant des énergies fossiles (charbon, pétrole, gaz) dans les transports, le bâtiment et
l'industrie, secteurs non couverts par le marché
européen des échanges de droits à polluer.

Ce nouvel impôt devrait, en théorie, être fiscalement neutre. Pour Michel Rocard, qui préside la
« conférence de consensus » réunissant les experts,
« cette taxe ne peut en aucun cas être un accroisse-
ment de nos prélèvements obligatoires, elle doit être
substituée à d'autres impôts ». Il pourrait s'agir d'un
déplacement des prélèvements du travail vers l'énergie et les émissions polluantes. Ce mécanisme porte
« en germe, à échéance, une refonte de tout notre

système fiscal », selon Michel Rocard. L'une des idées explorées est que les Français puissent, en échange, toucher un « chèque vert », dont l'usage reste à fixer. Selon les projections de Bercy, une telle mesure amènerait un gain de croissance de 0,2 à 0,6 point par an et pourrait, au mieux, créer quelque dizaines de milliers d'emplois. Car une taxe à 10 % susciterait des économies d'énergie qui réduiraient nos importations pétrolières.

Hélas, il subsiste toujours dans notre approche hexagonale un grand tabou autour du nucléaire. Aucune réflexion de fond ne semble engagée sur l'avenir de notre dépendance vis-à-vis de l'atome, qui fournit 80 % de notre électricité. Le nucléaire, qui n'émet pas directement de CO_2, n'est certes pas dans le collimateur de Copenhague ; mais on sait qu'il présente d'autres risques (sur la gestion des déchets) et impose une structure énergétique hypercentralisée, au moment où certains experts prédisent l'avènement des énergies distribuées. En outre, les déboires d'Areva sur la construction des réacteurs de nouvelle génération, et le caractère artificiel du « prix » de l'électricité nucléaire, qui ne tient pas compte du coût réel du démantèlement des centrales vieillissantes, devraient faire débat.

Enfin, inconvénient collatéral de ce tabou : rien n'est prévu pour limiter notre consommation d'électricité ! A cet égard, l'exemple californien mérite réflexion. Pourquoi ne pas imaginer une rémunération des compagnies d'électricité qui les inciterait à faire faire des économies à leurs clients, plutôt qu'à augmenter leur chiffre d'affaires ? Cette idée est, certes, plus difficile à appliquer dans un cadre concurrentiel où les fournisseurs d'électricité ne sont pas en situation de monopole, mais elle pourrait être négociée à l'échelle européenne.

Prendre les cleantech au sérieux est d'autant plus urgent qu'elles sont en train de devenir un nouveau champ de bataille économique mondial, dont la France est presque complètement absente. On a vu, en effet, dans l'électronique comme dans l'internet, que ce sont les marchés intérieurs qui fabriquent des champions nationaux. Grâce à des réglementations nationales favorables, les Allemands se sont placés sur le solaire (Q-cell), les Danois sur l'éolien (Vestas). L'Espagne compte les premiers opérateurs mondiaux en centrales solaires thermiques et en fermes éoliennes (Acciona, Abengoa). Pour ce qui est des figures de proue tricolores, nous avons des atouts dans la gestion des déchets et de l'eau (Suez et Vivendi) et dans l'automobile. Mais si nous existons un peu dans l'éolien avec EDF Énergies nouvelles, c'est davantage grâce à l'entrepreneur Paris Moratoglou (codétenteur du capital) qu'au souci de notre électricien national de préparer un avenir renouvelable.

Or, dans cette bataille mondiale pour la maîtrise des énergies propres, il faudra compter avec de nouveaux concurrents sérieux. A commencer par le plus gros pollueur de la planète : la Chine. Ce pays-continent a certes mené une politique de croissance agressive, déversant sur le globe des produits de qualité douteuse, et saccageant son environnement. En 2008 il a dépassé les États-Unis au premier rang des émetteurs de gaz à effet de serre ; les deux tiers de ses rivières et de ses lacs sont trop pollués pour une utilisation industrielle ; 1 % seulement de sa population respire un air qui serait qualifié de sûr en Europe ; et il continue à construire en série des centrales à charbon, qui couvrent près de 80 % de sa production d'électricité.

Surprise : le gouvernement chinois mène cependant, depuis peu, une politique environnementale plus volontariste que bien des démocraties. La Chine est, d'abord, l'un des pays qui a mis le plus de vert dans sa relance : 200 milliards de dollars sont prévus pour les réseaux électriques intelligents et les économies d'énergie (contre une centaine aux États-Unis). Cet effort représente 38 % du total de son plan, ce qui la place derrière la Corée du Sud (81 %) et l'Union européenne (59 %), mais loin devant les États-Unis (12 %), selon une étude de la banque HSBC.

Sa politique environnementale impose désormais à ses constructeurs de voitures des normes de consommation d'essence que les États-Unis ne sont pas censés atteindre avant 2020. Le gouvernement a établi des standards d'économies d'énergie drastiques (fin 2010, chaque unité de production devra utiliser 20 % moins d'énergie et 30 % moins d'eau qu'en 2005). Et il a fixé le quota d'électricité devant être produit à partir d'énergies renouvelables à 3 % en 2010 et 8 % en 2020 (hors hydroélectricité, qui en représente déjà 20 %).

Mais ce n'est pas tout : l'usine du monde a de grandes ambitions en matière de technologies propres ! La Chine a mis en place un plan de subvention du solaire (à 3 dollars par watt, il couvre jusqu'à 60 % des frais d'installation) ; elle est déjà le premier producteur mondial de solaire photovoltaïque, avec des champions des panneaux comme Suntech Power, ou des chauffe-eau comme Himin Solar. Elle est aussi le deuxième marché mondial pour les turbines éoliennes, domaine dans lequel elle a doublé sa capacité ces quatre dernières années, et pourrait bientôt dépasser le leader américain. Les usines de biogaz à partir de déchets agricoles s'y multiplient.

En outre, elle a décidé de concentrer son savoir-faire manufacturier sur les batteries et les voitures électriques. BYD, le premier au monde à avoir commercialisé une voiture électrique rechargeable (à seulement 22 000 dollars), compte bien se servir de son immense marché intérieur comme d'un tremplin pour partir à la conquête de la planète.

Remporter le combat contre le réchauffement climatique suppose aussi de trouver un moyen de convaincre les pays en développement d'Asie, d'Afrique ou d'Amérique latine de ne pas prendre, comme nous hier, le chemin des énergies fossiles. Il est délicat, il est vrai, de leur expliquer que ce qui

nous a apporté opulence et confort matériel leur est
interdit – autrement dit, que nous avons saccagé la
planète et qu'ils doivent maintenant nous aider à la
sauver. Mais une piste possible serait qu'ils adoptent
des technologies énergétiques avancées, qui leur
permettraient de développer à leur tour directement
une économie pauvre en carbone. Après tout, c'est
ce qui s'est passé pour le téléphone : nombre de ces
pays ont fait l'impasse sur le développement de
réseaux fixes, pour passer directement à la communication mobile... Cela suppose, évidemment, que
le solaire et l'éolien deviennent rapidement aussi
compétitifs que les centrales à charbon.

L'autre espoir des pays du Sud serait de profiter de
cette nouvelle donne pour faire valoir leurs avantages
comparatifs, notamment l'abondance de soleil et de
biomasse. Dans cet état d'esprit, le Maghreb pourrait
devenir un fournisseur privilégié de l'Europe en électricité solaire thermique, et la zone tropicale consti-
tuerait un réservoir mondial naturel pour les
carburants dérivés de cultures cellulosiques. Enfin, les
pays pauvres dotés d'importantes forêts tropicales
seraient rémunérés pour protéger efficacement ce
bien collectif. Reconnaissons cependant que cette
vision consiste à parier sur une géostratégie des énergies nouvelles intrinsèquement plus vertueuse que
celle des énergies fossiles. Ce qui est loin d'être avéré.

Une chose est sûre : ceux qui croient encore que
tout ceci n'est qu'une histoire d'« écolos » font

fausse route. Il faudra tout changer : les règles du jeu et les instruments de mesure. La façon dont on produit, dont on travaille, dont on se déplace. La manière dont on se loge, se distrait, se nourrit. Nos relations aux autres, à la faune et à la flore. Il devient de plus en plus évident que la notion même de « croissance économique », définie par le seul produit intérieur brut, est caduque. Si nous ne mettons pas en place des systèmes de comptabilité publique qui prennent en compte la consommation de ressources rares (air, eau, forêts, diversité écologique...), nous allons droit dans le mur. Il faudra apprendre à passer de la société de surconsommation à l'éthique de la frugalité. Inventer un autre monde. Ce qu'essaient de faire, à leur manière, les pionniers de ce livre.

BIBLIOGRAPHIE

Dumaine Brian, *The Plot To Save The Planet : How Visionary Entrepreneurs and Corporate Titans are Creating Real Solutions to Global Warming*, Crown Business, 2008.

Ferone Geneviève, *2030, Le krach écologique*, Grasset, 2008.

Friedman Thomas, *La Terre perd la boule : Trop chaude, trop plate, trop peuplée*, Fondation Saint-Simon, 2009.

Hawken Paul, Lovins Amory, Lovins Hunter, *Natural Capitalism : Creating the Next Industrial Revolution*, Little Brown and Company, 1999.

Humes Edward, *Eco Barons : The Dreamers, Schemers, and Millionaires Who are Saving Our Planet*, HarperCollins, 2009.

Jancovici Jean-Marc, Grandjean Alain, *C'est maintenant ! 3 ans pour sauver le monde*, Seuil, 2009.

Jones Van, *The Green Collar Economy : How One Solution Can Fix Our Two Biggest Problems*, HarperCollins, 2008.

Lepage Corinne, *Vivre autrement*, Grasset, 2009.

Lovins Amory, *Soft Energy Paths : Toward a Durable Peace*, HarperCollins, 1977.

Makower Joel, *Strategies for The Green Economy : Opportunities and Challenges in the New World of Business*, McGraw-Hill, 2009.

McDonough William, Braungart Michael, *Cradle to Cradle : Remaking the Way We Make things*, North Point Press, 2002.

Pernick Ron, Wilder Clint, *The Clean Tech Revolution, The Next Big Growth and Investment Opportunity*, HarperCollins, 2007.

Pickens T. Boone, *The First Billion is the Hardest : Reflexions on a Lifetime of Comebacks and America's Energy Future*, Crown Business, 2008.

Rifkin Jeremy, *Beyond Beef : The Rise and Fall of The Cattle Culture*, Plume, 1992.

Werbach Adam, *Act Now, Apologize Later*, HarperCollins, 1997.

TABLE

Cet ouvrage a été imprimé en France par

C P I
Bussière

à Saint-Amand-Montrond (Cher)
en septembre 2009
pour le compte des Éditions Grasset,
61, rue des Saints-Pères, 75006 Paris.

N° d'édition : 15911. — N° d'impression : 092705/4.
Dépôt légal : septembre 2009.

Composé par Nord Compo Multimédia
7, rue de Fives, 59650 Villeneuve-d'Ascq

Composé par Nord Compo Multimédia
7, rue de Fives, 59650 Villeneuve-d'Ascq

Cet ouvrage a été imprimé en France par

à Saint-Amand-Montrond (Cher)
en septembre 2009
pour le compte des Éditions Grasset,
61, rue des Saints-Pères, 75006 Paris.

N° d'édition : 15911. — N° d'impression : 092705/4.
Dépôt légal : septembre 2009.